Inteligência artificial

Kai-Fu Lee

Inteligência artificial

Como os robôs estão mudando o mundo, a forma como amamos, nos relacionamos, trabalhamos e vivemos

Tradução: Marcelo Barbão

GLOBOLIVROS

Texto fixado conforme as regras do Acordo Ortográfico da Língua Portuguesa (Decreto Legislativo nº 54, de 1995).

Título original: *AI Superpowers: China, Silicon Valley and the New World Order*

Editora responsável: Amanda Orlando
Assistentes editoriais: Samuel Lima e Isis Batista
Preparação de texto: Jane Pessoa
Indexação: Wendy Campos
Revisão: Agatha Machado, Daiane Cardoso e Suelen Lopes
Diagramação: Filigrana
Capa: Estúdio Insólito
Imagem de capa: Coneyl Jay/Getty Images

1ª edição, 2019
6ª reimpressão, 2024

CIP-BRASIL. CATALOGAÇÃO NA PUBLICAÇÃO
SINDICATO NACIONAL DOS EDITORES DE LIVROS, RJ

L517i
Lee, Kai-Fu
Inteligência artificial : como os robôs estão mudando o mundo, a forma como amamos, nos comunicamos e vivemos / Kai-Fu Lee ; tradução Marcelo Barbão. - 1. ed. - Rio de Janeiro : Globo Livros, 2019.
292 p. ; 23 cm.

Tradução de: *AI superpowers*
Inclui índice
ISBN 978-65-80634-32-3

1. Inteligência artificial - Aspectos econômicos - China. 2. Inteligência artificial - Aspectos econômicos - Estados Unidos. I. Barbão, Marcelo. II. Título.

19-60559 CDD: 338.064
CDU: 330.341.1

Meri Gleice Rodrigues de Souza - Bibliotecária CRB-7/6439

Direitos exclusivos de edição em língua portuguesa para o Brasil adquiridos por Editora Globo S.A.
Rua Marquês de Pombal, 25 — 20230-240 — Rio de Janeiro — RJ
www.globolivros.com.br

Para Raj Reddy, meu mentor na IA e na vida.

Sumário

Introdução

Uma das obrigações que tenho como investidor de capital de risco é frequentemente dar palestras sobre inteligência artificial (IA) para membros da elite global de negócios e da política. Uma das alegrias do meu trabalho é que às vezes falo sobre o mesmo assunto com crianças do jardim de infância. O mais surpreendente é que esses dois públicos tão diferentes com frequência fazem o mesmo tipo de perguntas. Durante uma recente visita a um jardim de infância em Pequim, um grupo de crianças de cinco anos me perguntou sobre o futuro da IA.

"Vamos ter professores-robôs?"

"E se um carro-robô bater em outro carro-robô e nos machucarmos?"

"As pessoas se casarão com robôs e terão bebês com eles?"

"Os computadores vão se tornar tão inteligentes que poderão começar a mandar na gente?"

"Se os robôs fizerem tudo, então o que nós vamos fazer?"

Essas perguntas das crianças são ecos das questões feitas por algumas das pessoas mais poderosas do mundo, e a interação foi reveladora de várias maneiras. Primeiro, mostra como a IA está ocupando um bom espaço em nossas mentes. Poucos anos atrás, a inteligência artificial era um campo que existia principalmente em laboratórios de pesquisa acadêmica e filmes de ficção científica. A pessoa comum podia ter alguma ideia de que a IA tinha a ver com construir robôs que pudessem pensar como humanos, mas quase não havia conexão entre essa perspectiva e nossa vida cotidiana.

Hoje tudo isso mudou. Artigos sobre as mais recentes inovações da IA cobrem as páginas dos jornais. Conferências de negócios sobre como alavancar a IA para aumentar os lucros estão acontecendo quase todos os dias. E os governos do mundo todo estão lançando seus próprios planos nacionais para explorar a tecnologia. De repente, a IA está no centro do discurso público, e por boas razões.

Grandes avanços teóricos em IA finalmente têm produzido aplicações práticas que estão prestes a mudar nossas vidas. A IA já alimenta muitos de nossos aplicativos e sites favoritos, e nos próximos anos dirigirá nossos carros, gerenciará nossos portfólios, fabricará muito do que compramos e potencialmente tirará nossos empregos. Esses usos estão repletos de riscos promissores e perigos potenciais, e devemos nos preparar para as duas coisas.

Meu diálogo com os alunos do jardim de infância também foi revelador por causa do lugar onde aconteceu. Não faz muito tempo, a China estava anos, se não décadas, atrás dos Estados Unidos em termos de inteligência artificial. Mas nos últimos três anos o país foi tomado pela febre da IA, experimentando uma onda de entusiasmo pelo campo que supera até o que vemos no resto do mundo. Esse entusiasmo pela IA transbordou das comunidades de tecnologia e negócios para as de formulação de políticas governamentais e chegou às salas do jardim de infância em Pequim.

Esse amplo apoio ao campo refletiu e alimentou a crescente força da China nessa área. As empresas chinesas de IA e os pesquisadores já alcançaram suas contrapartes norte-americanas, testando algoritmos inovadores e modelos de negócios que prometem revolucionar a economia chinesa. Juntos, as empresas e os acadêmicos transformaram a China em uma verdadeira superpotência de IA, o único verdadeiro contrapeso aos Estados Unidos nessa tecnologia emergente. A forma como esses dois países escolherão competir e cooperar em IA terá implicações dramáticas para a economia e a governança global.

Finalmente, durante minhas idas e vindas com esses jovens estudantes, tropecei em uma verdade mais profunda: quando se trata de entender nosso futuro com a IA, somos todos crianças no jardim de infância. Estamos cheios de perguntas sem respostas, tentando perscrutar o futuro com uma mistura de admiração infantil e preocupações adultas. Queremos saber o que a automatização da IA significará para nossos empregos e para o que entendemos como propósito. Queremos saber quais pessoas e países se beneficiarão dessa tremenda tecnologia. Nós nos perguntamos se a IA poderá nos levar a uma vida de abundância material e se há espaço para a humanidade em um mundo dirigido por máquinas inteligentes.

Ninguém tem uma bola de cristal que possa revelar as respostas para essas perguntas. Mas essa incerteza central faz com que seja ainda mais importante trazer à tona essas perguntas e, com nossas melhores habilidades, explorar as respostas. Este livro é minha tentativa de fazer isso. Não sou um oráculo que consiga prever perfeitamente o futuro da IA, mas ao explorar essas questões, posso trazer minha experiência como pesquisador de IA, executivo de tecnologia e agora investidor de capital de risco na China e nos Estados Unidos. Minha esperança é de que este livro lance luz sobre como chegamos até aqui e inspire novas conversas sobre para onde vamos a partir de onde estamos.

Parte do motivo pelo qual prever o final de nossa história com a IA é tão difícil é porque não se trata apenas de uma história sobre máquinas. Também é uma história sobre seres humanos, pessoas com livre-arbítrio, o que lhes permite fazer suas próprias escolhas e moldar seus próprios destinos. Nosso futuro com a IA será criado por nós e refletirá as escolhas que fizermos e as ações que tomarmos. Nesse processo, espero que olhemos profundamente dentro de nós mesmos e uns aos outros a fim de encontrar os valores e a sabedoria que podem nos guiar.

Com esse espírito, vamos começar essa exploração.

1. O momento Sputnik da China

O adolescente chinês com óculos de armação quadrada parecia ser o herói improvável da última resistência da humanidade. Vestido com um terno preto, camisa branca e gravata preta, Ke Jie se afundou em sua cadeira, esfregando as têmporas, intrigado com o problema à sua frente. Normalmente cheio de uma confiança que beirava a arrogância, o garoto de dezenove anos se contorcia na cadeira de couro. Mude o local e ele poderia ser outro garoto na escola sofrendo com uma prova impossível de geometria.

Mas naquela tarde de maio de 2017, ele estava envolvido na luta contra uma das máquinas mais inteligentes do mundo, o AlphaGo, uma usina de inteligência artificial apoiada pela, pode-se dizer, maior empresa de tecnologia do mundo: o Google. O campo de batalha era um tabuleiro de dezenove por dezenove linhas, cheio de pequenas pedras pretas e brancas — as matérias-primas do enganosamente complexo jogo Go. Durante a partida, dois jogadores alternam-se, colocando pedras no tabuleiro e tentando cercar as peças do oponente. Nenhum humano na Terra poderia fazer isso melhor do que Ke Jie, mas, naquele momento, ele enfrentava um jogador do Go que estava em um nível que ninguém jamais havia visto.

Inventado, acredita-se, há mais de 2.500 anos, o Go tem a história mais longa que qualquer jogo de tabuleiro jogado ainda hoje. Na antiga China, representava uma das quatro formas de arte que todo acadêmico chinês deveria dominar. Acreditava-se que o jogo, como o zen, levava seus jogadores a um refinamento e a uma sabedoria intelectual. Enquanto jogos como o xadrez ocidental eram considerados grosseiramente táticos, o Go é baseado no posicionamento paciente e no lento cerco, o que o transformou em uma forma de arte, um estado de espírito.

A profundidade da história do Go acompanha a complexidade do jogo em si. As regras básicas podem ser explicadas em apenas nove sentenças, mas o número de posições possíveis em um tabuleiro de Go excede o de átomos no universo conhecido.[1] A complexidade da árvore de decisão transformou a derrota do campeão mundial de Go em uma espécie de monte Everest para a comunidade de inteligência artificial — um problema cujo tamanho tinha impedido todas as tentativas de conquistá-lo. Aqueles com uma inclinação poética diziam que tal feito não poderia ser realizado porque as máquinas não tinham o elemento humano, uma sensação quase mística pelo jogo. Os engenheiros simplesmente achavam que o tabuleiro oferecia possibilidades demais para que um computador pudesse avaliar.

Mas, nesse dia, o AlphaGo não estava apenas vencendo Ke Jie — estava dando uma surra nele. Ao longo de três maratonas de mais de três horas cada, Ke jogou tudo que conhecia contra o programa de computador. Testou diferentes abordagens: conservador, agressivo, defensivo e imprevisível. Nada parecia funcionar. O AlphaGo não deu nenhuma abertura a Ke. Ao contrário, lentamente foi deixando-o sem saída.

A visão de Pequim

O que se via nessa partida dependia do lugar de onde se estava assistindo. Para alguns observadores nos Estados Unidos, as vitórias do AlphaGo sinalizaram não apenas o triunfo da máquina sobre o homem, mas também das empresas ocidentais de tecnologia sobre o resto do mundo. Nas duas décadas anteriores, as empresas do Vale do Silício conquistaram os mercados de tecnologia do mundo. Empresas como Facebook e Google se tornaram as plataformas de internet obrigatórias para socializar e pesquisar. No processo, elas passaram por cima de startups locais em países que iam da França à

Indonésia. Essas gigantes da internet deram aos Estados Unidos um domínio do mundo digital que correspondia ao seu poder militar e econômico no mundo real. Com o AlphaGo — um produto da startup britânica de IA DeepMind, que foi adquirida pelo Google em 2014 —, o Ocidente parecia pronto para continuar esse domínio na era da inteligência artificial.

Mas, olhando pela janela do meu escritório durante a partida de Ke Jie, vi algo muito diferente. A sede do meu fundo de capital de risco está localizada no bairro de Zhongguancun, em Pequim, uma área frequentemente chamada de "Vale do Silício Chinês". Hoje, Zhongguancun é o coração pulsante do movimento de IA da China. Para os locais, as vitórias do AlphaGo foram tanto um desafio quanto uma inspiração. Elas se transformaram no "Momento Sputnik" da China em termos de inteligência artificial.

Quando a União Soviética colocou o primeiro satélite construído pelo homem em órbita, em outubro de 1957, isso teve um efeito instantâneo e profundo na psique e nas políticas do governo americano. O evento provocou uma ansiedade generalizada entre o povo sobre a suposta superioridade tecnológica soviética, com os norte-americanos seguindo o satélite no céu noturno e sintonizando as transmissões de rádio do *Sputnik*. Isso levou à criação da Administração Nacional de Aeronáutica e Espaço (Nasa, de acordo com a sigla em inglês) e fomentou os principais subsídios do governo para o ensino de matemática e ciências, dando início efetivamente à corrida espacial. Essa mobilização nacional deu frutos doze anos mais tarde, quando Neil Armstrong se tornou a primeira pessoa a pisar na Lua.

O AlphaGo marcou sua primeira vitória de alto nível em março de 2016, durante uma série de cinco jogos contra o lendário jogador coreano Lee Sedol, ganhando de quatro a um. Embora pouco notado pela maioria dos norte-americanos, os cinco jogos atraíram mais de 280 milhões de telespectadores chineses.[2] Da noite para o dia, a China mergulhou em uma febre de inteligência artificial. A mobilização não chegou a rivalizar com a reação dos Estados Unidos ao *Sputnik*, mas acendeu uma chama na comunidade de tecnologia chinesa que continua a queimar desde então.

Quando investidores chineses, empresários e funcionários do governo se concentram em um setor, eles podem realmente agitar o mundo. De fato, a China está aumentando o investimento, a pesquisa e o empreendedorismo em IA em uma escala histórica. Dinheiro para as startups de IA está chegando de capitalistas de risco, das gigantes de tecnologia e do governo chinês. Estudantes chineses também foram atingidos pela febre da IA, matriculando-se em programas de graduação avançada e assistindo a palestras de pesquisadores internacionais em seus smartphones. Os fundadores de startups estão furiosamente transformando, reprojetando ou simplesmente reposicionando suas empresas para surfar na onda da IA.

Menos de dois meses depois que Ke Jie abandonou seu último jogo contra o AlphaGo, o governo central chinês lançou um plano ambicioso para aumentar a capacidade do país em inteligência artificial.[3] Pediu maior financiamento, apoio político e coordenação nacional para o desenvolvimento da IA. Estabeleceu marcos claros para o progresso entre 2020 e 2025 e projetou que, até 2030, a China se tornará o centro de inovação global em inteligência artificial, liderando em teoria, tecnologia e aplicação. Em 2017, os investidores chineses de capital de risco já tinham respondido a esse chamado, despejando somas recordes em startups de inteligência artificial, assumindo 48% de todo o financiamento de capital de risco global e ultrapassando os Estados Unidos pela primeira vez.[4]

Um jogo que mudou tudo

Subjacente a essa onda de apoio do governo chinês está um novo paradigma na relação entre a inteligência artificial e a economia. Embora a ciência da inteligência artificial tenha feito progressos lentos, mas constantes, durante décadas, apenas recentemente houve uma aceleração, permitindo que essas conquistas acadêmicas fossem traduzidas em casos de utilidade no mundo real.

Eu já conhecia bem os desafios técnicos de derrotar um humano no Go. Quando era um jovem estudante de doutorado em inteligência artificial na Universidade Carnegie Mellon, estudei com o pesquisador pioneiro da IA, Raj Reddy. Em 1986, criei o primeiro programa de software para derrotar um membro da equipe campeã mundial do jogo Othello,[5] uma versão simplificada do Go jogada em um tabuleiro quadrado de oito por oito linhas. Foi um grande feito na época, mas a tecnologia por trás disso não estava pronta para enfrentar nada além de jogos de tabuleiro.

O mesmo aconteceu quando o Deep Blue da IBM derrotou o campeão mundial de xadrez Garry Kasparov em 1997, em uma partida chamada de "O último ponto de resistência do cérebro". Esse evento gerou ansiedade sobre quando os robôs começariam a conquista da humanidade, mas, além de elevar o preço das ações da IBM, a partida não teve nenhum impacto significativo na vida real. A inteligência artificial ainda tinha poucas aplicações práticas, e os pesquisadores passaram décadas sem fazer nenhum avanço que fosse de fato fundamental.

Deep Blue tinha essencialmente "aberto à força" seu caminho para a vitória — confiando em grande parte no hardware personalizado para gerar e avaliar com rapidez as posições de cada movimento. Também exigia que campeões de xadrez da vida real acrescentassem heurísticas orientadoras ao software. Sim, a vitória foi uma impressionante façanha de engenharia, mas se baseou em uma tecnologia de longa data que funcionava apenas em conjuntos muito restritos de problemas. Tire Deep Blue da simplicidade geométrica de um tabuleiro de xadrez de oito por oito e ele não parecerá muito inteligente. No final, o único emprego que ameaçava era o do campeão mundial de xadrez.

Dessa vez, as coisas são diferentes. O jogo Ke Jie versus AlphaGo foi disputado dentro dos limites de um tabuleiro de Go, mas está intimamente ligado a mudanças dramáticas no mundo real. Essas mudanças incluem o frenesi da IA chinesa provocado pelos jogos do AlphaGo, em meio à tecnologia subjacente que o levou à vitória.

O AlphaGo baseia-se em aprendizado profundo, uma abordagem inovadora para a inteligência artificial que turbinou as capacidades cognitivas das máquinas. Programas baseados em aprendizado profundo podem, agora, fazer um trabalho melhor do que os humanos na identificação de rostos, no reconhecimento de discurso e na concessão de empréstimos. Durante décadas, a revolução da inteligência artificial sempre parecia estar a cinco anos de distância. Porém, com o desenvolvimento do aprendizado profundo nos últimos anos, essa revolução finalmente chegou, e irá inaugurar uma era de forte aumento da produtividade, mas também de perturbações generalizadas nos mercados de trabalho — e grandes efeitos sociopsicológicos nas pessoas — à medida que a inteligência artificial tomar conta dos empregos humanos em todas as indústrias.

Durante a partida de Ke Jie, não eram os robôs assassinos com inteligência artificial, previstos por alguns tecnólogos proeminentes, que me deixavam assustado. Eram os demônios do mundo real que poderiam ser evocados pelo desemprego em massa e pela consequente turbulência social. A ameaça aos empregos está chegando muito mais depressa do que a maioria dos especialistas previa, e ela não discriminará pelo nível de especialização dos cargos, ao contrário, atingirá tanto os altamente treinados quanto aqueles com baixa escolaridade. No dia dessa partida notável entre AlphaGo e Ke Jie, o aprendizado profundo estava destronando o melhor jogador de Go da humanidade. Essa mesma tecnologia destruidora de empregos chegará em breve a uma fábrica e a um escritório perto de você.

O fantasma na máquina do Go

Mas na mesma partida também vi um motivo de esperança. Duas horas e cinquenta e um minutos depois do começo do jogo, Ke Jie já não tinha saída. Ele deu tudo o que podia nesse jogo, mas sabia que não seria suficiente. Encurvado sobre o tabuleiro, crispou os lábios e suas sobrancelhas começaram a se franzir. Percebendo que não conseguia segurar suas emoções por mais tempo, tirou os óculos e usou as costas da mão para enxugar as lágrimas dos olhos. Aconteceu em um instante, mas a emoção por trás do ato foi visível para todos.

Essas lágrimas provocaram muitas manifestações de simpatia e apoio a Ke. No decorrer daquelas três partidas, o garoto passou por uma montanha-russa de emoções: confiança, ansiedade, medo, esperança e mágoa. Ele havia mostrado seu espírito competitivo, mas eu vi naqueles jogos um ato de amor genuíno: a vontade de enfrentar um adversário imbatível por puro amor ao jogo, à sua história e às pessoas que o jogam. Aqueles que assistiram à frustração de Ke responderam da mesma forma. O AlphaGo pode ter sido o vencedor, mas Ke se tornou o campeão do povo. Nessa conexão — pessoas dando e recebendo amor —, tive um vislumbre de como os humanos encontrarão trabalho e significado na era da inteligência artificial.

Acredito que a aplicação habilidosa da IA será a maior oportunidade de a China alcançar — e possivelmente superar — os Estados Unidos. O mais importante, no entanto, é que essa mudança criará uma oportunidade para que todas as pessoas redescubram o que nos torna humanos.

Para entender por que isso acontecerá, precisamos primeiro compreender os fundamentos da tecnologia e como ela irá transformar nosso mundo.

Uma breve história do aprendizado profundo

O aprendizado de máquina — o termo genérico para o campo que inclui o aprendizado profundo — é uma tecnologia revolucionária, mas que teve a sorte de sobreviver a um tumultuado meio século de pesquisas. Desde a sua criação, a inteligência artificial passou por vários ciclos de expansão e retrocesso. Períodos de grande promessa foram seguidos por "invernos de IA", quando uma decepcionante falta de resultados práticos levava a grandes cortes no financiamento. Entender o que faz o advento do aprendizado profundo diferente requer uma rápida recapitulação de como chegamos até aqui.

Em meados da década de 1950, os pioneiros da inteligência artificial estabeleceram uma missão com um propósito extremamente ambicioso, mas bem definido: recriar a inteligência humana em uma máquina. Essa combinação impressionante da clareza do objetivo e da complexidade da tarefa atrairia algumas das maiores mentes do emergente campo da ciência da computação: Marvin Minsky, John McCarthy e Herbert Simon.

Quando eu era um ingênuo estudante de ciência da computação na Universidade Columbia, no início dos anos 1980, tudo isso captou minha imaginação. Nasci em Taiwan no começo dos anos 1960, mas me mudei para o Tennessee aos onze anos e terminei o ensino médio lá. Depois de quatro anos na Columbia, em Nova York, eu sabia que desejava me aprofundar em IA. Quando me candidatei a programas de doutorado em ciência da computação em 1983, até escrevi esta descrição um tanto grandiosa do campo na minha carta de intenção: "Inteligência artificial é a elucidação do processo de aprendizagem humana, a quantificação do processo de pensamento humano, a explicação do comportamento humano e a compreensão do que torna a inteligência possível. É o último passo dos homens para se entenderem, e espero participar dessa nova, mas promissora, ciência".

Esse ensaio me ajudou a entrar no mais conceituado departamento de ciência da computação da Universidade Carnegie Mellon, um centro de pesquisa de ponta em IA. Também demonstrou minha ingenuidade sobre o campo, tanto por superestimarmos nosso poder de nos entendermos como por subestimarmos o poder da IA de produzir inteligência sobre-humana em áreas muito especializadas.

Quando comecei meu doutorado, o campo da inteligência artificial havia se dividido em dois: a abordagem "baseada em regras" e a abordagem das "redes neurais". Pesquisadores do campo baseado em regras (também chamado de "sistemas simbólicos" ou "sistemas de especialistas") tentavam ensinar os computadores a pensar codificando uma série de regras lógicas: se X, então Y. Essa abordagem funcionava bem para jogos simples e bem definidos, mas desmoronava quando o universo de escolhas ou movimentos possíveis se expandia. Para tornar o software mais aplicável a problemas do mundo real, o campo baseado em regras procurava entrevistar especialistas nas questões que estavam sendo abordadas e, em seguida, codificar sua sabedoria na tomada de decisões do programa (daí o apelido de "sistemas de especialistas").

O campo das "redes neurais", no entanto, adotou uma abordagem diferente. Em vez de tentar ensinar ao computador as regras que tinham sido dominadas por um cérebro humano, esses pesquisadores tentaram reconstruir o próprio cérebro humano. Dado que as teias emaranhadas de neurônios nos cérebros de animais eram a única coisa capaz de criar inteligência como a conhecíamos, eles imaginaram que deveriam ir direto à fonte. Essa abordagem imita a arquitetura do cérebro, construindo camadas de neurônios artificiais que podem receber e transmitir informações em uma estrutura semelhante às nossas redes de neurônios biológicos. Ao contrário da abordagem baseada em regras, os construtores de redes neurais em geral não fornecem às redes regras a serem seguidas na tomada de decisões. Eles simplesmente inserem muitos exemplos de um determinado fenômeno — imagens, jogos de xadrez, sons — nas redes neurais e permitem que as próprias redes identifiquem padrões dentro dos dados. Em outras palavras, quanto menos interferência humana, melhor.

As diferenças entre as duas visões podem ser notadas no modo como elas tratam de um problema simples: identificar se existe um gato em uma imagem. A abordagem baseada em regras tentaria estabelecer regras nos moldes "se-então" para ajudar o programa a tomar uma decisão: "Se há duas formas triangulares em cima de uma forma circular, então provavelmente há um gato na foto". A abordagem da rede neural, ao contrário, alimentaria o programa com milhões de amostras de fotos rotuladas como "gato" ou "sem gato", permitindo que o programa descubra sozinho quais recursos nos milhões de imagens estão mais correlacionados com o rótulo "gato".

Durante as décadas de 1950 e 1960, as primeiras versões de redes neurais artificiais produziram resultados promissores e muita publicidade. Mas, em 1969, pesquisadores do campo baseado em regras reagiram, convencendo muitos na área de que as redes neurais eram pouco confiáveis e limitadas em seu uso. A abordagem das redes neurais rapidamente saiu de moda, e a IA mergulhou em um de seus primeiros "invernos" durante os anos 1970.

Nas décadas seguintes, as redes neurais desfrutaram de breves períodos de destaque, seguidos por um abandono quase total. Em 1988, usei uma técnica semelhante às redes neurais (Modelo Oculto de Markov) para criar o Sphinx,[6] o primeiro sistema independente de reconhecimento de fala contínua do mundo. Essa conquista me rendeu um perfil no *New York Times*.[7] Mas não foi o suficiente para salvar as redes neurais de cair novamente em desuso, à medida que a IA voltava a entrar em uma prolongada era glacial durante a maior parte dos anos 1990.

O que finalmente ressuscitou o campo das redes neurais — e desencadeou o renascimento da IA que estamos vivendo hoje — foram mudanças em duas das principais matérias-primas das quais as redes neurais se alimentam, juntamente com um grande avanço técnico. As redes neurais precisam de grandes quantidades de duas coisas: poder de computação e dados. Os dados "treinam" o programa para reconhecer padrões, fornecendo muitos exemplos, e o poder computacional permite que o programa analise esses exemplos em alta velocidade.

Tanto os dados quanto o poder de computação estavam em falta no início do campo nos anos 1950, mas, nas décadas seguintes, tudo isso mudou. Hoje, seu smartphone tem milhões de vezes mais poder de processamento do que os principais computadores de ponta que a Nasa usou para enviar Neil Armstrong à Lua em 1969. E a internet levou a uma explosão de todos os tipos de dados digitais: texto, imagens, vídeos, cliques, compras, tuítes e assim por diante. Em conjunto, tudo isso deu aos pesquisadores quantidades abundantes de dados ricos para treinar suas redes, bem como bastante poder computacional barato para esse treinamento.

Mas as redes em si ainda eram muito limitadas no que podiam fazer. Resultados precisos para problemas complexos exigiam muitas camadas de neurônios artificiais, e os pesquisadores não tinham encontrado uma maneira eficiente de treinar essas camadas à medida que iam sendo adicionadas. O grande avanço técnico do aprendizado profundo finalmente chegou em meados dos anos 2000, quando o importante pesquisador Geoffrey Hinton descobriu um modo de treinar essas novas camadas em redes neurais de forma eficiente. O resultado foi como dar esteroides às velhas redes neurais, multiplicando o seu poder para executar tarefas como reconhecimento de fala e de objetos.

Logo, essas redes neurais energizadas — agora renomeadas como "aprendizado profundo" — poderiam superar os modelos mais antigos em uma variedade de tarefas. Mas anos de preconceito arraigado contra a abordagem das redes neurais levaram muitos pesquisadores de IA a ignorar esse grupo "marginal" que reivindicava resultados notáveis. O ponto de virada veio em 2012, quando uma rede neural construída pela equipe de Hinton acabou com a competição em um concurso internacional de visão computacional.[8]

Depois de décadas às margens da pesquisa de IA, as redes neurais ganharam os holofotes da noite para o dia, dessa vez sob a forma do aprendizado profundo. Essa inovação prometia derreter o gelo do último inverno de IA e, pela primeira vez, realmente usar o poder da IA para resolver uma série de problemas do mundo real. Pesquisadores, futuristas e CEOs de tecnologia começaram a falar sobre o enorme potencial do campo para decifrar a fala humana, traduzir documentos, reconhecer imagens, prever o comportamento de consumidores, identificar fraudes, tomar decisões sobre empréstimos, ajudar robôs a "ver" e até mesmo a dirigir um carro.

Abrindo a cortina do aprendizado profundo

Então, como o aprendizado profundo faz isso? Fundamentalmente, esses algoritmos usam grandes quantidades de dados de um domínio específico para tomar uma decisão que otimiza um resultado desejado. Isso é feito através do treino para reconhecer padrões e correlações profundamente internas, conectando os muitos pontos de dados ao resultado desejado. Esse processo de busca de padrões é mais fácil quando os dados são rotulados com o resultado desejado — "gato" versus "não gato"; "clicado" versus "não clicado"; "jogo vencido" versus "jogo perdido", podendo, então, basear-se em seu amplo conhecimento dessas correlações — muitas das quais são invisíveis ou irrelevantes para os observadores humanos — para tomar melhores decisões do que um humano conseguiria.

Isso exige quantidades massivas de dados relevantes, um algoritmo forte, um domínio restrito e uma meta concreta. Se não houver algum destes, as coisas desmoronam. Poucos dados? O algoritmo não tem exemplos suficientes para descobrir correlações significativas. Um objetivo muito amplo? O algoritmo não tem referências claras para conseguir uma otimização.

O aprendizado profundo é o que se conhece como "IA estreita" — inteligência que coleta dados de um domínio específico e o aplica à otimização de um resultado específico. Apesar de impressionante, ainda está muito longe da "IA geral", a tecnologia para todos os fins que pode fazer o mesmo que um humano é capaz.

A aplicação mais natural do aprendizado profundo é em áreas como seguro e empréstimos. Dados relevantes sobre os mutuários são abundantes (pontuação de crédito, renda, uso recente de cartão de crédito) e a meta de otimização é clara (minimizar as taxas de inadimplência). Dando um passo à frente, o aprendizado profundo dará poder aos carros autônomos, ajudando-os a "ver" o mundo ao redor — reconhecer padrões nos pixels da câmera (octógonos vermelhos), descobrir com o que se relacionam (sinais de parada) e usar essas informações para tomar decisões (aplicar pressão no freio a fim de parar lentamente) que otimizam o resultado desejado (levar-me em segurança para casa em um tempo mínimo).

As pessoas estão tão empolgadas com o aprendizado profundo justamente porque seu poder central — sua capacidade de reconhecer um padrão, otimizar um resultado específico, tomar uma decisão — pode ser aplicado a muitos tipos diferentes de problemas cotidianos. É por isso que empresas como o Google e Facebook se esforçaram para conquistar o pequeno núcleo de especialistas em aprendizado profundo, pagando a eles milhões de dólares para que deem continuidade a seus ambiciosos projetos de pesquisa. Em 2013, o Google adquiriu a startup fundada por Geoffrey Hinton e, no ano seguinte, arrematou a startup britânica de inteligência artificial DeepMind — a empresa que construiu o AlphaGo — por mais de 500 milhões de dólares.[9] Os resultados desses projetos continuaram a impressionar observadores e gerar manchetes. Eles mudaram o *zeitgeist* cultural e nos deram a sensação de estarmos à beira de uma nova era, na qual as máquinas irão fortalecer radicalmente e/ou deslocar violentamente os seres humanos.

A IA E A PESQUISA INTERNACIONAL

Mas onde estava a China em tudo isso? A verdade é que a história do nascimento do aprendizado profundo ocorreu quase inteiramente nos Estados Unidos, no Canadá e no Reino Unido. Depois disso, um número menor de empreendedores chineses e fundos de capital de risco, como o meu, começou a investir nessa área. No entanto, a maior parte da comunidade tecnológica da China não acordou para a revolução do aprendizado profundo até seu Momento Sputnik em 2016, uma década depois do artigo acadêmico inovador do campo e quatro anos depois de ter sido apresentado no concurso de visão computacional.

As universidades e empresas de tecnologia norte-americanas colhem há décadas as recompensas da capacidade do país de atrair e absorver talentos do mundo todo. Parecia que o progresso na IA não seria diferente. Os Estados Unidos pareciam ter uma liderança inquestionável que só cresceria à medida que esses pesquisadores de elite alavancassem o generoso ambiente de financiamento, a cultura única e as principais empresas do Vale do Silício. Aos olhos da maioria dos analistas, a indústria tecnológica chinesa estava destinada a desempenhar o mesmo papel na IA global que já tinha havia décadas: a de imitadora muito atrás da vanguarda.

Como demonstro nos capítulos a seguir, essa análise está errada. Baseia-se em suposições ultrapassadas sobre o ambiente tecnológico chinês, bem como em um mal-entendido fundamental sobre o que está impulsionando a atual revolução da IA. O Ocidente pode ter acendido a chama do aprendizado profundo, mas a China será a maior beneficiária do calor que essa chama está gerando. Essa mudança global é produto de duas transições: da era da descoberta à era da implementação, e da era da especialidade à era dos dados.

Fundamental para a crença equivocada de que os Estados Unidos detêm uma grande vantagem na IA é a impressão de que estamos vivendo uma era de descobertas, uma época na qual os pesquisadores de elite da IA estão constantemente derrubando velhos paradigmas e finalmente rompendo mistérios de longa data. Essa impressão foi alimentada por um fluxo ininterrupto de reportagens da mídia anunciando o mais recente feito da IA: diagnosticar certos tipos de câncer melhor do que os médicos, vencer campeões humanos em disputas de Texas Hold'em, uma modalidade de pôquer repleta de blefes, e aprender a dominar novas habilidades sem nenhuma interferência humana. Por causa dessa enxurrada de atenção da mídia a cada nova conquista, o observador casual — ou mesmo o analista especializado — pode acreditar que estamos sempre abrindo novos caminhos fundamentais na pesquisa de inteligência artificial.

Acredito que essa impressão é enganosa. Muitos desses novos marcos são, ao contrário, apenas a aplicação dos avanços da última década — principalmente o aprendizado profundo, mas também tecnologias complementares, como o aprendizado por reforço e o aprendizado por transferência — em novos problemas. O que esses pesquisadores estão fazendo requer grande habilidade e conhecimento profundo: a capacidade de ajustar algoritmos matemáticos complexos, manipular grandes quantidades de dados, adaptar redes neurais a diferentes problemas. Isso em geral requer especialização em nível de doutorado nesses campos. Mas esses avanços são melhorias incrementais e otimizações que alavancam o dramático salto do aprendizado profundo.

A era da implementação

O que eles realmente representam é a aplicação dos incríveis poderes do reconhecimento de padrões e da previsão em diferentes esferas, como diagnosticar uma doença, emitir uma apólice de seguro, dirigir um carro ou traduzir uma frase em chinês para um inglês que faça sentido. Não significam progresso rápido em direção à "IA geral" ou qualquer outro avanço similar no nível do aprendizado profundo. Essa é a era da implementação, e as empresas que quiserem ganhar nesse período precisarão de talentosos empreendedores, engenheiros e gerentes de produto.

Andrew Ng, um dos pioneiros do aprendizado profundo, comparou a inteligência artificial ao aproveitamento da eletricidade de Thomas Edison: uma tecnologia inovadora por si só, e que, uma vez aproveitada, pode ser aplicada para revolucionar dezenas de indústrias diferentes.[10] Assim como os empreendedores do século XIX logo começaram a aplicar o avanço da eletricidade para cozinhar alimentos, iluminar salas e pôr em funcionamento os equipamentos industriais, os empreendedores da IA de hoje estão fazendo o mesmo com o aprendizado profundo. Muito do trabalho difícil e abstrato de pesquisa de IA já foi feito, e agora é o momento em que os empreendedores devem arregaçar as mangas e se dedicar ao trabalho sujo de transformar algoritmos em negócios sustentáveis.

Isso de maneira nenhuma diminui a atual animação em torno da IA; a implementação é o que torna os avanços acadêmicos significativos e o que realmente acabará mudando o tecido de nossas vidas. A era da implementação significa que, por fim, veremos as aplicações reais depois de décadas de pesquisa promissora, algo que esperei ansiosamente durante grande parte da minha vida adulta.

Entretanto, fazer essa distinção entre descoberta e implementação é essencial para entender como a IA moldará nossas vidas e o que — ou qual país — impulsionará esse progresso. Durante a era da descoberta, o progresso foi impelido por um punhado de pensadores de elite, praticamente todos agrupados nos Estados Unidos e no Canadá. Suas pesquisas e inovações intelectuais únicas levaram a um aumento súbito e monumental do que os computadores podem fazer. Desde o surgimento do aprendizado profundo, nenhum outro grupo de pesquisadores ou engenheiros conseguiu inovações nessa escala.

A era dos dados

Isso nos leva à segunda grande transição, da era da especialidade à era dos dados. Hoje, algoritmos de IA bem-sucedidos precisam de três coisas: *big data*, poder de computação e o trabalho de engenheiros de algoritmo de IA bons, mas não necessariamente da elite. Trazer o poder do aprendizado profundo para lidar com novos problemas requer todos os três, mas nesta era de implementação, os dados são o aspecto central. Isso porque, quando o poder da computação e os talentosos engenheiros atingem certo limite, a quantidade de dados se torna decisiva para determinar a potência e a precisão gerais de um algoritmo.

No aprendizado profundo, não há nada melhor para os dados do que mais dados. Quanto mais uma rede for exposta a exemplos de um determinado fenômeno, mais precisamente poderá escolher padrões e identificar coisas no mundo real. Com mais dados, um algoritmo projetado por um grupo de engenheiros de IA de nível médio geralmente supera um projetado por um pesquisador de aprendizado profundo de elite. Ter o monopólio dos melhores e mais brilhantes não significa ter os melhores resultados em termos práticos.

Os pesquisadores de IA de elite ainda têm o potencial de levar o campo a um nível superior, mas esses avanços ocorrem uma vez a cada várias décadas. Enquanto esperamos pelo próximo avanço, a crescente disponibilidade de dados será a força motriz por trás da modificação, causada pelo aprendizado profundo, de inúmeras indústrias ao redor do mundo.

A vantagem da China

Devemos perceber que a promessa da massificação da eletricidade há um século exigia quatro insumos fundamentais: combustíveis fósseis para gerá-la, empreendedores para construir novos negócios em torno dela, engenheiros elétricos para manipulá-la e o apoio de um governo para desenvolver a infraestrutura pública necessária. Aproveitar o poder da IA hoje — a "eletricidade" do século XXI — também exige quatro insumos análogos: dados abundantes, empreendedores famintos, cientistas de IA e um ambiente político favorável a investimentos na área. Observando as forças relativas da China e dos Estados Unidos nessas quatro categorias, podemos prever o equilíbrio emergente de poder na ordem mundial da IA.

As duas transições descritas nas páginas anteriores — da descoberta à implementação e da especialização aos dados — agora pendem a balança para a China, minimizando as fraquezas do país e ampliando seus pontos fortes. Passar da descoberta à implementação reduz um dos maiores pontos fracos da China (abordagens inovadoras para questões de pesquisa) e alavanca o ponto forte mais significativo do país: empreendedores competitivos com instintos afiados para construir negócios robustos. A transição da especialização aos dados tem um benefício semelhante, minimizando a importância dos pesquisadores de elite global que a China não possui e maximizando o valor de outro recurso-chave que o país possui em abundância: dados.

Os empreendedores do Vale do Silício ganharam a reputação de serem alguns dos que mais trabalham nos Estados Unidos. São jovens criadores de empresas apaixonados que fazem de tudo em uma corrida maluca para criar um produto e depois testá-lo obsessivamente enquanto procuram a próxima grande novidade. Lá, os empreendedores de fato trabalham duro, mas passei décadas profundamente enraizado tanto no cenário tecnológico do Vale do Silício quanto no da China, trabalhando na Apple, na Microsoft e no Google antes de incubar e investir em dezenas de startups chinesas. Posso dizer que o Vale do Silício parece totalmente preguiçoso em comparação com seus concorrentes no Pacífico.

Os empreendedores bem-sucedidos da internet chinesa chegaram onde chegaram conquistando o ambiente competitivo mais cruel do planeta. Eles vivem em um mundo no qual velocidade é essencial, a cópia é uma prática aceita e os concorrentes não hesitam em fazer qualquer coisa para conquistar um novo mercado. Todos os dias passados na cena das startups da China é uma prova de fogo, como o dia de um gladiador no Coliseu. As batalhas são de vida ou morte, e seus oponentes não têm escrúpulos.

A única maneira de sobreviver a essa batalha é melhorar constantemente o produto, mas também inovar em seu modelo de negócios e construir um "fosso" em torno de sua empresa. Se a única vantagem é uma singular ideia nova, essa ideia será invariavelmente copiada, seus funcionários-chave serão enganados e você será expulso dos negócios por concorrentes subsidiados por capital de risco. Esse ambiente confuso representa um forte contraste com o Vale do Silício, onde copiar cria estigmas e muitas empresas conseguem se manter apenas com base em uma ideia original ou simplesmente sorte. Essa falta de competição pode levar a certo nível de complacência, sem que os empreendedores explorem todas as possíveis iterações de sua primeira inovação. Os mercados desordenados e os truques sujos da era "imitadora" da China produziram algumas empresas questionáveis, mas também incubaram uma geração composta pelos empreendedores mais espertos, hábeis e batalhadores do mundo. Essa geração será o ingrediente secreto que ajudará a China a se tornar o primeiro país a lucrar com a era da implementação da IA.

Esses empreendedores terão acesso a outro "recurso natural" do mundo tecnológico chinês: uma superabundância de dados. A China já ultrapassou os Estados Unidos em termos de volume absoluto como o principal produtor de informações. Esses dados não são apenas impressionantes em quantidade, mas graças ao ecossistema tecnológico único da China — um universo alternativo de produtos e funções que não existe em nenhum outro lugar —, os dados são feitos sob medida para a criação de empresas de IA lucrativas.

Até 2013, fazia sentido comparar diretamente o progresso das empresas de internet chinesas e norte-americanas, como se descrevêssemos uma corrida. Elas estavam em trilhas razoavelmente paralelas, com os Estados Unidos ligeiramente à frente da China. Mas, depois, a internet chinesa fez uma curva. Em vez de seguir os passos ou copiar diretamente as empresas norte-americanas, os empresários chineses passaram a desenvolver produtos e serviços que não eram nada parecidos com os do Vale do Silício. Especialistas no mercado chinês costumavam invocar analogias simples com base no Vale do Silício ao retratar as empresas chinesas — "o Facebook da China", "o Twitter da China" —, mas, nos últimos anos, em muitos casos, esses rótulos pararam de fazer sentido. A internet chinesa se transformou em um universo alternativo.

Os moradores dos centros urbanos chineses começaram a pagar suas compras do mundo real por meio de códigos de barras em seus telefones, parte de uma revolução nos pagamentos móveis nunca vista em nenhum outro lugar. Exércitos de entregadores de alimentos e massagistas sob demanda montados em scooters entupiram as ruas das cidades chinesas. Eles representaram uma grande onda de startups "on-line para off-line" (O2O) que trouxeram a conveniência do comércio eletrônico para os serviços do mundo real, como restaurantes ou manicures. Logo depois vieram os milhões de bicicletas coloridas compartilhadas que os usuários podiam pegar ou largar em qualquer lugar apenas escaneando um código de barras com seus telefones.

O crescimento do superaplicativo chinês WeChat uniu todos esses serviços, transformando-se em uma espécie de canivete suíço digital para a vida moderna. Os usuários do WeChat começaram a enviar mensagens de texto e voz para amigos, pagar suas compras, agendar consultas médicas, pagar impostos, desbloquear bicicletas compartilhadas e comprar passagens de avião, tudo sem sair do aplicativo. O WeChat se tornou o *app* social universal, onde diferentes tipos de conversas em grupo — formados por colegas de trabalho e amigos ou em torno de interesses específicos — eram usados para negociar acordos comerciais, organizar festas de aniversário ou discutir arte moderna.

O WeChat reuniu várias funções essenciais que estão espalhadas por uma dúzia de aplicativos nos Estados Unidos e em outros lugares.

O universo digital alternativo da China agora cria e captura oceanos de novos dados sobre o mundo real. Essa riqueza de informações sobre os usuários — sua localização a cada segundo do dia, como eles se deslocam, quais comidas preferem, quando e onde compram suas refeições e sua cerveja — será inestimável na era da implementação da IA. Isso dá a essas empresas um tesouro detalhado dos hábitos diários desses usuários, que podem ser combinados com algoritmos de aprendizado profundo para oferecer serviços sob medida, desde auditoria financeira até planejamento urbano. Também supera amplamente o que as principais empresas do Vale do Silício podem decifrar de suas pesquisas, "curtidas" ou compras on-line ocasionais. Essa incomparável quantidade de dados do mundo real dará às empresas chinesas uma grande vantagem no desenvolvimento de serviços baseados em IA.

A MÃO SOBRE A BALANÇA

Esses desenvolvimentos recentes e poderosos naturalmente inclinam a balança de poder na direção da China. Mas, além desse reequilíbrio natural, o governo chinês também está fazendo tudo que pode para pender a balança para o seu lado. Com o plano abrangente de se tornar uma superpotência da IA, o governo prometeu amplo apoio e financiamento para pesquisa em inteligência artificial, mas acima de tudo, atuou como um farol para os governos locais em todo o país seguirem o exemplo. As estruturas de governança chinesas são mais complexas do que a maioria dos norte-americanos supõe; o governo central não apenas emite comandos que são implementados instantaneamente em todo o país, como também tem a capacidade de identificar certos objetivos de longo prazo e mobilizar recursos enormes para avançar em direção a eles. O rápido desenvolvimento de uma rede ferroviária de alta velocidade que se espalhou por todo o país serve como um exemplo real.

Líderes dos governos locais responderam ao crescimento da IA como se tivessem acabado de ouvir o tiro inicial de uma corrida, competindo entre si para atrair companhias de IA e empreendedores para suas regiões com generosas promessas de subsídios e políticas preferenciais. Essa corrida está apenas começando, e exatamente qual o impacto terá no desenvolvimento da IA da China ainda não está claro. Independentemente do resultado, representa um forte contraste com o governo dos Estados Unidos, que adota de forma deliberada uma abordagem não intervencionista entre os empreendedores e está cortando ativamente o financiamento para pesquisa básica.

Reunindo todas essas peças — as transições duplas para a era da implementação e para a era dos dados, os empreendedores chineses de primeira linha e o governo proativo —, acredito que a China em breve igualará ou até ultrapassará os Estados Unidos no desenvolvimento e na implementação da inteligência artificial. Na minha opinião, essa liderança na implementação da IA se traduzirá em ganhos de produtividade em uma escala inédita desde a Revolução Industrial. A PricewaterhouseCoopers (PWC) estima que a implantação da IA adicionará 15,7 trilhões de dólares ao PIB global até 2030.[11] A previsão é de que a China fique com 7 trilhões desse total, quase o dobro dos 3,7 trilhões que ficarão na América do Norte. Com o equilíbrio econômico do poder pendendo a favor da China, o mesmo acontecerá com a influência política e o "poder brando", a pegada cultural e ideológica do país no mundo.

Essa nova ordem mundial da IA será especialmente chocante para os norte-americanos, que se acostumaram a um domínio quase total na esfera tecnológica. Desde que muitos de nós podemos nos lembrar, eram as empresas de tecnologia dos EUA que estavam empurrando seus produtos e seus valores para usuários no mundo todo. Como resultado, empresas, cidadãos e políticos norte-americanos esqueceram como é estar na extremidade receptora dessa troca, um processo que muitas vezes se parece com uma "colonização tecnológica". A China não pretende usar sua vantagem na era da inteligência artificial como plataforma para tal colonização, mas as rupturas induzidas pela IA na ordem política e econômica levarão a uma grande mudança na forma como todos os países experimentam o fenômeno da globalização digital.

As crises reais

Por mais significativa que seja essa disputa entre as duas superpotências mundiais, ela é pequena em comparação com os problemas de perda de empregos e a crescente desigualdade — tanto doméstica como entre países — que a IA irá provocar. À medida que o aprendizado profundo for tomando conta da economia global, bilhões de empregos na pirâmide econômica desaparecerão: contadores, trabalhadores de linha de montagem, operadores de armazéns, analistas de estoque, inspetores de controle de qualidade, caminhoneiros, assistentes jurídicos e até radiologistas, só para citar alguns.

No passado, a civilização absorveu choques tecnológicos semelhantes na economia, que transformaram centenas de milhões de agricultores em trabalhadores de fábricas nos séculos XIX e XX. Mas nenhuma dessas mudanças chegou tão rapidamente quanto a IA. Com base nas tendências atuais de avanço e de adoção da tecnologia, prevejo que, dentro de quinze anos, a inteligência artificial tecnicamente poderá substituir entre 40% e 50% dos empregos nos Estados Unidos. As perdas reais de emprego podem acabar atrasando essas capacidades técnicas por mais uma década, mas acredito que a destruição dos mercados de trabalho será muito real, muito grande e muito em breve.

Com o aumento do desemprego, veremos o aumento da riqueza astronômica nas mãos dos novos magnatas da IA. A Uber já é uma das startups mais valiosas do mundo, mesmo distribuindo cerca de 75% do dinheiro recebido por cada viagem para o motorista. Nesse sentido, quanto valeria a Uber se, no espaço de alguns anos, a empresa fosse capaz de substituir cada motorista humano por um carro autônomo movido por IA? Ou se os bancos pudessem substituir todos seus funcionários na área de hipotecas por algoritmos que emitissem empréstimos mais inteligentes com taxas de inadimplência muito menores — tudo isso sem a interferência humana? Transformações semelhantes logo aparecerão em setores como transporte de mercadorias, seguros, manufatura e varejo.

O fato de a IA naturalmente pender para a economia do tipo "ganhador leva tudo" dentro de um setor faz com que se concentrem ainda mais esses lucros. O relacionamento do aprendizado profundo com os dados promove um círculo virtuoso para fortalecer os melhores produtos e empresas: mais dados levam a produtos melhores, o que por sua vez atrai mais usuários, que geram mais informações, que melhoram ainda mais o produto. Essa combinação de dados e dinheiro também atrai os principais talentos da inteligência artificial para as empresas em destaque, ampliando a distância entre os líderes do setor e os retardatários.

No passado, o domínio dos bens físicos e os limites da geografia ajudaram a controlar os monopólios dos consumidores. (As leis antimonopólios dos Estados Unidos também não prejudicaram.) Mas, no futuro, os bens e serviços digitais continuarão consumindo fatias maiores do bolo de consumidores, e os caminhões e drones autônomos reduzirão drasticamente o custo do transporte de bens físicos. Em vez de uma dispersão dos lucros da indústria em diferentes empresas e regiões, começaremos a ver uma concentração cada vez maior dessas somas astronômicas nas mãos de poucos, enquanto as filas de desempregados ficarão mais longas.

A ordem mundial da IA

A desigualdade não ficará contida dentro das fronteiras nacionais. A China e os Estados Unidos já possuem uma enorme vantagem sobre todos os outros países em inteligência artificial, preparando o terreno para um novo tipo de ordem mundial bipolar. Vários outros países — o Reino Unido, a França e o Canadá, para citar alguns — têm laboratórios de pesquisa de inteligência artificial cheios de grande talento, mas carecem do ecossistema de capital de risco e de grandes bases de usuários para gerar os dados essenciais na era da implementação. À medida que as empresas de IA nos Estados Unidos e na China forem acumulando mais dados e talentos, o ciclo virtuoso de melhorias orientadas por dados ampliará sua liderança a um ponto em que se tornará insuperável. A China e os Estados Unidos estão atualmente incubando as gigantes da IA que dominarão os mercados globais e conseguirão extrair riqueza dos consumidores do mundo todo.

Ao mesmo tempo, a automatização conduzida pela IA nas fábricas reduzirá a vantagem econômica que os países em desenvolvimento possuíam historicamente: mão de obra barata. Fábricas operadas por robôs provavelmente serão realocadas para ficarem mais perto de seus clientes nos grandes mercados, retirando a escada na qual os países em desenvolvimento, como a China e os "Tigres Asiáticos" da Coreia do Sul e Cingapura, subiram para se tornarem economias ricas impulsionadas pela tecnologia. A distância entre os que têm e os que não têm aumentará globalmente, sem nenhum caminho conhecido para diminuí-la.

A ordem mundial da IA combinará a economia do "vencedor leva tudo" com uma concentração sem precedentes de riqueza nas mãos de algumas empresas na China e nos Estados Unidos. Acredito que esta seja a real ameaça representada pela inteligência artificial: a tremenda desordem social e o colapso político decorrentes do desemprego generalizado e do aumento da desigualdade.

O tumulto nos mercados de trabalho e a turbulência nas sociedades ocorrerão contra o pano de fundo de uma crise muito mais individual e humana — uma perda psicológica do propósito pessoal. Durante séculos, os seres humanos preencheram seus dias trabalhando: trocando tempo e suor por abrigo e comida. Construímos valores culturais profundamente enraizados em torno dessa troca, e muitos de nós fomos condicionados a derivar nosso sentido de valor a partir do trabalho diário. O surgimento da inteligência artificial desafiará esses valores e ameaçará enfraquecer esse sentido de propósito de vida em uma janela de tempo extremamente curta.

Esses desafios são importantes, mas não intransponíveis. Nos últimos anos, eu mesmo enfrentei uma ameaça mortal e uma crise de propósito em minha vida pessoal. Essa experiência me transformou e abriu meus olhos para possíveis soluções para a crise de empregos induzida pela IA que prevejo. Enfrentar esses problemas exigirá uma combinação de análises nítidas e um profundo exame filosófico do que importa em nossas vidas, uma tarefa tanto para a mente quanto para o coração. Nos capítulos finais deste livro, descrevo minha própria visão de um mundo no qual os seres humanos não apenas coexistem com a IA, mas também prosperam com ela.

Alcançar isso — em um nível tecnológico, social e humano — requer que, primeiro, entendamos como chegamos até aqui. Para tanto, devemos voltar para o ano de 2003, uma época em que a China era ridicularizada como uma terra de imitadores e o Vale do Silício se mantinha orgulhoso e isolado na vanguarda tecnológica.

2. Imitadores no coliseu

Eles o chamavam de *The Cloner*.[1] Wang Xing deixou sua marca no início da internet chinesa como um plagiador em série, uma imagem espelhada bizarra dos reverenciados empreendedores em larga escala do Vale do Silício. Em 2003, 2005, 2007 e, novamente, em 2010, Wang pegou a melhor startup do ano dos Estados Unidos e a copiou para os usuários chineses.

Tudo começou quando ele tropeçou na rede social pioneira Friendster durante o doutorado em engenharia na Universidade de Delaware. O conceito de uma rede virtual de amizades instantaneamente se uniu ao histórico de Wang em redes de computadores, e ele abandonou seu programa de doutorado para voltar à China e recriar o Friendster. Nesse primeiro projeto, optou por não clonar o design exato do site. Em vez disso, ele e alguns amigos simplesmente adotaram o conceito central da rede social digital e construíram sua própria interface de usuário em torno dele. O resultado foi, nas palavras de Wang, "feio", e o site não decolou.

Dois anos mais tarde, o Facebook estava invadindo todas as universidades com seu design limpo e segmentação de nicho focada em estudantes. Wang adotou os dois quando criou o Xiaonei (No Campus). A rede era exclusiva para universitários chineses e a interface do usuário era uma cópia exata do site de Mark Zuckerberg. Wang recriou meticulosamente home page, perfis, barras de ferramentas e esquemas de cores da startup de Palo Alto. A mídia chinesa informou que a primeira versão do Xiaonei chegou ao ponto de pôr a *tagline* do próprio Facebook, "*A Mark Zuckerberg production*", no final de cada página.[2]

O Xiaonei foi um sucesso, mas Wang o vendeu cedo demais. Como o site cresceu muito depressa, ele não conseguiu levantar dinheiro suficiente para pagar os custos dos servidores e foi forçado a vendê-lo. Sob nova propriedade, uma versão reformulada do Xiaonei — agora chamado Renren (Todo Mundo) — acabou levantando 740 milhões de dólares durante sua estreia em 2011 na Bolsa de Valores de Nova York. Em 2007, Wang fez tudo de novo, criando uma cópia precisa do recém-criado Twitter. O clone era tão bom que, se o idioma e a URL fossem alterados, os usuários poderiam facilmente ser enganados e pensar que estavam no Twitter original. O site chinês, chamado Fanfou, prosperou por um tempo, mas logo foi fechado por conteúdo politicamente sensível. Então, três anos depois, Wang pegou o modelo de negócios do Groupon e o transformou no site chinês de compras coletivas Meituan.

Para a elite do Vale do Silício, Wang era um sem vergonha. Na mitologia do Vale, poucas coisas são mais estigmatizadas do que imitar cegamente o estabelecido. Era precisamente esse tipo de empreendedorismo imitador que impediria o crescimento da China, assim dizia a sabedoria convencional, e impediria que o país construísse empresas de tecnologia de fato inovadoras que pudessem "mudar o mundo".

Até alguns empreendedores chineses sentiram que a clonagem "pixel por pixel" de Wang do Facebook e do Twitter tinha ido longe demais. Sim, as empresas chinesas com frequência imitavam seus pares norte-americanos, mas era possível pelo menos localizar ou adicionar um toque de seu próprio estilo. Mas Wang não pediu desculpas por seus sites imitadores. Copiar era uma peça do quebra-cabeça, ele disse, mas também era sua escolha de quais sites copiar e sua execução nas frentes técnica e de negócios.

No final, foi Wang quem riu por último. No fim de 2017, a capitalização de mercado do Groupon tinha encolhido para 2,58 bilhões de dólares, com suas ações sendo negociadas a menos de um quinto do preço de sua oferta pública inicial (IPO, na sigla em inglês) de ações em 2011. A antiga queridinha do mundo das startups norte-americanas estava estagnada havia anos e demorou a reagir quando a mania das compras coletivas esfriou. Enquanto isso, o Meituan de Wang Xing tinha triunfado em um ambiente brutalmente competitivo, vencendo milhares de sites similares de compras coletivas e dominando o setor. Em seguida, começou a se ramificar em dezenas de novas linhas de negócios. Tornou-se, então, a quarta startup mais valiosa do mundo, avaliada em 30 bilhões de dólares, e Wang vê o Alibaba e a Amazon como seus principais concorrentes no futuro.

Analisando o sucesso de Wang, os observadores ocidentais cometem um erro fundamental. Acreditam que o Meituan triunfou ao adotar uma ótima ideia americana e simplesmente copiá-la na protegida internet chinesa, um espaço seguro onde as fracas empresas locais podem sobreviver por causa de uma concorrência muito menos intensa. Esse tipo de análise, no entanto, é o resultado de um profundo desconhecimento da dinâmica em jogo no mercado chinês, e revela um egocentrismo que define que toda a inovação da internet acontece no Vale do Silício.

Ao criar seus primeiros clones do Facebook e do Twitter, Wang estava, na verdade, confiando inteiramente no manual do Vale do Silício. Essa primeira fase da era imitadora — startups chinesas clonando sites do Vale do Silício — ajudou a desenvolver a engenharia básica e as habilidades de empreendedorismo digital que estavam totalmente ausentes na China na época. Mas foi uma segunda fase — startups chinesas se inspirando em um modelo de negócios norte-americano e competindo de forma acirrada entre si para adaptar e otimizar esse modelo especificamente para usuários chineses — que transformou Wang Xing em um empreendedor de primeira linha.

Wang não construiu uma empresa de 30 bilhões de dólares apenas levando o modelo de negócios de compras coletivas para a China. Mais de 5 mil empresas fizeram exatamente a mesma coisa, incluindo o próprio Groupon. A empresa norte-americana até tentou passar a perna nos imitadores locais ao fazer uma parceria com um importante portal de internet chinês. Entre 2010 e 2013, o Groupon e seus imitadores locais travaram uma guerra acirrada por participação no mercado e pela fidelidade do cliente, queimando bilhões de dólares e fazendo de tudo para matar a concorrência.

A batalha real pelo mercado de compras coletivas da China era um microcosmo do que o ecossistema de internet chinesa havia se tornado: um coliseu onde centenas de gladiadores da imitação lutavam até a morte. Em meio ao caos e derramamento de sangue, os pioneiros estrangeiros em geral mostravam-se irrelevantes. Eram os combatentes domésticos que se empurravam para serem mais rápidos, mais ágeis, mais enxutos e mais mesquinhos. Copiavam agressivamente as inovações de produtos uns dos outros, cortavam os preços ao máximo, lançavam campanhas de difamação, desinstalavam à força os softwares concorrentes e até denunciavam CEOs rivais à polícia. Para esses gladiadores, nenhum truque sujo ou manobra dissimulada estava fora dos limites. Eles implementaram táticas que fariam o fundador da Uber, Travis Kalanick, corar. Também demonstraram uma ética de trabalho fanática, ininterrupta, que cansaria os funcionários do Google e os obrigaria a tirar uma soneca.

O Vale do Silício pode achar a cópia indigna e as táticas, repugnantes. Em muitos casos, essa impressão de fato procedia. Mas foi exatamente essa clonagem generalizada — o ataque de milhares de concorrentes imitadores — que forçou as empresas a inovar. A sobrevivência no coliseu da internet exigia iteração incansável dos produtos, controle de custos, execução impecável, geração de relações públicas positivas, obtenção de dinheiro com avaliações exageradas e busca por formas de construir um fosso profundo para manter os imitadores do lado de fora. Imitadores puros nunca chegavam a ser grandes empresas e não podiam sobreviver dentro desse coliseu. Porém, a paisagem competitiva dessa pressão total, criada quando se está cercado por imitadores implacáveis, forjou a geração de empreendedores mais tenazes do mundo.

À medida que entramos na era da implementação da IA, esse ambiente empresarial implacável será um dos principais ativos da China na construção de uma economia orientada para o aprendizado de máquina. A dramática transformação que o aprendizado profundo promete trazer à economia global não será criada por pesquisadores isolados que produzem novos resultados acadêmicos nos laboratórios de ciência da computação de elite do MIT ou de Stanford. Em vez disso, será criada por empreendedores com os pés no chão e loucos por lucros, em parceria com especialistas em IA, a fim de levar o poder transformador do aprendizado profundo às indústrias do mundo real.

Na próxima década, os empreendedores-gladiadores da China se espalharão por centenas de indústrias, aplicando o aprendizado profundo em qualquer problema que mostre potencial de lucro. Se a inteligência artificial é a nova eletricidade, os empreendedores chineses são os magnatas e os construtores que vão eletrificar tudo, de eletrodomésticos a seguros de imóveis. Seu talento para modificar infindáveis modelos de negócios e farejar lucros trará uma incrível variedade de aplicações práticas — algumas talvez até mudarão completamente nossas vidas. Elas serão implantadas em seu país de origem e, em seguida, levadas para o exterior, abrangendo os mercados mais desenvolvidos do mundo.

A América corporativa não está preparada para essa onda global de empreendedorismo chinês porque fundamentalmente entendeu mal o segredo do sucesso do The Cloner. Wang Xing não fez sucesso porque era um imitador. Ele triunfou porque se tornou um gladiador.

Culturas contrastantes

As startups e os empreendedores que as fundaram não nascem no vácuo. Seus modelos de negócios, produtos e valores fundamentais constituem uma expressão do momento e do lugar cultural únicos em que nasceram.

Os ecossistemas da internet do Vale do Silício e da China cresceram em solos culturais muito diferentes. Empreendedores no Vale são com frequência filhos de profissionais de sucesso, como cientistas da computação, dentistas, engenheiros e acadêmicos. Enquanto cresciam, ouviam constantemente que eles — sim, *eles* em particular — poderiam mudar o mundo. Passaram seus anos de graduação aprendendo a arte de codificar com os principais pesquisadores do mundo, mas também em debates filosóficos a respeito de uma educação voltada para humanidades. Quando chegaram ao Vale do Silício, em seus deslocamentos de ida e volta para o trabalho, passavam pelas ruas suavemente curvilíneas e arborizadas do subúrbio da Califórnia.

Esse é um ambiente de abundância que se presta ao pensamento elevado, à visão de soluções técnicas elegantes para problemas abstratos. Acrescente a rica história dos avanços da ciência da computação no Vale e você tem o cenário para a ideologia híbrida geek-hippie que há muito define o

Vale do Silício. Central para essa ideologia é um tecno-otimismo espantoso, uma crença de que cada pessoa e empresa pode realmente mudar o mundo por meio do pensamento inovador. Copiar ideias ou características de um produto é desaprovado como uma traição ao *zeitgeist* e um ato que está fora do código moral de um verdadeiro empreendedor. Tem a ver com a inovação "pura", criar um produto totalmente original que gere o que Steve Jobs chamou de "marca no universo".

Startups que crescem nesse tipo de ambiente tendem a ser *motivadas por uma missão*. Começam com uma ideia nova ou um objetivo idealista e constroem uma empresa em torno disso. As declarações de missão da empresa são claras e elevadas, separadas das preocupações terrenas ou motivações financeiras.

Em contrapartida, a cultura de startups da China é o *yin* do *yang* do Vale do Silício: em vez de serem motivadas por uma missão, as empresas chinesas estão, em primeiro lugar, voltadas para o mercado. O objetivo final delas é ganhar dinheiro, e estão dispostas a criar qualquer produto, adotar qualquer modelo ou entrar em qualquer negócio que realize esse objetivo. Essa mentalidade leva a uma incrível flexibilidade nos modelos de negócios e na execução, uma perfeita destilação do modelo "startup enxuto", muitas vezes elogiado no Vale do Silício. Não importa de onde veio uma ideia ou quem a criou. O que importa é se você pode executá-la e obter lucro financeiro. A principal motivação dos empreendedores do mercado chinês não é a fama, a glória ou a mudança do mundo. Essas coisas são benefícios ótimos, mas o grande prêmio é ficar rico, e não importa como.

Por mais chocante que essa atitude mercenária possa ser para muitos norte-americanos, a abordagem chinesa tem profundas raízes históricas e culturais. A memorização mecânica foi o núcleo da educação chinesa durante milênios. A entrada na burocracia imperial do país dependia da memorização palavra por palavra de textos antigos e da capacidade de construir um perfeito "ensaio de oito partes" seguindo rígidas diretrizes estilísticas. Enquanto Sócrates encorajava seus alunos a buscarem a verdade questionando tudo, os antigos filósofos chineses aconselhavam as pessoas a seguirem os rituais dos sábios do passado antigo. A cópia rigorosa da perfeição era vista como o caminho para a verdadeira maestria.

Além dessa propensão cultural à imitação, há a mentalidade de escassez profundamente enraizada da China do século XX. A maioria dos empreendedores chineses de tecnologia está a uma geração de distância de uma pobreza que vem de séculos. Muitos são filhos únicos — produto da agora extinta "política do filho único" —, carregando nas costas as expectativas de seus pais e quatro avós que investiram todas as suas esperanças de uma vida melhor neles. Enquanto esses filhos cresciam, seus pais não falavam sobre mudar o mundo. Em vez disso, falavam sobre sobrevivência, sobre a responsabilidade de ganhar dinheiro para que pudessem cuidar de seus pais quando estivessem velhos demais para trabalhar no campo. A educação universitária era vista como a solução para escapar de gerações de pobreza, e isso exigia dezenas de milhares de horas de memorização mecânica durante a preparação para o vestibular, notoriamente competitivo. Durante a vida desses empreendedores, o país saiu da pobreza por meio de políticas ousadas e trabalho árduo, trocando tíquetes de refeição por contracheques e por participações acionárias em startups.

O ritmo alucinante da ascensão econômica da China não aliviou a mentalidade de escassez. Cidadãos chineses viram indústrias, cidades e fortunas individuais criadas e perdidas da noite para o dia em um ambiente de Velho Oeste, onde as regulamentações lutavam para acompanhar a concorrência acirrada do mercado. Deng Xiaoping, o líder chinês que levou a China do igualitarismo da era Mao para a competição impulsionada pelo mercado, disse uma vez que a China precisava "deixar algumas pessoas ficarem ricas primeiro" para se desenvolver.[3] Mas a velocidade relâmpago desse desenvolvimento apenas aumentou os medos e as preocupações de que, se você não se mover rapidamente — se não agarrar essa nova tendência ou pular nesse novo mercado —, será pobre enquanto os outros ao seu redor serão ricos.

Combine essas três correntes — uma aceitação cultural da cópia, uma mentalidade de escassez e a vontade de mergulhar em qualquer nova indústria promissora — e você terá os fundamentos psicológicos do ecossistema de internet chinês.

Não quero aqui pregar o evangelho do determinismo cultural. Como alguém que viveu entre esses dois países e culturas, sei que o local de nascimento e a herança não são os únicos determinantes do comportamento.

As excentricidades pessoais e a regulamentação governamental são extremamente importantes na formação do comportamento da empresa. Em Pequim, os empreendedores costumam brincar que o Facebook é "a empresa mais chinesa do Vale do Silício", por sua disposição a copiar de outras startups e pela forte competitividade de Zuckerberg. Da mesma forma, enquanto trabalhava na Microsoft, vi como a política antimonopólio do governo pode prejudicar uma empresa predadora. Mas a história e a cultura importam, e ao comparar a evolução do Vale do Silício e da tecnologia chinesa, é crucial entender como diferentes caldeirões culturais produziram diferentes tipos de empresas.

Durante anos, os produtos copiados que surgiram da sopa cultural da China foram amplamente ridicularizados pela elite do Vale do Silício. Foram achincalhados como imitações baratas, embaraçosas para seus criadores e indignas da atenção dos verdadeiros inovadores. Mas quem estava de fora não viu o que estava se formando sob a superfície. O produto mais valioso resultante da era da imitação da China não foi um produto: foram os próprios empreendedores.

Os novos relógios do imperador

Duas vezes por dia, o Templo do Culto aos Antepassados ganha vida. Localizado na Cidade Proibida de Pequim, foi onde os imperadores das duas últimas dinastias chinesas queimaram incenso e realizaram rituais sagrados para homenagear os Filhos do Céu que vieram antes deles. Hoje, o salão é o lar de alguns dos relógios mecânicos mais intricados e engenhosos já criados. Seus mostradores são a prova de toda a perícia artesanal, embora sejam as funções mecânicas extremamente complexas incorporadas às estruturas dos relógios que atraiam multidões para as apresentações realizadas pela manhã e à tarde.

Enquanto os segundos passam, um pássaro de metal corre dentro de uma gaiola de ouro. As flores de lótus de madeira pintadas abrem e fecham suas pétalas, revelando um minúsculo deus budista mergulhado na meditação. Um elefante delicadamente esculpido levanta e abaixa a tromba enquanto puxa uma carruagem em miniatura em círculos. Uma figura chinesa robótica, vestida com um casaco de um erudito europeu, usa um pincel de tinta para escrever um aforismo num pequeno pergaminho, com a caligrafia do próprio robô baseada na caligrafia do imperador chinês que encomendou a peça.

É uma exibição deslumbrante, um lembrete da natureza atemporal da verdadeira arte. Os missionários jesuítas trouxeram muitos dos relógios para a China como parte da "diplomacia do relógio", uma tentativa dos jesuítas de abrir caminho para a corte imperial com presentes que incorporavam a avançada tecnologia europeia. O imperador Qianlong, da dinastia Qing, gostava especialmente de relógios, e os fabricantes britânicos logo começaram a produzir peças que se ajustavam ao gosto do Filho do Céu. Muitos daqueles expostos no Templo do Culto aos Antepassados foram obra das melhores oficinas artesanais da Europa dos séculos XVII e XVIII. Essas oficinas produziram uma combinação incomparável de arte, design e engenharia funcional. É uma alquimia particular de especialização que parece familiar para muitos no Vale do Silício hoje.

Enquanto trabalhava como presidente-fundador do Google China, eu levava delegações de executivos da empresa para ver os relógios pessoalmente. Mas não fazia isso para que eles pudessem se deleitar com a genialidade de seus ancestrais europeus. Fazia porque, em uma inspeção mais minuciosa, descobríamos que muitos dos melhores espécimes da arte europeia foram criados na cidade de Guangzhou, no sul da China, que na época era chamada de Cantão.

Depois que os relógios europeus conquistaram o favor do imperador chinês, oficinas locais surgiram por toda a China para estudar e recriar as importações ocidentais. Nas cidades portuárias do Sul, aonde os ocidentais chegaram para fazer comércio, os melhores artesãos chineses desmontaram os engenhosos dispositivos europeus, examinando cada peça interligada e o incrível design. Eles dominaram o básico e começaram a produzir relógios que eram réplicas quase exatas dos modelos europeus. A partir daí, os artesãos adotaram os princípios da construção e passaram a montar relógios que incorporavam desenhos chineses e tradições culturais: caravanas animadas na Rota da Seda, cenas realistas das ruas de Pequim e a serenidade tranquila dos sutras budistas.

Essas oficinas começaram a produzir relógios que rivalizavam ou até ultrapassavam a arte que vinha da Europa, ao mesmo tempo em que teciam uma sensibilidade autenticamente chinesa.

O Templo do Culto aos Antepassados remonta à dinastia Ming, e a história dos relojoeiros imitadores da China aconteceu centenas de anos atrás. Mas as mesmas correntes culturais continuam a fluir até os dias atuais. Enquanto observávamos essas maravilhas mecânicas girando e badalando, eu me preocupava pensando que aquelas correntes logo destruiriam os mestres artesãos do século XXI que estavam ao meu redor.

Copiadores

As primeiras empresas de internet copiadoras da China pareciam inofensivas por fora, quase fofas. Durante o primeiro boom da internet na China, no final da década de 1990, as empresas chinesas procuraram talentos, fundos e até nomes no Vale do Silício para suas startups iniciantes. O primeiro mecanismo de busca do país foi criação de Charles Zhang, um físico chinês com doutorado no MIT. Enquanto estava nos Estados Unidos, Zhang viu os primórdios da internet e quis dar o pontapé inicial no mesmo processo em sua terra natal. Zhang usou aportes de seus professores no MIT e retornou à China, com a intenção de construir a infraestrutura central de internet do país.

Mas, depois de uma reunião com Jerry Yang, o fundador do Yahoo!, Zhang mudou seu foco para a criação de um portal e de um mecanismo de busca em chinês. Ele chamou sua nova empresa de Sohoo, uma mistura não tão sutil da palavra chinesa para "busca" (*sou*) e o modelo norte-americano da empresa. Logo mudou a grafia para "Sohu" para minimizar a conexão, mas esse tipo de imitação era visto mais como bajulação do que ameaça pela gigante norte-americana. Na época, o Vale do Silício via a internet chinesa como uma novidade, uma pequena experiência interessante em um país tecnologicamente atrasado.

Recordemos que essa era uma época em que a cópia abastecia muitas partes da economia chinesa. Fábricas no sul do país produziam em série bolsas de luxo falsificadas. As montadoras de automóveis chinesas criavam duplicatas tão próximas dos modelos estrangeiros que algumas concessionárias davam aos clientes a opção de remover o logotipo da empresa chinesa e substituí-lo pelo da marca estrangeira de maior prestígio. Havia até mesmo uma imitação da Disneylândia, um parque de diversões assustador nos arredores de Pequim, onde funcionários usando réplicas de fantasias de Mickey e Minnie Mouse abraçavam crianças chinesas. Na entrada do parque, havia um cartaz: "A Disneylândia está muito longe, venha para Shijingshan!".[4] Enquanto os empreendedores dos parques de diversão da China imitavam descaradamente a Disney, Wang Xing trabalhava duro copiando o Facebook e depois o Twitter.

Enquanto dirigia o Google China, experimentei em primeira mão o perigo que esses clones representavam para a imagem da marca. A partir de 2005 me esforcei para construir nosso mecanismo de busca chinês e ganhar a confiança dos usuários do país. Mas, na noite de 11 de dezembro de 2008, uma importante emissora de TV local dedicou seis minutos de sua transmissão nacional a uma exposição devastadora do Google China. O programa mostrava usuários buscando no site chinês do Google informações médicas e recebendo anúncios com links para tratamentos falsos. A câmera se aproximava da tela do computador, onde o logotipo chinês do Google aparecia, ameaçador, acima de golpes perigosos e prescrições falsas de remédios.

O Google China entrou em uma crise de confiança do público. Depois de assistir ao vídeo, corri para meu computador para fazer as mesmas buscas, mas curiosamente não recebia os resultados apresentados no programa. Mudei as palavras e ajustei minhas configurações, mas ainda assim não consegui achar — e remover — os anúncios ofensivos. Ao mesmo tempo, fui imediatamente bombardeado por mensagens de repórteres exigindo uma explicação sobre a publicidade enganosa do Google China, mas só pude dar o que provavelmente soou como uma desculpa fraca: o Google está trabalhando o mais depressa possível para remover qualquer anúncio problemático, porém o processo não é instantâneo e, ocasionalmente, os anúncios ofensivos podem ficar on-line por algumas horas.

A tempestade seguiu, enquanto nossa equipe continuava sem encontrar os anúncios ofensivos mostrados pelo programa de televisão. Mais tarde naquela noite, recebi um e-mail animado de um de nossos engenheiros. Ele tinha descoberto por que não conseguíamos reproduzir os resultados: porque o mecanismo de pesquisa exibido no programa não era o Google. Era uma imitação chinesa que tinha feito uma cópia perfeita do nosso site — o layout, as fontes, a sensação —, quase até o pixel. Os resultados da pesquisa e os anúncios do site eram deles, mas tinham sido empacotados on-line para serem indistinguíveis do Google China. O engenheiro tinha notado apenas uma pequena diferença, uma ligeira variação na cor de uma fonte. Os imitadores tinham feito um trabalho tão bom que quase todos os setecentos funcionários do Google China que viram a matéria na televisão não conseguiram notar a diferença.

A precisão da cópia estendia-se até o hardware mais elegante e inovador. Quando Steve Jobs lançou o iPhone, demorou apenas alguns meses para que os mercados de eletrônicos em toda a China começassem a vender os "mini-iPhones". As pequenas réplicas divertidas pareciam quase exatamente iguais ao telefone verdadeiro, mas tinham cerca de metade do tamanho e cabiam na palma da mão. Não tinham também capacidade de acessar a internet através do plano de dados do telefone, o que os tornava os "smartphones" mais idiotas do mercado.

Os norte-americanos que visitavam Pequim compravam os mini-iPhones pensando que seriam um ótimo presente de brincadeira para os amigos nos Estados Unidos. Para aqueles imersos na mitologia da inovação do Vale do Silício, os mini-iPhones eram a metáfora perfeita da tecnologia chinesa durante a era da imitação: um exterior brilhante que havia sido copiado dos EUA, mas uma casca oca que não tinha nada de inovador ou funcional. A atitude predominante dos norte-americanos era de que pessoas como Wang Xing podiam copiar a aparência do Facebook, mas os chineses nunca acessariam a misteriosa mágica da inovação que impulsionava um lugar como o Vale do Silício.

Blocos de construção e blocos de obstáculos

Os investidores do Vale do Silício acreditam firmemente que uma mentalidade inovadora pura é a base sobre a qual companhias como Google, Facebook, Amazon e Apple são construídas. Foi um impulso irreprimível para "pensar diferente" que levou pessoas como Steve Jobs, Mark Zuckerberg e Jeff Bezos a criar essas empresas que mudariam o mundo. Naquela escola de pensamento, os fabricantes de relógio imitadores da China estavam seguindo por um beco sem saída. Uma mentalidade imitadora é um obstáculo central no caminho para a verdadeira inovação. Ao imitar cegamente os outros — ou assim diz a teoria —, você atrapalha sua própria imaginação e elimina as chances de criar um produto original e inovador.

Mas eu vi as primeiras cópias do Twitter de Wang Xing não como obstáculos, mas como blocos de construção. Aquele primeiro ato de copiar não se transformou em uma mentalidade anti-inovação que seu criador jamais poderia eliminar. Era um passo necessário para a criação de produtos de tecnologia mais originais e adaptados localmente.

O know-how de engenharia e a sensibilidade do design necessários para criar um produto de primeira linha não surgem do nada. Nos Estados Unidos, universidades, empresas e engenheiros vêm cultivando e transmitindo essas habilidades por gerações. Cada geração tem suas empresas ou produtos inovadores, mas essas inovações têm como base educação, orientação, estágios e inspiração.

A China não tinha esses luxos. Quando Bill Gates fundou a Microsoft, em 1975, o país ainda estava sofrendo com a Revolução Cultural, uma época de grande agitação social e febre anti-intelectual. Quando Sergei Brin e Larry Page fundaram o Google, em 1998, apenas 0,2% da população chinesa estava conectada à internet, em comparação com 30% nos Estados Unidos.[5] Os primeiros empreendedores chineses de tecnologia que procuravam mentores ou empresas-modelo no seu próprio país simplesmente não conseguiam encontrá-los. Então, em vez disso, procuraram no exterior e copiaram da melhor forma possível.

Foi um processo grosseiro, com certeza, e às vezes embaraçoso. Mas ensinou a esses imitadores os conceitos básicos de interface de usuário, arquitetura de sites e *back-end* do desenvolvimento de software. À medida que seus produtos clonados ganhavam vida, esses empreendedores voltados para o mercado interno eram forçados a lidar com a satisfação do usuário e com o desenvolvimento iterativo de produtos. Se eles queriam ganhar o mercado, teriam que vencer não apenas os inspiradores no Vale do Silício, mas também os outros imitadores. Aprenderam o que funcionava e o que não funcionava com os usuários chineses. Começaram a iterar, melhorar e localizar o produto para melhor atender seus clientes.

E os clientes tinham hábitos e preferências únicos, formas de usar um software que não combinava com o modelo padronizado para todos globalmente do Vale do Silício. Empresas como o Google e o Facebook costumam relutar em permitir mudanças locais em seus principais produtos ou modelos de negócios. Eles tendem a acreditar em construir uma coisa e construí-la bem. É uma abordagem que os ajudou a varrer rapidamente o mundo nos primeiros dias da internet, quando a maioria dos países estava tão atrasada em termos de tecnologia que não podia oferecer nenhuma alternativa localizada. Mas à medida que o know-how técnico se espalha pelo mundo, está se tornando cada vez mais difícil forçar as pessoas de todos os países e culturas a se tornarem moldes em série do que em geral foi construído nos Estados Unidos para os norte-americanos.

Como resultado, quando os imitadores chineses se confrontaram com seus antepassados do Vale do Silício, usaram essa falta de disposição norte-americana para se adaptar e a transformaram em uma vantagem. Cada divergência entre as preferências do usuário chinês e um produto global se tornou um espaço que os concorrentes locais poderiam usar. Eles começaram a adaptar seus produtos e modelos de negócios às necessidades locais, criando uma barreira entre os usuários chineses de internet e o Vale do Silício.

"Grátis não é um modelo de negócios"

Jack Ma transformou esses tipos de ataque em arte nos primeiros dias da empresa chinesa de comércio eletrônico Alibaba. Ele fundou sua empresa em 1999, e nos dois anos iniciais de operação, seus principais concorrentes eram outras empresas chinesas locais. Mas, em 2002, o eBay entrou no mercado chinês. Naquela época, o eBay era a maior empresa de comércio eletrônico do mundo e uma queridinha do Vale do Silício e de Wall Street. O mercado on-line do Alibaba foi ridicularizado como outro imitador chinês, sem direito a estar na mesma sala que os cachorros grandes do Vale do Silício. E, assim, Ma lançou uma guerrilha de cinco anos contra o eBay, usando o tamanho da empresa estrangeira contra ela mesma e punindo implacavelmente o invasor por não se adaptar às condições locais.

O eBay entrou no mercado chinês comprando o principal site de leilões on-line da China — não o Alibaba, mas um imitador do eBay chamado EachNet. A união criou um casal com poder supremo: o principal site global de comércio eletrônico e seu imitador número um chinês. O eBay começou a remover a interface de usuário da empresa chinesa, reconstruindo o site com base em sua imagem mundial. A liderança da empresa trouxe gerentes internacionais para as novas operações na China, que direcionaram todo o tráfego através dos servidores do eBay nos Estados Unidos. Mas a nova interface do usuário não correspondia aos hábitos chineses de navegação na web, a nova liderança não compreendia os mercados domésticos chineses e o roteamento transpacífico do tráfego aumentava o tempo de carregamento das páginas. Em determinado momento, um terremoto sob o oceano Pacífico cortou os principais cabos e derrubou o site por alguns dias.

Enquanto isso, Jack Ma estava ocupado copiando as principais funções do eBay e adaptando o modelo de negócio às realidades chinesas. Ele começou a criar uma plataforma parecida com a de leilões, a Taobao, para competir diretamente com o negócio central do eBay. A partir daí, a equipe de Ma ajustou sem parar as funções do Taobao e acrescentou recursos para atender às necessidades exclusivas dos chineses. Suas jogadas de localização mais fortes foram em modelos de pagamento e receita. Para superar a falta de confiança do usuário nas compras on-line, Ma criou o Alipay, uma ferramenta de pagamento que reteria dinheiro das compras em depósito até que o comprador confirmasse o recebimento das mercadorias. O Taobao também adicionou funções de mensagens instantâneas para permitir que compradores e vendedores se comunicassem na plataforma em tempo real. Essas inovações nos negócios ajudaram o Taobao a ganhar participação de mercado do eBay, cuja mentalidade de produto global e profunda centralização do poder de decisão no Vale do Silício tornavam lenta a reação e a adição de recursos.

Mas a maior arma de Ma foi a implantação de um modelo de receita "freemium", a prática de manter as funções básicas grátis enquanto cobrava pelos serviços premium. Na época, o eBay cobrava dos vendedores uma taxa apenas para listar seus produtos, outra taxa quando os produtos eram vendidos e uma taxa final se o PayPal, propriedade do eBay, fosse usado para pagamento. A sabedoria convencional afirmava que os sites de leilão ou de comércio eletrônico precisavam fazer isso para garantir fluxos de receita estáveis.

Mas à medida que a concorrência com o eBay esquentava, Ma desenvolveu uma nova abordagem: prometeu tornar as publicações e transações no Taobao gratuitas pelos três anos seguintes, uma promessa que logo se estendeu para um tempo indefinido. Foi uma jogada de relações públicas engenhosa e uma aposta inteligente. No curto prazo, conquistou a boa vontade dos vendedores chineses, ainda desconfiados das transações na internet. Permitir que publicassem de graça ajudou Ma a construir um mercado próspero em uma sociedade de baixa confiança. Demorou anos para chegar lá, mas em longo prazo esse mercado cresceu tanto que, para que seus produtos fossem notados, os grandes vendedores precisavam pagar por anúncios e classificações de busca mais altas. As marcas acabariam pagando ainda mais para publicar no site irmão mais sofisticado do Taobao, o Tmall.

O eBay errou feio na resposta. Em um comunicado de imprensa condescendente, a empresa quis dar uma lição em Ma, afirmando que "grátis não é um modelo de negócios".[6] Como uma empresa de capital aberto listada na Nasdaq, o eBay estava sob pressão para mostrar receitas e lucros cada vez maiores. As empresas de capital aberto norte-americanas tendem a tratar os mercados internacionais como vacas leiteiras, fontes de receita de bônus a que têm direito por serem vitoriosas em casa. A empresa de comércio eletrônico mais rica do Vale do Silício não estava disposta a abrir uma exceção ao seu modelo global para se adequar aos pronunciamentos selvagens de um imoral copiador chinês.

Esse tipo de teimosia míope selou o destino do eBay na China. O Taobao rapidamente roubou usuários e vendedores do gigante norte-americano. Com a participação de mercado do eBay em queda livre, a CEO da empresa, Meg Whitman, mudou-se por um tempo para a China a fim de procurar salvar as operações no país. Quando isso não funcionou, ela convidou Ma para o Vale do Silício na tentativa de negociar um acordo. Porém, Ma percebeu a situação de fragilidade do eBay, e ele queria vitória total. Em um ano, o eBay deixou totalmente o mercado chinês.

Lista telefônica versus shopping center

Testemunhei essa mesma desconexão entre produtos globais e usuários locais enquanto liderava o Google China. Como uma extensão da talvez mais prestigiosa empresa de internet do mundo, deveríamos ter a vantagem de uma grande marca. Mas essa ligação com a sede no Vale do Silício se transformou em um grande obstáculo quando se tratou de adaptar produtos para um público chinês mais amplo. Quando lancei o Google China, em 2005, nosso principal concorrente era o mecanismo de busca chinês Baidu. O site foi criado por Robin Li, um especialista chinês em mecanismos de busca com experiência no Vale do Silício. As principais funções do Baidu e o design minimalista imitavam o Google, mas Li otimizou totalmente o site para os hábitos de busca dos usuários chineses.

Esses hábitos divergentes tinham papel central na maneira como os usuários interagiam com uma página de resultados de pesquisa. Nos grupos de foco, conseguimos acompanhar os movimentos oculares e os cliques de um usuário em uma determinada página de resultados de pesquisa. Usamos esses dados para criar mapas de calor da atividade na página: os destaques verdes mostravam para onde o usuário tinha olhado, os realces amarelos, para onde tinha olhado intensamente, e os pontos vermelhos marcavam cada um dos cliques. Comparar mapas de calor gerados por usuários norte-americanos e chineses mostra um contraste impressionante.

Os mapas dos usuários norte-americanos mostram um agrupamento apertado de verde e amarelo no canto superior esquerdo, onde os principais resultados da pesquisa apareceram, com alguns pontos vermelhos para cliques nos dois primeiros resultados. Os usuários norte-americanos permanecem na página por cerca de dez segundos antes de navegar. Por outro lado, os mapas de calor dos usuários chineses parecem uma bagunça. O canto superior esquerdo concentra o maior grupo de olhares e cliques, mas o resto da página está coberto de borrões de verde e manchas vermelhas. Os usuários chineses passavam entre trinta e sessenta segundos na página de busca, com os olhos dando voltas em quase todos os resultados enquanto clicavam promiscuamente.

Os mapas de rastreamento dos olhos revelaram uma verdade mais profunda sobre a maneira como os dois grupos de usuários abordavam a pesquisa. Os norte-americanos tratavam os mecanismos de busca como uma lista telefônica, uma ferramenta para simplesmente encontrar uma informação específica. Os usuários chineses tratavam os mecanismos de busca como um shopping center, um lugar para conferir uma variedade de produtos, experimentar cada um e, no final, escolher algumas coisas para comprar. Para dezenas de milhões de chineses novatos na internet, essa era sua primeira exposição a tantas informações, e eles queriam experimentar tudo.

Essa diferença fundamental nas atitudes do usuário deveria ter levado a várias modificações no produto para os usuários chineses. Na plataforma de pesquisa global do Google, quando os usuários clicavam no link de um resultado de busca, saíam da página de resultados de pesquisa. Isso significava que estávamos forçando os "compradores" chineses a escolher um item para comprar e, na verdade, expulsando-os do shopping. O Baidu, por outro lado, abria uma nova janela do navegador ao usuário para cada link clicado. Isso permitia que os usuários testassem vários resultados de pesquisa sem precisar "sair do shopping".

Com uma clara evidência das diferentes necessidades dos usuários, recomendei que o Google abrisse uma exceção e copiasse o modelo do Baidu de abrir janelas diferentes para cada clique. Mas a empresa tinha um longo processo de revisão para quaisquer alterações nos produtos principais, porque essas mudanças "ramificavam" o código e dificultavam sua manutenção. O Google e outras empresas do Vale do Silício se esforçavam para evitar isso, acreditando que os produtos elegantes que saem do quartel-general do Vale do Silício devem ser bons o suficiente para os usuários do mundo todo. Lutei por meses para conseguir essa mudança e acabei vencendo, mas, enquanto isso, o Baidu havia conquistado mais usuários com sua oferta de produtos centrados na China.

Batalhas como essa se repetiram continuamente ao longo dos meus quatro anos com o Google. Para ser justo com a empresa, a matriz nos deu mais latitude do que a maioria das empresas do Vale do Silício dá a suas filiais na China, e utilizamos essa alavancagem para desenvolver muitos recursos otimizados localmente, o que recuperou uma substancial participação de mercado que o Google tinha perdido nos anos anteriores. Mas a resistência da sede à ramificação tornou cada nova característica uma batalha difícil, que nos atrasou e nos desgastou. Cansados de brigar contra a própria empresa, muitos funcionários saíram frustrados.

Por que os gigantes do Vale do Silício fracassam na China

Quando uma sucessão de gigantes norte-americanos — eBay, Google, Uber, Airbnb, LinkedIn, Amazon — tentaram e não conseguiram conquistar o mercado chinês, os analistas ocidentais foram rápidos em atribuir seus fracassos aos controles do governo chinês. Eles assumiram que a única razão pela qual as empresas chinesas sobreviveram foi pelo protecionismo do governo, que prejudicou seus oponentes norte-americanos.

Em meus anos de experiência trabalhando para essas empresas norte-americanas e agora investindo em seus concorrentes chineses, descobri que a abordagem do Vale do Silício para a China é uma razão muito mais importante para o seu fracasso. As empresas norte-americanas tratam a China como qualquer outro mercado dentro de sua lista global. Eles não investem nos recursos, não têm paciência nem dão às suas equipes chinesas a flexibilidade necessária para competir com os principais empreendedores do país. Veem o trabalho principal na China como marketing de seus produtos existentes para usuários chineses. Na realidade, precisam pôr em prática o trabalho de adequar seus produtos aos usuários chineses ou construir novos produtos a partir do zero para atender às demandas do mercado. A resistência à localização desacelera a iteração do produto e faz com que as equipes locais se sintam como engrenagens em uma máquina desajeitada.

As empresas do Vale do Silício também perdem seus maiores talentos. Com tantas oportunidades agora para o crescimento dentro das startups chinesas, os jovens mais ambiciosos se juntam a empresas locais ou fundam novas. Eles sabem que, se ingressarem na equipe chinesa de uma empresa norte-americana, a administração dela os verá para sempre como "contratações locais", trabalhadores cuja utilidade é limitada ao país de origem. Nunca terão a chance de escalar a hierarquia na sede do Vale do Silício, esbarrando no teto de um "*country manager*" para a China. Os jovens mais ambiciosos — aqueles que querem causar um impacto global — entram em choque com essas restrições, optando por abrir suas próprias empresas ou escalar as fileiras de uma das gigantes de tecnologia da China. As empresas estrangeiras acabam com gerentes moderados ou vendedores de carreira trazidos de outros países, pessoas que estão mais preocupadas em proteger seu salário e opções de compra de ações do que em lutar realmente para conquistar o mercado chinês. Coloque esses gerentes relativamente cautelosos para enfrentar os empreendedores gladiadores que estão no coliseu competitivo da China, e os gladiadores sempre sairão vitoriosos.

Enquanto os analistas estrangeiros continuavam a insistir na questão de por que as empresas norte-americanas não podiam vencer na China, as empresas chinesas estavam ocupadas construindo produtos melhores. O Weibo, uma plataforma de microblog inicialmente inspirada pelo Twitter, foi muito mais rápido na expansão da funcionalidade multimídia e agora vale mais do que a empresa norte-americana. Didi, a empresa que começou disputando violentamente com a Uber, expandiu de maneira drástica suas ofertas de produtos e realiza mais viagens todos os dias na China do que a Uber no mundo todo. A Toutiao, uma plataforma de notícias chinesa muitas vezes comparada ao BuzzFeed, usa algoritmos avançados de aprendizado de máquina para adaptar seu conteúdo a cada usuário, tendo uma avaliação muito acima do website norte-americano. Descartar essas empresas como imitadoras que dependem da proteção do governo para ter sucesso cega analistas para inovações importantes que estão acontecendo em outros lugares.

Contudo, o amadurecimento do ecossistema empresarial da China vai muito além da competição com os gigantes norte-americanos. Depois que empresas como Alibaba, Baidu e Tencent provaram como os mercados de internet chineses poderiam ser lucrativos, novas ondas de capital de risco e talentos começaram a entrar no setor. Os mercados estavam se aquecendo e o número de startups chinesas estava crescendo exponencialmente. Essas startups podem ter se inspirado do outro lado do oceano, mas seus concorrentes reais eram outras empresas domésticas, e os confrontos estavam assumindo toda a intensidade de uma rivalidade entre irmãos.

As batalhas contra o Vale do Silício podem ter criado alguns Golias da China, mas foi a violenta competição doméstica chinesa que forjou uma geração de empreendedores gladiadores.

Tudo é justo em startups e na guerra

Zhou Hongyi é o tipo de cara que gosta de posar para fotos com artilharia pesada. Seus 12 milhões de seguidores nas mídias sociais recebem regularmente fotos de Zhou posando ao lado de canhões ou empalando telefones celulares com um arco e flecha de alta potência. Durante anos, uma das paredes de seu escritório era decorada inteiramente com as folhas de papel usadas para a prática de tiro com revólver. Quando sua equipe de relações públicas envia uma foto para os meios de comunicação, às vezes é uma imagem de Zhou vestido com uniformes do Exército, fumaça subindo no fundo e uma metralhadora ao seu lado.

Ele também é o fundador de algumas das primeiras empresas de internet que fizeram sucesso na China. A primeira startup de Zhou foi vendida para o Yahoo!, que o escolheu para liderar suas operações na China. Sempre lutando contra a liderança do Vale do Silício, há rumores de que Zhou, aos gritos, uma vez jogou uma cadeira pela janela do escritório durante uma briga. Quando liderei o Google China, convidei Zhou para conversar com nossa equipe de líderes sobre as características exclusivas do mercado chinês. Ele aproveitou a oportunidade para repreender os executivos norte-americanos, dizendo que eram ingênuos e não sabiam nada sobre o que era necessário para competir na China. O melhor seria, segundo Zhou, que entregassem o controle a um guerreiro endurecido pela batalha como ele. Mais tarde, fundou o principal software de segurança da web da China, o Qihoo 360, e lançou um navegador cujo logotipo era uma cópia exata do Internet Explorer, mas na cor verde.

Zhou incorpora a mentalidade de gladiador dos empreendedores chineses da internet. Em seu mundo, a competição é guerra, e nada vai impedi-lo de vencer. No Vale do Silício, suas táticas garantiriam o ostracismo social, investigações antimonopólio e processos judiciais infindáveis e dispendiosos. Mas no coliseu chinês, nada disso pode conter os combatentes. O único recurso quando um oponente dá um golpe baixo é lançar um contra-ataque mais prejudicial ainda, copiando produtos, difamando adversários ou mesmo levando-os para a prisão. Zhou enfrentou todos os itens acima durante a "Guerra do 3Q", uma batalha entre o Qihoo de Zhou e a QQ, a plataforma de mensagens da gigante da web Tencent.

Eu testemunhei o início das hostilidades em primeira mão em uma noite de 2010, quando Zhou convidou a mim e aos funcionários da recém-formada Sinovation Ventures para nos juntarmos à sua equipe em um campo de laser tag nos arredores de Pequim. Zhou estava em seu elemento, disparando contra os adversários, quando seu celular tocou. Era um empregado com más notícias: a Tencent tinha acabado de lançar uma cópia do antivírus da Qihoo 360 e o estava instalando automaticamente em qualquer computador que usasse QQ. A Tencent já era uma empresa poderosa que exercia enorme influência através de sua base de usuários da QQ. Era um desafio direto para o negócio central da Qihoo, uma questão de vida ou morte corporativa na mente de Zhou, como escreveu em sua autobiografia, *Disruptor*.[7] Ele imediatamente reuniu sua equipe ainda no campo de laser tag e eles voltaram correndo para sua sede a fim de formular um contra-ataque.

Nos dois meses seguintes, Zhou usou todos os truques sujos e desesperados que conseguiu pensar para derrotar a Tencent. A Qihoo primeiro criou um popular software de "proteção da privacidade" que emitia alertas de segurança cada vez que um produto da Tencent era aberto. Os avisos muitas vezes não se baseavam em nenhuma vulnerabilidade real de segurança, mas eram uma campanha de difamação eficaz contra a empresa mais forte. A Qihoo então lançou um software de "segurança" que conseguia filtrar todos os anúncios dentro da QQ, efetivamente matando o principal fluxo de receita do produto. Logo depois disso, Zhou estava a caminho do trabalho quando recebeu uma ligação telefônica: mais de trinta policiais tinham invadido os escritórios da Qihoo e esperavam lá para detê-lo como parte de uma investigação. Convencido de que o ataque tinha sido orquestrado pela Tencent, Zhou foi direto para o aeroporto e fugiu para Hong Kong para pensar em seu próximo passo.

Finalmente, a Tencent decidiu pela opção nuclear: em 3 de novembro de 2010, anunciou que iria bloquear o uso do mensageiro QQ em qualquer computador que tivesse Qihoo 360, forçando os usuários a escolher entre os dois produtos. Era o equivalente a que o Facebook dissesse aos usuários que bloquearia o acesso à sua rede a qualquer pessoa que usasse o Google Chrome. As empresas estavam travando uma guerra total, tendo os computadores dos usuários chineses como campo de batalha. A Qihoo fez um apelo aos usuários para que começassem uma "greve da QQ" de três dias, e o governo por fim interveio para separar os combatentes ensanguentados. Em uma semana, tanto a QQ quanto a Qihoo 360 voltaram ao funcionamento normal, mas as cicatrizes desses tipos de batalhas permaneceram nos empreendedores e nas empresas.

Zhou Hongyi era um dos mais ferozes desses empreendedores, mas truques sujos e comportamento anticoncorrentes eram a norma na indústria. Lembra do Xiaonei, o imitador do Facebook de Wang Xing? Depois que o vendeu em 2006, o site ressurgiu como Renren e se tornou a rede social dominante. Mas, em 2008, o Renren enfrentou um desafiante problemático, o Kaixin001 (*kaixin* significa "feliz" em mandarim). A startup ganhou força tendo como alvo, no início, os jovens urbanos em vez dos estudantes universitários que já estavam no Renren. O Kaixin001 integrava redes sociais e jogos com produtos como Steal Vegetables, uma imitação de Farmville, onde as pessoas eram recompensadas não pela agricultura cooperativa, mas por roubar os jardins umas das outras. A startup rapidamente se tornou a rede social de maior crescimento.

O Kaixin001 era um produto sólido, mas seu fundador não era um gladiador. Quando ele criou a rede, a URL que pretendia usar — kaixin.com

— já estava ocupada, e ele não quis (ou possivelmente não pôde) comprá-la de seu dono. Então, optou por kaixin001.com, o que acabou sendo um erro fatal, equivalente a entrar no Coliseu sem capacete.

No momento em que o Kaixin001 se tornou uma ameaça, o proprietário do Renren simplesmente comprou a URL original <www.kaixin.com> de seu dono. Então recriou uma cópia exata da interface de usuário do Kaixin001, mudando apenas a cor, e a chamou descaradamente de "A Verdadeira Rede Kaixin". De repente, muitos usuários que tentavam se inscrever na nova rede social popular se viram, de modo involuntário, enredados pelo Renren. Poucos perceberam a diferença. O Renren anunciou mais tarde que iria fundir o Kaixin.com com o Renren, completando, com efeito, o sequestro dos usuários do Kaixin001. O movimento impediu o crescimento de usuários no Kaixin001, matou seu impulso e neutralizou a maior ameaça ao domínio do Renren.

O Kaixin001 processou o rival, mas a ação judicial não conseguiu desfazer o dano do combate corpo a corpo. Em abril de 2011, dezoito meses após o processo ter sido aberto, um tribunal de Pequim ordenou que o Renren pagasse 60 mil dólares a Kaixin001, mas o desafiante antes promissor era agora uma sombra de sua identidade anterior. Um mês depois, o Renren começou a negociar ações na Bolsa de Valores de Nova York, conseguindo 740 milhões de dólares.

As lições aprendidas no Coliseu eram claras: matar ou ser morto. Qualquer empresa que não possa se isolar totalmente dos concorrentes — em nível técnico, comercial e até pessoal — será alvo de ataque. O vencedor fica com os espólios, que podem chegar a bilhões de dólares.

É um sistema cultural que também inspira uma ética de trabalho verdadeiramente maníaca. O Vale do Silício se orgulha dos longos expedientes, algo que fica mais tolerável pelas refeições gratuitas, academias no local e cerveja. Mas em comparação com o cenário de startups da China, as empresas do Vale parecem letárgicas e seus engenheiros, preguiçosos. Andrew Ng, o pioneiro do aprendizado profundo que fundou o projeto Google Brain e liderou os esforços de IA no Baidu, comparou os dois ambientes durante um evento da Sinovation em Menlo Park:

O ritmo é incrível na China. Enquanto eu liderava equipes no país, simplesmente marcava uma reunião em um sábado ou domingo, ou quando tivesse vontade, e todos apareciam sem reclamações. Se mandasse uma mensagem de texto às 19 horas durante o jantar e não me respondessem até as 20 horas, eu me perguntava o que estava acontecendo. É apenas um ritmo constante de tomadas de decisões. O mercado faz alguma coisa, então é melhor reagir. Isso, eu acho, moldou o ecossistema da China de uma forma incrível para descobrir inovações, como levar as coisas para o mercado(...) Eu estava nos Estados Unidos trabalhando com um fornecedor. Não citarei nenhum nome, mas um fornecedor com quem estava trabalhando me ligou um dia e disse: "Andrew, estamos no Vale do Silício. Você precisa parar de nos tratar como se estivesse na China, porque simplesmente não podemos entregar as coisas no ritmo que você espera".[8]

O gladiador enxuto

Mas a era das imitações ensinou aos empreendedores chineses de tecnologia mais do que apenas truques sujos e jornadas de trabalho insanas. A alta participação financeira, a propensão à imitação e a mentalidade voltada para o mercado também acabaram incubando empresas que incorporavam a metodologia da "startup enxuta".

Essa metodologia foi inicialmente formulada de maneira explícita no Vale do Silício e popularizada pelo livro *A startup enxuta*, de 2011.[9] O núcleo dessa filosofia é a ideia de que os fundadores não sabem de que produto o mercado precisa — o mercado sabe de que produto precisa. Em vez de gastar anos e milhões de dólares colocando em prática em segredo sua ideia do produto perfeito, as startups devem agir com rapidez para lançar um "produto mínimo viável" que possa criar no mercado demanda por diferentes funções. As startups baseadas na internet podem receber feedback instantâneo com base na atividade do cliente, permitindo que comecem de imediato a iterar o produto: descartar recursos não utilizados, abordar novas funções e testar constantemente as águas da demanda do mercado. As startups enxutas devem perceber as sutis mudanças no comportamento do consumidor e, então, implacavelmente, mudar os produtos para atender a essa demanda. Elas devem estar dispostas a abandonar produtos ou negócios quando não forem lucrativos, girando o eixo e os reimplementando para seguir o dinheiro.

Em 2011, a palavra "enxuto" estava na boca de empreendedores e investidores em todo o Vale do Silício. Conferências e palestras pregavam o evangelho do empreendedorismo enxuto, mas nem sempre esse foi um ajuste natural para as startups motivadas por missão que o Vale do Silício promove. Uma "missão" contribui para uma narrativa forte quando se faz apresentações em empresas de mídia ou de capital de risco, mas também pode ser um fardo real em um mercado que muda rapidamente. O que um fundador faz quando há uma divergência entre o que o mercado exige e o que diz uma missão?

Os empreendedores chineses voltados para o mercado não enfrentavam esse dilema. Sem declarações grandiosas de missão ou "valores fundamentais", eles não tinham problemas em seguir as tendências da atividade do usuário para onde quer que isso levasse suas empresas. Essas tendências muitas vezes os conduziram até indústrias cheias de centenas de imitadores quase idênticos competindo pelo mercado mais quente do ano. Como a Taobao fez com o eBay, esses imitadores minaram qualquer tentativa de cobrar dos usuários, oferecendo seus próprios produtos de graça. A enorme densidade de concorrência e disposição de levar os preços a zero forçaram as empresas a iterar: ajustar seus produtos e inventar novos modelos de monetização, construindo negócios robustos com muros altos que seus concorrentes imitadores não pudessem escalar.

Em um mercado onde a cópia era a norma, esses empreendedores eram forçados a trabalhar mais e a apresentar algo melhor que seus oponentes. O Vale do Silício se orgulha de sua aversão à cópia, mas isso em geral leva à complacência. O pioneiro simplesmente ganha um novo mercado porque outros não querem ser vistos como não originais. Os empresários chineses não têm esse luxo. Se conseguem construir um produto que as pessoas querem, não podem declarar vitória. Precisam declarar guerra.

A vingança de Wang Xing

A Guerra dos Mil Groupons cristalizou esse fenômeno. Logo após seu lançamento, em 2008, o Groupon se tornou o queridinho do mundo das startups norte-americanas. A premissa era simples: oferecer cupons que funcionassem apenas se um número suficiente de compradores os usasse. Os compradores recebiam um desconto e os vendedores garantiam vendas em volume. Foi um sucesso na América pós-crise financeira, e a avaliação do Groupon disparou para mais de 1 bilhão de dólares em apenas dezesseis meses, o ritmo mais rápido da história.

O conceito parecia feito sob medida para a China, onde os compradores são obcecados por descontos e a barganha é uma forma de arte. Empreendedores na China em busca do próximo mercado promissor rapidamente se amontoaram nas compras coletivas, iniciando plataformas locais baseadas no modelo "oferta do dia" do Groupon. Os principais portais da internet lançaram suas próprias divisões de compra coletiva, e dezenas de novas startups entraram na briga. No entanto, o que começou como dezenas logo se transformou em centenas e milhares de concorrentes imitadores. Quando aconteceu a oferta pública inicial do Groupon em 2011 — o maior IPO desde o Google em 2004 —, a China tinha mais de 5 mil diferentes empresas de compras coletivas.

Para os estrangeiros, isso parecia uma piada. Era uma caricatura de um ecossistema de internet sem-vergonha de suas cópias e desprovido de quaisquer ideias originais. E vastas parcelas desses 5 mil imitadores eram risíveis, produto de empreendedores ambiciosos, mas sem noção, sem perspectivas de sobreviver à sangria resultante.

Mas, no fundo dessa confusão, no centro desse burburinho imperial, estava Wang Xing. Nos sete anos anteriores, ele tinha copiado três produtos norte-americanos de tecnologia, construído duas empresas e aprimorado as habilidades necessárias para sobreviver no coliseu. Wang tinha passado de um engenheiro nerd que clonava sites norte-americanos para um empreendedor em série com um sentido aguçado para produtos de tecnologia, modelos de negócios e competição de gladiadores.

Ele colocou todas essas habilidades para trabalhar durante a Guerra dos Mil Groupons. Fundou o Meituan (Grupo Bonito) no início de 2010 e contratou veteranos experientes de seus antigos clones do Facebook e do Twitter para liderar a investida. Não repetiu a cópia pixel por pixel do Facebook e do Twitter; em vez disso construiu uma interface de usuário que correspondia mais à preferência dos chineses por interfaces densamente povoadas.

Quando o Meituan foi lançado, a batalha estava apenas esquentando, com os concorrentes gastando centenas de milhões de dólares em publicidade off-line. A lógica era que, para se destacar do rebanho, uma empresa tinha que conseguir muito dinheiro e gastá-lo para conquistar clientes com propaganda e subsídios. Essa forte participação no mercado poderia então ser usada para obter mais dinheiro e repetir o ciclo. Com investidores afoitos financiando milhares de empresas quase idênticas, multidões de moradores urbanos chineses aproveitavam os descontos absurdos para comer fora. Era como se a comunidade de capital de risco da China estivesse convidando o país inteiro para jantar.

Mas Wang estava ciente dos perigos de jogar dinheiro fora — foi assim que ele perdeu o Xiaonei, sua cópia do Facebook — e previu o perigo de tentar comprar a lealdade do cliente a longo prazo com barganhas de curto prazo. Se você competisse apenas com subsídios, os clientes saltariam interminavelmente de plataforma em plataforma em busca do melhor negócio. Deixe os competidores gastarem o dinheiro subsidiando refeições e educando o mercado — ele colheria o que os outros estavam semeando. Então, Wang se concentrou em manter os custos baixos enquanto iterava seu produto. O Meituan evitou toda a publicidade off-line e investiu recursos em ajustar os produtos, reduzindo o custo de aquisição e retenção de usuários e otimizando um *back-end* complexo. Esse *back-end* incluía o processamento de pagamentos provenientes de milhões de clientes e a saída para dezenas de milhares de vendedores. Era um desafio de engenharia intimidante para o qual Wang estava preparado depois de uma década de experiência prática.

Uma das principais diferenciações do Meituan foi a sua relação com os vendedores, uma parte crucial da equação com frequência ignorada por startups obcecadas por participação de mercado. O Meituan foi pioneiro em um mecanismo de pagamento automatizado que pôs o dinheiro nas mãos das empresas mais rapidamente, uma mudança bem-vinda em uma época em que as startups de compras coletivas estavam morrendo a cada dia, deixando restaurantes no prejuízo. A estabilidade inspirou lealdade e o Meituan alavancou isso para construir redes maiores de parcerias exclusivas.

O Groupon entrou oficialmente no mercado chinês no início de 2011, criando uma joint venture com a Tencent. O casamento reuniu a maior empresa internacional de compras coletivas com um gigante chinês que tinha tanto experiência local quanto uma enorme parcela da mídia social. Mas a parceria Groupon-Tencent fracassou desde o começo. A Tencent ainda não tinha descoberto como fazer parcerias eficazes com empresas de comércio eletrônico, e a joint venture aplicou cegamente o manual do Groupon para a expansão internacional: contratar dezenas de consultores administrativos e usar a agência de empregos temporários Manpower para formar enormes equipes de vendas com baixo nível de escolaridade. Os head hunters da Manpower ganharam uma fortuna em honorários, e os custos de aquisição de clientes do Groupon superaram os dos concorrentes locais. O gigante estrangeiro estava sangrando dinheiro muito rapidamente e demorando demais para otimizar seu produto. Foi caindo em irrelevância enquanto a sangria entre as startups chinesas continuava.

Do lado de fora, esses tipos de batalhas financiadas por capital de risco pela participação de mercado parecem ser determinadas somente por quem pode levantar o maior capital e assim sobreviver aos seus oponentes. Isso é uma meia verdade: enquanto a quantidade de dinheiro arrecadada é importante, também é a taxa de dinheiro gasto e até que ponto os clientes comprados por meio de subsídios estão "grudados" no produto. As startups que participam dessas batalhas quase nunca são lucrativas no momento, mas a empresa que consegue reduzir ao máximo as "perdas por cliente atendidos" pode durar mais que os concorrentes com recursos melhores. Quando o derramamento de sangue tiver terminado e os preços começarem a subir, essa mesma eficiência implacável será um grande trunfo no caminho da lucratividade.

Com o progresso da Guerra dos Mil Groupons, os combatentes lutaram pela sobrevivência de maneiras diferentes. Como gladiadores que formavam facções no coliseu, as startups mais fracas se fundiram na esperança de obter economias de escala. Outras contavam com publicidade de alto perfil para se elevar brevemente acima da briga. O Meituan, porém, se conteve, classificando-se com consistência entre as dez primeiras, mas ainda não se jogando o suficiente para ocupar o primeiro lugar.

Wang Xing incorporou uma filosofia de conquista que remontava ao imperador Zhu Yuanzhang do século XIV, o líder de um exército rebelde que sobreviveu a dezenas de senhores da guerra concorrentes até fundar a dinastia Ming: "Construa muros altos, armazene grãos e espere o tempo certo para reivindicar o trono". Para Wang Xing, o financiamento de risco era seu grão, um produto superior era seu muro e um mercado de bilhões de dólares seria seu trono.

Em 2013, a poeira começou a baixar na mais selvagem guerra de imitadores que o país já tinha visto. A grande maioria dos combatentes tinha perecido como vítimas de ataques brutais ou de sua própria má administração. Ainda de pé havia três gladiadores: Meituan, Dianping e Nuomi. Dianping era um imitador de longa data do Yelp que havia entrado no ramo das compras coletivas, enquanto a Nuomi era uma afiliada de compra em grupo lançada pelo Renren, o imitador do Facebook que o próprio Wang Xing havia fundado e vendido. Essas três empresas representavam mais de 80% do mercado, e o Meituan de Wang cresceu até ser avaliado em 3 bilhões de dólares. Depois de anos fotocopiando sites norte-americanos, ele tinha aprendido o ofício do empreendedor e ganhado uma grande fatia de um novo mercado enorme.

Mas não foi com as compras coletivas que o Meituan se tornou o que é hoje. O Groupon tinha ficado em grande parte com o seu negócio original, crescendo com a nova ideia de descontos através de vendas para grupos. Em 2014, o Groupon estava sendo negociado a menos da metade do preço do IPO. Hoje é uma lasca do que era no passado. Em contrapartida, Wang expandiu sem cessar as linhas de negócios do Meituan e reformulou constantemente seus principais produtos. À medida que cada nova onda de consumidores invadia a economia chinesa — uma bilheteria estrondosa, uma explosão de entrega de comida, forte turismo doméstico, serviços on-line para off-line florescentes —, Wang dava giros, e terminou transformando sua empresa. Ele era voraz em seu apetite por novos mercados e implacável na iteração constante de novos produtos, um excelente exemplo de uma startup enxuta voltada para o mercado.

O Meituan se uniu à rival Dianping no final de 2015, mantendo Wang no comando da nova empresa. Em 2017, a gigante híbrida estava enviando 20 milhões de pedidos diferentes por dia de um pool de 280 milhões de usuários mensais ativos. A maioria dos clientes já tinha esquecido fazia muito tempo que o Meituan havia começado como um site de compras coletivas.

Eles o conheciam pelo que havia se tornado: um imenso império de consumo que comercializava de macarrão a ingressos de cinema e reservas de hotel. Hoje, o Meituan Dianping está avaliado em 30 bilhões de dólares, a quarta startup mais valiosa do mundo, à frente do Airbnb e da SpaceX, de Elon Musk.

Empreendedores, eletricidade e petróleo

A história de Wang é mais do que apenas a do imitador que deu certo. Sua transformação mapeia a evolução do ecossistema tecnológico da China e o maior patrimônio desse ecossistema: seus empreendedores tenazes. Esses empreendedores estão vencendo as gigantes do Vale do Silício em seu próprio jogo, e aprenderam a sobreviver no ambiente de startups mais competitivo do mundo. Eles alavancaram a revolução da internet chinesa e a explosão da internet móvel, dando vida à nova economia do país.

Mas, por mais notáveis que tenham sido essas conquistas, essas mudanças serão menores em comparação com o que esses empreendedores farão com o poder da inteligência artificial. O nascimento da internet na China funcionou como a invenção do telégrafo, encolhendo distâncias, acelerando o fluxo de informações e facilitando o comércio. O surgimento da IA no país será como dominar a eletricidade: um fator de mudança que vai superalimentar todas as indústrias. Os empreendedores chineses que afiaram e aperfeiçoaram suas habilidades no coliseu agora veem o poder que essa nova tecnologia possui, e já estão procurando indústrias e aplicações onde possam transformar essa energia em lucro.

Porém, para isso, precisam de mais do que apenas seu próprio tino comercial. Se a inteligência artificial é a nova eletricidade, o *big data* é o petróleo que alimenta os geradores. E quando o ecossistema vibrante e único da internet da China ganhou altura depois de 2012, ele se tornou o maior produtor mundial desse petróleo para a era da inteligência artificial.

3. O universo alternativo da internet na China

Guo Hong é um fundador de startups preso no corpo de um funcionário do governo. De meia-idade, Guo está sempre usando um terno escuro modesto e óculos de lentes grossas. Ao fazer pose para fotos oficiais em cerimônias de inauguração, não parece diferente das dezenas de outras autoridades da cidade de Pequim, vestidas de maneira idêntica, que aparecem para cortar fitas e fazer discursos.

Durante as duas décadas anteriores a 2010, a China foi governada por engenheiros. O funcionalismo chinês estava cheio de homens que tinham estudado a ciência de construir coisas físicas, e utilizaram esse conhecimento para transformar a China de uma sociedade agrícola pobre em um país de fábricas agitadas e cidades enormes. Mas Guo representava um novo tipo de funcionário para uma nova era — na qual a China precisava tanto construir coisas quanto criar ideias.

Coloque Guo sozinho em uma sala com outros empresários ou tecnólogos e ele, de repente, ganha vida. Repleto de ideias, fala rápido e escuta atentamente. Tem um apetite voraz pela novidade tecnológica e pela capacidade de visualizar como as startups podem aproveitar essas tendências. Guo pensa de forma pouco convencional e, em seguida, parte para a ação. Ele é o tipo de criador a quem os investidores de capital de risco adoram dar dinheiro.

Todos esses hábitos vieram a calhar quando Guo decidiu transformar sua fatia de Pequim no Vale do Silício chinês, um foco de inovação no país.

O ano era 2010, e Guo era responsável pela influente zona de tecnologia Zhongguancun, no noroeste de Pequim, uma área que havia muito tempo era vista como a resposta da China ao Vale do Silício, mas não tinha realmente merecido o título. Zhongguancun estava repleta de mercados de eletrônicos que vendiam smartphones de baixo custo e softwares pirateados, mas oferecia poucas startups inovadoras. Guo queria mudar isso.

Para dar início a esse processo, nos reunimos nos escritórios da minha recém-fundada empresa, a Sinovation Ventures. Depois de passar uma década representando as empresas de tecnologia norte-americanas mais poderosas na China, no outono de 2009 deixei o Google China para estabelecer a Sinovation, uma incubadora em estágio inicial e um fundo de investimento para startups chinesas. Fiz esse movimento porque senti uma nova energia borbulhando no ecossistema de startups chinês. A era dos imitadores tinha forjado empreendedores de alto nível e eles estavam apenas começando a aplicar suas habilidades para resolver problemas exclusivamente chineses. A rápida transição da China para a internet móvel e os agitados centros urbanos criaram um ambiente totalmente diferente, no qual produtos inovadores e novos modelos de negócios poderiam prosperar. Eu queria fazer parte tanto da mentoria quanto do financiamento dessas empresas quando elas surgissem.

Quando Guo veio visitar a Sinovation, eu e uma equipe de ex-funcionários do Google estávamos trabalhando em um pequeno escritório localizado a nordeste de Zhongguancun. Estávamos recrutando engenheiros promissores para se juntar à nossa incubadora e lançar startups para a primeira onda de usuários de smartphones da China. Guo queria saber o que ele poderia fazer para apoiar essa missão. Disse-lhe que o custo do aluguel estava consumindo uma grande parte do dinheiro que queríamos investir para fomentar essas startups. Qualquer alívio no aluguel significaria mais dinheiro para a construção de produtos e empresas. Eu não tinha com o que me preocupar, ele me garantiu antes de pegar o telefone e fazer algumas ligações. O governo local provavelmente cobriria nosso aluguel por três anos se mudássemos para o bairro de Zhongguancun.

Isso foi uma notícia fantástica para nosso projeto, e melhor ainda, Guo estava apenas começando. Ele não queria apenas investir dinheiro em uma incubadora. Queria entender o que realmente fazia o Vale do

Silício funcionar. Guo passou a fazer perguntas sobre meu tempo no Vale durante a década de 1990. Expliquei quantos dos primeiros empreendedores da área se tornaram investidores-anjos e mentores, como a proximidade geográfica e as fortes redes sociais deram origem a um ecossistema de capital de risco autossustentável que fazia apostas inteligentes em grandes ideias.

Enquanto conversávamos, pude ver a mente de Guo trabalhando a todo vapor. Ele estava absorvendo tudo e formulando os contornos de um plano. O ecossistema do Vale do Silício se formou organicamente ao longo de várias décadas. Mas e se nós, na China, pudéssemos acelerar esse processo forçando a proximidade geográfica? Poderíamos escolher uma rua em Zhongguancun, tirar todos os antigos moradores e abrir o espaço para os principais atores nesse tipo de ecossistema: empresas de capital de risco, startups, incubadoras e prestadores de serviços. Ele já tinha um nome em mente: Chuangye Dajie — Avenida dos Empreendedores.

Esse tipo de construção de cima para baixo de um ecossistema de inovação vai contra a ortodoxia do Vale do Silício. Para aquela visão de mundo, o que realmente torna o Vale especial é um abstrato *zeitgeist* cultural, um compromisso com o pensamento original e a inovação. Não é algo que poderia ter sido construído usando apenas tijolos e subsídios de aluguel.

Guo e eu vimos o valor desse sentido etéreo de missão, mas também vimos que a China era diferente. Se quiséssemos alavancar esse processo na China hoje, o dinheiro, o setor imobiliário e o apoio do governo eram importantes. O processo exigiria trabalhar muito, adaptando o éthos de inovação desincorporado do Vale às realidades físicas da China atual. O resultado alavancaria alguns dos principais mecanismos do Vale do Silício, mas levaria a internet chinesa a uma direção bem diferente.

Esse ecossistema estava se tornando independente e autossustentável. Os criadores chineses não precisavam mais adaptar seus lançamentos iniciais ao gosto dos investidores estrangeiros. Agora eles poderiam construir produtos chineses para resolver problemas chineses. Foi uma mudança radical que alterou a própria arquitetura das cidades do país e sinalizou uma nova era no desenvolvimento da internet chinesa. Também levou a um boom imediato na produção do recurso natural da era da IA.

Territórios de internet não mapeados

Durante a era das imitações, a relação entre a China e o Vale do Silício era de reprodução, competição e recuperação. Mas, por volta de 2013, a internet chinesa mudou de direção. Não ficava mais atrás da internet ocidental em termos de funcionalidade, embora também não tivesse ultrapassado o Vale do Silício. Em vez disso, estava se transformando em um universo alternativo, um espaço com suas próprias matérias-primas, seus sistemas planetários e suas leis da física. Era um lugar onde muitos usuários acessavam a internet apenas por meio de smartphones baratos, onde esses mesmos aparelhos desempenhavam o papel de cartões de crédito e onde as cidades densamente povoadas criavam um laboratório rico para misturar os mundos físico e digital.

As empresas de tecnologia chinesas que governavam esse mundo não tinham corolários óbvios no Vale do Silício. Apelidos simples como "a Amazon da China" ou "o Facebook da China" não faziam mais sentido ao descrever aplicativos como o WeChat — o aplicativo social dominante na China que evoluiu para um "canivete suíço digital" capaz de permitir que as pessoas pagassem suas compras, pedissem uma refeição quente e marcassem uma consulta médica.

Debaixo dessa transformação, havia vários elementos-chave: os primeiros usuários de internet no celular, o papel do WeChat como superaplicativo nacional e pagamentos móveis que transformavam todo smartphone em uma carteira digital. Quando essas peças estavam todas no lugar, as startups chinesas desencadearam uma explosão de inovação local. Foram pioneiras nos serviços on-line-para-off-line que integraram profundamente a internet no tecido da economia chinesa. Elas transformaram as cidades da china nos primeiros ambientes sem dinheiro desde os dias da economia de troca. E revolucionaram o transporte urbano com aplicativos inteligentes de compartilhamento de bicicletas que criaram a maior rede virtual de coisas do mundo.

Jogar lenha nessa fogueira significou uma onda sem precedentes de apoio governamental à inovação. A missão de Guo de construir a Avenida dos Empreendedores foi apenas a primeira gota do que em 2014 se transformou em uma onda de políticas oficiais que impulsionou o empreendedorismo tecnológico. Sob a bandeira de "Inovação e Empreendedorismo de Massa", prefeitos chineses inundaram suas cidades de novas zonas de inovação, incubadoras e fundos de capital de risco apoiados pelo governo, muitos deles baseados no trabalho de Guo com a Avenida dos Empreendedores. Foi uma campanha que os analistas do Ocidente consideraram ineficiente e equivocada, mas que turbinou a evolução do universo alternativo da internet na China.

Prosperar nesse ambiente exigia destreza de engenharia e recursos humanos: exércitos de entregadores em scooters carregando refeições quentes pela cidade, dezenas de milhares de representantes de vendas distribuindo pagamentos móveis para vendedores ambulantes e milhões de bicicletas compartilhadas transportadas em caminhões e espalhadas pelas cidades. Uma explosão desses serviços levou as empresas chinesas a arregaçar as mangas e fazer o trabalho árduo de administrar um negócio de operações pesadas no mundo real.

Na minha opinião, essa disposição de trabalhar duro no mundo real separa as empresas de tecnologia chinesas de suas colegas do Vale do Silício. As startups norte-americanas gostam de se ater ao que sabem: construir plataformas digitais simples que facilitem as trocas de informações. Essas plataformas podem ser usadas por fornecedores que fazem o trabalho pesado, mas as empresas de tecnologia tendem a permanecer distantes e desinteressadas desses detalhes logísticos. Elas aspiram à mitologia satirizada na série da HBO, *Silicon Valley*, a de uma equipe esquelética de hackers que constroem um negócio de bilhões de dólares sem nunca deixar o loft de São Francisco.

As empresas chinesas não têm esse tipo de luxo. Cercadas por concorrentes prontos para fazer engenharia reversa de seus produtos digitais, precisam usar sua escala, gastos e eficiência no trabalho pesado como um fator de diferenciação. Gastam dinheiro como loucas e dependem de exércitos de trabalhadores de baixa remuneração para fazer com que seus modelos de negócios funcionem. É uma característica que define o universo alternativo da internet chinesa e deixa os analistas norte-americanos entrincheirados na ortodoxia do Vale do Silício intrigados.

A Arábia Saudita dos dados

Mas esse compromisso chinês com o trabalho pesado também é o que está estabelecendo as bases para a liderança chinesa na era da implementação da IA. Ao mergulhar nos detalhes confusos da entrega de comida, reparos de automóveis, bicicletas compartilhadas e compras na loja da esquina, essas empresas estão transformando a China na Arábia Saudita dos dados: um país que repentinamente tem grandes estoques de um recurso-chave que alimenta essa era tecnológica. A China já está muito à frente dos Estados Unidos como o maior produtor mundial de dados digitais, uma diferença que está aumentando a cada dia.

Como argumentei no primeiro capítulo, a invenção do aprendizado profundo significa que estamos passando da era da especialização para a era dos dados. O treinamento correto de algoritmos de aprendizado profundo requer poder de computação, talento técnico e muitos dados. Mas desses três, é o volume de dados que será o mais importante daqui para a frente. Isso porque quando o talento técnico atinge certo limite, ele começa a mostrar retornos decrescentes. Além desse ponto, os dados fazem toda a diferença. Algoritmos ajustados por um engenheiro médio podem superar aqueles construídos pelos maiores especialistas do mundo se o engenheiro médio tiver acesso a muito mais dados.

Mas a vantagem dos dados da China se estende da quantidade à qualidade. O grande número de usuários de internet do país — maior do que Estados Unidos e toda a Europa juntos — cria a quantidade de dados, mas é o que esses usuários fazem on-line que garante a qualidade. A natureza do universo alternativo de aplicativos da China significa que os dados coletados também serão muito mais úteis na construção de empresas orientadas para IA.

As gigantes do Vale do Silício estão acumulando dados de sua atividade em suas plataformas, mas esses dados concentram-se fortemente em seu comportamento on-line, como pesquisas feitas, fotos carregadas, vídeos do YouTube assistidos e posts "curtidos". Em vez disso, as empresas chinesas coletam dados do mundo *real*: o quê, quando e onde das compras físicas, refeições, reformas e transporte. O aprendizado profundo só pode otimizar o que consegue "ver" por meio de dados, e o ecossistema de tecnologia com base física da China dá a esses algoritmos muitos mais olhos para o conteúdo de nossas vidas diárias. À medida que a IA começa a "eletrificar" as novas indústrias, o aproveitamento chinês dos detalhes confusos do mundo real dará uma vantagem sobre o Vale do Silício.

Esse inesperado presente de dados para a China não foi resultado de algum plano diretor. Quando Guo Hong veio me ver em 2010, ele não poderia ter previsto a forma exata que o universo alternativo da China tomaria ou como o aprendizado de máquina transformaria os dados em uma mercadoria preciosa. Mas ele acreditava que, com o cenário, o financiamento e um pouco de incentivo corretos, as startups chinesas poderiam criar algo totalmente único e muito valioso. Nesse ponto, os instintos empreendedores de Guo estavam corretos.

O salto móvel

Deixei o Google China e fundei a Sinovation Ventures alguns meses antes de o Google decidir sair do mercado do país. Esse movimento do Google foi uma grande decepção para nossa equipe, considerando os anos de trabalho que dedicamos para tornar a empresa competitiva na China. Mas essa saída também criou uma abertura para as startups locais construírem um novo conjunto de produtos para a nova tendência mais animadora da tecnologia: a internet móvel.

Após o lançamento do iPhone, em 2007, o mundo da tecnologia começou lentamente a adaptar websites e serviços para o acesso por meio de um smartphone. Em sua forma mais simples, isso significava construir uma versão do próprio website que funcionasse bem quando passava de uma grande tela de computador para um pequeno smartphone. Mas também significava construir novas ferramentas: uma loja de aplicativos, *apps* para edição de fotos e software antivírus. Com o Google saindo da China, o mercado para aplicativos baseados no Android nesse espaço estava agora totalmente aberto. O primeiro lote de startups incubadas na Sinovation procurou preencher essas lacunas. No processo, eu queria que explorássemos uma maneira nova e empolgante de interagir com a internet, um espaço onde o Vale do Silício ainda não havia definido o paradigma dominante.

Durante a era da imitação chinesa, a pequena parcela de sua população que acessava a internet fazia isso da mesma maneira que os norte-americanos, através de um desktop ou laptop. O comportamento dos usuários chineses diferia bastante dos hábitos norte-americanos, mas as ferramentas fundamentais usadas eram as mesmas. Os computadores ainda eram muito caros para a maioria dos chineses e, em 2010, apenas cerca de um terço da população tinha acesso à internet. Então, quando os smartphones baratos chegaram ao mercado, ondas de cidadãos comuns, que não tinham acesso aos computadores pessoais, ficaram on-line pela primeira vez por meio de seus celulares.

Por mais simples que essa transição pareça, teve profundas implicações para a forma específica que a internet chinesa tomaria. Usuários de smartphones não apenas agiam de maneira diferente de seus colegas que usavam desktop; também queriam coisas diversas. Para aqueles que começavam em dispositivos móveis, a internet não era apenas uma coleção abstrata de informações digitais acessadas de um local definido. Ao contrário, era uma ferramenta que você carregava enquanto se deslocava pelas cidades — por isso, deveria ajudar a resolver os problemas que você enfrenta quando precisa comer, fazer compras, viajar ou simplesmente atravessar a cidade. As startups chinesas precisavam construir seus produtos com esse objetivo.

Isso abriu uma oportunidade real para que as startups chinesas, apoiadas por investidores chineses, abrissem novos caminhos para promover a inovação no estilo chinês. Na Sinovation, nossa primeira rodada de investimentos foi para incubar nove empresas, várias das quais acabaram adquiridas ou controladas por Baidu, Alibaba e Tencent. Essas três gigantes chinesas da internet (coletivamente conhecidas pela sigla BAT) usaram nossas startups a fim de acelerar sua transição para empresas de internet móvel. Essas aquisições de startups formaram uma base sólida para seus esforços móveis, mas seria um projeto interno secreto da Tencent que primeiro iria abrir o potencial do que chamo de universo alternativo da internet na China.

WeChat: Início humilde, ambições enormes

Quase ninguém percebeu quando o aplicativo mais poderoso do mundo entrou em funcionamento. O lançamento do WeChat, o novo aplicativo de mensagens sociais da Tencent, em janeiro de 2011, recebeu apenas uma menção na imprensa em inglês, no site de tecnologia Next Web.[1] A Tencent já possuía as duas redes sociais dominantes na China — sua plataforma de mensagens instantâneas QQ e a rede social Q-Zone; cada uma contava com centenas de milhões de usuários —, mas os analistas norte-americanos as descartavam como cópias medíocres de produtos criados nos EUA. O novo aplicativo para smartphone da empresa ainda não tinha um nome em inglês, chamava-se simplesmente Weixin, ou "micromensagem", em chinês.

Porém, tinha algumas outras coisas: permitia que fossem enviadas fotos e gravações curtas de voz junto com mensagens digitadas. Essa última função se tornara um grande benefício, pois era muito incômodo, na época, inserir caracteres chineses em um telefone. O WeChat também foi criado especificamente para smartphones. Em vez de tentar transformar sua plataforma desktop dominante, a QQ, em um aplicativo para celular, a Tencent quis superar seu próprio produto com outro, construído apenas para dispositivos móveis. Era uma estratégia arriscada para uma gigante estabelecida, mas valeu a pena.

A funcionalidade simples do aplicativo decolou e, à medida que o WeChat conquistou usuários, também acrescentou mais funções. Em pouco mais de um ano, havia atingido 100 milhões de usuários registrados e, em seu segundo aniversário, em janeiro de 2013, esse número era de 300 milhões. No caminho, ele havia adicionado chamadas de voz e vídeo, além de teleconferências, funções que parecem óbvias hoje, mas que o concorrente global do WeChat, o WhatsApp, esperou até 2016 para incorporar.

Os primeiros ajustes e otimizações do WeChat foram apenas o começo. Logo foi pioneiro em um modelo inovador de "app dentro de app" que mudou a maneira como os meios de comunicação e os anunciantes usavam plataformas sociais. Estas eram as "contas oficiais" do WeChat, fluxos de conteúdo de terceiros por assinatura que viviam no aplicativo e às vezes eram comparados a páginas do Facebook por empresas de mídia. Mas, em vez da plataforma minimalista do Facebook para postar conteúdo, as contas oficiais ofereciam grande parte da funcionalidade de um aplicativo autônomo, sem o incômodo de ser obrigado a criar um. Essas contas rapidamente se tornaram tão dominantes no espaço das redes sociais que muitas empresas de mídia e consumidores simplesmente pararam de criar seus próprios aplicativos, optando por viver inteiramente no mundo do WeChat.

Em dois anos, o WeChat passou de um aplicativo sem nome a uma usina geradora de mensagens, mídia, marketing e jogos. Mas a Tencent queria ainda mais. Ela já monopolizava a vida digital dos usuários, mas desejava estender essa funcionalidade para além do smartphone.

Nos cinco anos seguintes, a Tencent foi cuidadosamente transformando o WeChat no primeiro superaplicativo do mundo. Tornou-se um "controle remoto para a vida"[2] que dominava não apenas os mundos digitais dos usuários, mas também permitia que pagassem suas contas em restaurantes, chamassem táxis, desbloqueassem bicicletas compartilhadas, gerenciassem investimentos, agendassem consultas médicas e recebessem os medicamentos receitados em sua porta. A forma como essa funcionalidade se espalhou iria borrar as linhas que dividem nossos mundos on-line e off-line, tanto moldando quanto se alimentando do universo alternativo da internet chinesa. Mas antes de poder fazer isso, o WeChat tinha que entrar nas carteiras dos usuários, e isso significava partir para cima dos gigantes do comércio digital.

O Pearl Harbor dos pagamentos móveis

O ataque aconteceu na noite mais festiva do calendário da China — a Véspera do Ano-Novo Chinês de 2014 — e a arma foi inspirada na ocasião. A tradição é oferecer "envelopes vermelhos" durante o Ano-Novo, pacotes vermelhos pequenos e decorados com dinheiro dentro. Esse dinheiro é o equivalente chinês a um presente de Natal, algo geralmente dado por parentes mais velhos a crianças e pelos patrões aos empregados.

A inovação da Tencent foi tão simples — e tão divertida para quem usava o aplicativo — que mascarou a magnitude da tomada de poder. O WeChat deu aos usuários a capacidade de enviar envelopes vermelhos digitais contendo dinheiro real para amigos próximos e distantes que também usavam o aplicativo. Depois que vinculassem suas contas bancárias ao WeChat, eles poderiam enviar envelopes com uma quantia fixa para uma pessoa ou um grupo, permitindo que seus amigos corressem para ver quem conseguia "abrir" primeiro e receber o dinheiro. Esse dinheiro, então, ficava dentro da WeChat Wallet dos usuários, uma nova subdivisão do aplicativo. Poderia ser usado para fazer compras, ser transferido para outros amigos ou para suas contas bancárias, se estivessem vinculadas ao aplicativo.

Era uma tradução direta para o digital de uma antiga tradição chinesa, adicionando um elemento de jogo ao processo. Os usuários do WeChat adoraram os envelopes, enviando 16 milhões deles durante o Ano-Novo Chinês e, assim, conectando 5 milhões de novas contas bancárias à WeChat Wallet.

Jack Ma achou isso pouco divertido. Ele chamou a iniciativa da Tencent de um "ataque estilo Pearl Harbor"[3] ao domínio do Alibaba no comércio digital. O Alipay, do Alibaba, tinha sido pioneiro nos pagamentos digitais feitos sob medida para usuários chineses em 2004, e depois adaptou o produto para smartphones. Mas o WeChat, da noite para o dia, tinha conquistado a vanguarda dos novos tipos de pagamentos móveis, levando milhões de novos usuários a vincular suas contas bancárias ao que já era o aplicativo social mais poderoso da China. Ma alertou os funcionários do Alibaba que, se não lutassem para manter o controle dos pagamentos móveis, seria o fim da empresa. Na época, observadores acharam que era apenas uma típica retórica exagerada de Jack Ma, um empresário carismático com grande capacidade para mobilizar suas tropas. Porém, olhando para trás quatro anos depois, parece provável que Ma tenha visto o que estava por vir.

Os quatro anos que antecederam o "ataque em estilo Pearl Harbor" da Tencent viram muitas das peças do universo alternativo da internet na China se encaixar. A competição de gladiadores entre as startups imitadoras chinesas havia treinado uma geração de empreendedores de internet sagazes. Os usuários de smartphones mais do que dobraram entre 2009 e 2013, de 233 milhões para incríveis 500 milhões. Os fundos iniciais estavam promovendo uma nova geração de startups, que criavam aplicativos móveis inovadores para esse mercado. E o WeChat demonstrou o poder do superaplicativo instalado em praticamente todos os smartphones, um portal completo para o ecossistema móvel chinês.

Quando a enxurrada de envelopes vermelhos da Tencent levou milhões de chineses a vincular suas contas bancárias ao WeChat, colocou a última peça crucial do quebra-cabeça de uma revolução do consumo: a capacidade de pagar por tudo e qualquer coisa com seu telefone. Nos anos seguintes, Alibaba, Tencent e milhares de startups chinesas correriam para aplicar essas ferramentas a todos os setores da vida urbana chinesa, incluindo entrega de alimentos, contas de luz, vídeos ao vivo de celebridades, manicures sob demanda, bicicletas compartilhadas, bilhetes de trem, entradas de cinema e multas de trânsito. O mundo on-line e off-line da China começaria a se unir de uma forma nunca vista em nenhum outro lugar do mundo. Elas estavam remodelando a paisagem urbana da China e o conjunto de dados do mundo real mais rico do mundo.

Mas a construção de um universo alternativo de internet que alcance todos os cantos da economia chinesa não poderia ser feito sem o ator econômico mais importante do país: o governo da China.

Se você construir, eles virão

Nesse front, Guo Hong estava na vanguarda. Nos anos após sua primeira visita ao meu escritório, seu sonho de uma Avenida dos Empreendedores foi transformado em um plano, e esse plano entrou em ação. Guo escolheu para sua experiência uma rua de pedestres em Zhongguancun que abrigava uma miscelânea de livrarias, restaurantes e mercados de eletrônicos falsificados.

Nos anos 1980, o governo já havia transformado essa rua para a realização de uma atualização econômica. Na época, a China estava sofrendo com o crescimento e a urbanização impulsionados pelas exportações, dois projetos que exigiam conhecimentos de engenharia que o país não tinha. Assim, as autoridades transformaram a rua antes tomada por vendedores ambulantes em uma "Cidade do Livro", repleta de livrarias especializadas em ciências e engenharia modernas para os alunos da Universidade Tsinghua e de Pequim. Em 2010, a ascensão da internet chinesa havia fechado muitas livrarias, substituindo-as por pequenas lojas que vendiam eletrônicos baratos e softwares piratas — a matéria-prima da era da imitação da China.

Mas Guo queria turbinar uma atualização para uma nova era de inovação local. Seu experimento original de pequena escala na tentativa de atrair a Sinovation Ventures por meio de subsídios de aluguel havia sido bem-sucedido, e por isso Guo planejava reformar uma rua inteira para os inquilinos da alta tecnologia. Ele e o governo local do distrito usaram uma combinação de subsídios em dinheiro e ofertas de espaço em outros lugares para remover quase todas as empresas tradicionais da rua. Em 2013, as equipes de construção levaram britadeiras e equipamentos de pavimentação para a rua então vazia, e depois de um ano empilhando tijolos e construindo novas fachadas elegantes, em 11 de junho de 2014, a Avenida dos Empreendedores foi inaugurada para seus novos inquilinos.

Guo havia usado as ferramentas à sua disposição — dinheiro, cimento e trabalho braçal — para dar um forte empurrão na inovação nativa das startups locais. Foi um momento marcante para Zhongguancun, mas que não estava destinado a ficar isolado nesse canto de Pequim.

De fato, a abordagem de Guo estava prestes a se tornar nacional.

Inovação para as massas

Em 10 de setembro de 2014, o primeiro-ministro Li Keqiang subiu ao palco durante o Davos de Verão do Fórum Econômico Mundial de 2014, na cidade chinesa de Tianjin. Ali, falou sobre o papel crucial desempenhado pela inovação tecnológica na geração de crescimento e na modernização da economia chinesa. O discurso foi longo e denso, pesado no jargão e leve nos detalhes. Mas, durante o discurso, Li repetiu uma frase que era nova no léxico político chinês: "empreendedorismo em massa e inovação em massa".[4] Ele concluiu desejando aos participantes um fórum de sucesso e saudável.

Para observadores externos, foi um evento absolutamente normal, e quase não houve cobertura na imprensa ocidental. Os líderes chineses fazem discursos como esse quase todos os dias, longos, pesados e cheios de frases que soam ocas para os ouvidos ocidentais. Essas frases podem agir como sinais durante debates internos dentro do governo chinês, mas não necessariamente se traduzem em mudanças imediatas no mundo real.

Dessa vez foi diferente. O discurso de Li acendeu a primeira faísca do que se tornaria um incêndio na indústria chinesa de tecnologia, levando a atividade no ambiente de investimentos e startups a novos patamares febris. A nova frase — "empreendedorismo em massa e inovação em massa" — tornou-se o slogan de um impulso governamental importante para promover os ecossistemas de startups e apoiar a inovação tecnológica. A abordagem proativa de Guo Hong para a inovação começou a se espalhar por toda a segunda maior economia do mundo e iria turbinar a criação do único contrapeso verdadeiro ao Vale do Silício.

A campanha de inovação em massa da China fez isso subsidiando diretamente os empreendedores de tecnologia chineses e mudando o *zeitgeist* cultural. Isso deu aos inovadores o dinheiro e o espaço que precisavam para fazer sua mágica, e seus pais finalmente pararam de incomodá-los para que aceitassem um emprego em um banco estatal.

Nove meses depois do discurso de Li, o Conselho de Estado da China — mais ou menos o equivalente ao gabinete do presidente dos Estados Unidos — emitiu uma importante diretriz sobre o avanço do empreendedorismo e da inovação em massa. O grupo pedia a criação de milhares de incubadoras de tecnologia, zonas de empreendedorismo e "fundos orientadores" apoiados pelo governo para atrair maior capital de risco privado. O plano do Conselho de Estado promovia políticas tributárias preferenciais e a melhoria das permissões do governo para iniciar um negócio.

O governo central da China estabeleceu os objetivos, mas a implementação foi deixada para milhares de prefeitos e autoridades locais espalhadas pelo país. A promoção para as autoridades locais na burocracia do governo da China é baseada em avaliações de desempenho realizadas pelos altos escalões do departamento interno de recursos humanos do Partido Comunista. Então, quando o governo central define um objetivo claro — uma nova métrica na qual servidores de nível inferior podem demonstrar sua competência —, funcionários ambiciosos em todos os lugares se lançam no cumprimento dessa meta para provar que são capazes.

Após a publicação da diretiva do Conselho de Estado, todas as cidades na China rapidamente copiaram a visão de Guo Hong e lançaram suas próprias versões da Avenida dos Empreendedores. Valeram-se descontos em impostos e aluguéis para atrair startups. Criaram escritórios governamentais voltados para que os empreendedores pudessem registrar com mais agilidade suas empresas. A enxurrada de subsídios criou 6.600 novas incubadoras de startups em todo o país, mais do que quadruplicando o total geral. De repente, era mais fácil do que nunca para as startups obter espaço de qualidade, e podiam conseguir taxas de desconto que deixavam mais dinheiro para a construção de seus negócios.

Cidades maiores e os governos provinciais foram pioneiros em diferentes modelos de "direcionamento de fundos", um mecanismo que usa dinheiro do governo para estimular mais investimentos de risco. Os fundos fazem isso aumentando as vantagens dos investidores privados, sem remover o risco. O governo usa dinheiro do fundo orientador para investir em fundos privados de capital de risco da mesma forma que outros parceiros privados limitados. Se as startups que recebem os investimentos (as "empresas de portfólio") fracassam, todos os parceiros perdem seus investimentos, incluindo o governo.

Mas se as empresas de portfólio forem bem-sucedidas — digamos, dobrarem de valor em cinco anos —, então o administrador do fundo limita o capital do governo no fundo em uma porcentagem predeterminada, digamos de 10%, e usa dinheiro privado para comprar as ações do governo a essa taxa. Isso deixa o restante dos 90% de ganho sobre o investimento do governo para ser distribuído entre investidores privados que já viram seus próprios investimentos dobrarem. Os investidores privados são, assim, incentivados a seguir o exemplo do governo, investindo em fundos e indústrias que o governo local quer promover. Durante o esforço de inovação em massa da China, o uso dos fundos orientadores do governo local explodiu, quase quadruplicando, de 7 bilhões de dólares em 2013 para 27 bilhões em 2015.[5]

O financiamento de risco privado veio logo atrás. Quando a Sinovation foi fundada, em 2009, a China estava experimentando um crescimento tão rápido na manufatura e no setor imobiliário que o dinheiro inteligente ainda estava indo para esses setores tradicionais. Mas em 2014 tudo isso mudou. Durante três dos quatro anos que antecederam o ano da mudança, o total do financiamento de risco chinês manteve-se estável em cerca de 3 bilhões de dólares. Em 2014, isso imediatamente quadruplicou para 12 bilhões e depois aumentou para 26 bilhões de dólares em 2015.[6] Agora parecia que qualquer jovem inteligente e experiente, com uma ideia nova e alguns talentos técnicos, poderia lançar um plano de negócios e encontrar financiamento para tirar sua startup do papel.

Os analistas políticos e investidores norte-americanos desconfiavam dessa intervenção pesada do governo em mercados supostamente livres e eficientes. Os atores do setor privado fazem melhores apostas quando se trata de investir, diziam, e as zonas de inovação financiadas pelo governo ou incubadoras serão ineficientes, um desperdício de dinheiro do contribuinte. Nas mentes de muitos atores centrais do Vale do Silício, a melhor coisa que o governo federal pode fazer é deixá-los em paz.

Mas o que esses críticos não percebem é que esse processo pode ser altamente ineficiente e extraordinariamente eficaz ao mesmo tempo. Quando a vantagem de longo prazo é tão monumental, pagar mais no curto prazo pode ser a coisa certa a fazer. O governo chinês queria realizar uma mudança fundamental na economia chinesa, do crescimento conduzido pela manufatura ao crescimento liderado pela inovação, e desejava fazer isso rapidamente.

Poderia ter adotado uma postura de não intervenção, mantendo-se de fora, enquanto os retornos de investimento nas indústrias tradicionais caíam e o investimento privado lentamente entrava no setor da alta tecnologia. Essa mudança estaria sujeita às fricções comuns dos empreendimentos humanos: informação imperfeita, investidores da velha guarda que não tinham tanta certeza sobre "essa coisa de internet" e a antiga inércia econômica. No fim, porém, essas fricções seriam superadas e o dinheiro iria para os fundos de capital privado, que poderiam gastar cada dólar mais eficientemente do que o governo.

No entanto, esse é um processo que levaria muitos anos, e até mesmo décadas. Os principais líderes da China não tinham paciência para esperar. Queriam usar o dinheiro do governo para forçar uma transformação mais rápida, que pagaria dividendos através de uma transição mais precoce para um crescimento de maior qualidade. Esse processo de força bruta era muitas vezes ineficiente em âmbito local — incubadoras que ficaram desocupadas e avenidas de inovação que nunca deram resultado —, mas, em escala nacional, o impacto foi tremendo.

Uma revolução na cultura

Os efeitos do empreendedorismo em massa da China e da campanha de inovação em massa foram muito além do mero espaço para escritórios e dólares de investimentos. A campanha deixou uma marca profunda na percepção das pessoas comuns sobre o empreendedorismo na internet, mudando de modo genuíno o *zeitgeist* cultural.

Tradicionalmente, a cultura chinesa demonstra uma tendência para a conformidade e uma deferência para com figuras de autoridade, como pais, chefes, professores e funcionários do governo. Antes de uma nova indústria ou atividade receber o selo de aprovação das autoridades, ela é vista como inerentemente arriscada. Mas se essa indústria ou atividade receber um endosso da liderança chinesa, as pessoas correrão para participar. Essa estrutura de cima para baixo inibe a inovação livre e exploratória, mas quando o endosso chega e a direção é estabelecida, toda a sociedade entra em ação simultaneamente.

Antes de 2014, o governo chinês nunca havia explicitado exatamente como via a ascensão da internet no país. Apesar dos sucessos iniciais de empresas como Baidu e Alibaba, os períodos de relativa abertura on-line foram seguidos por sinais ameaçadores e repressões legais aos usuários, "espalhando rumores" por meio de plataformas de rede social. Ninguém poderia ter certeza do que viria a seguir. Com a campanha de inovação em massa, o governo chinês emitiu seu primeiro endosso integral do empreendedorismo na internet. Cartazes e faixas apareceram no país exortando todos a se unirem à causa. Os meios de comunicação oficiais publicaram inúmeras histórias divulgando as virtudes da inovação nativa e anunciando os sucessos das startups locais. As universidades correram para oferecer novos cursos sobre empreendedorismo, e livrarias se encheram de biografias de especialistas em tecnologia e livros de autoajuda para fundadores de startups.

Para jogar ainda mais lenha nessa fogueira, aconteceu o recorde de 2014 na entrada do Alibaba na Bolsa de Valores de Nova York. Um grupo de vendedores do Taobao tocou o sino de abertura da oferta pública inicial do Alibaba em 19 de setembro, apenas nove dias depois do discurso do primeiro-ministro Li. Quando a poeira baixou após uma furiosa rodada de negociações, o Alibaba tinha o título de maior IPO da história, e Jack Ma foi coroado o homem mais rico da China.

Porém, era mais do que só dinheiro. Ma tinha se transformado em herói nacional, mas um herói acessível. Abençoado com um carisma meio trapalhão, ele parece um garoto comum. Não estudou em uma universidade de elite e nunca aprendeu a programar. Adora dizer às multidões que, quando o KFC se instalou em sua cidade natal, ele foi o único entre os 25 candidatos que terminou rejeitado para um emprego. Os outros gigantes da internet da China com frequência tinham doutorado ou experiência no Vale do Silício. Mas a ascensão de Ma ao status de estrela do rock deu um novo significado ao "empreendedorismo em massa" — em outras palavras, isso era algo que qualquer membro da população chinesa poderia conseguir.

O endosso do governo e o exemplo de empreendedorismo na internet de Ma foram especialmente eficazes para conquistar alguns dos clientes mais difíceis: as mães chinesas. Na mentalidade tradicional chinesa, o empreendedorismo ainda era algo para pessoas que não conseguiam um emprego de verdade. A "tigela de arroz de ferro" do emprego vitalício em um trabalho do governo permanecia a maior ambição para as gerações mais velhas que tinham passado fome. Na verdade, quando comecei a Sinovation Ventures, em 2009, muitos jovens queriam entrar nas startups que financiávamos, mas sentiam que não podiam fazer isso por causa da oposição constante de seus pais ou cônjuges. Para conquistar essas famílias, tentei tudo o que pude imaginar, inclusive levar os pais para jantares agradáveis, enviar longas cartas manuscritas para eles e até fazer projeções financeiras de como uma startup poderia ser bem-sucedida. No fim, conseguimos construir equipes fortes na Sinovation, mas ganhar cada novo recruta naquela época era uma batalha difícil.

Em 2015, essas pessoas estavam batendo na nossa porta — em um caso, literalmente quebrando a porta da frente da Sinovation — pela oportunidade de trabalhar conosco. Esse grupo incluía jovens que tinham abandonado o ensino médio, jovens brilhantes formados nas melhores universidades, ex-engenheiros do Facebook e muitas pessoas em estados mentais questionáveis. Enquanto eu estava fora da cidade, a sede da Sinovation recebeu a visita de um candidato a empreendedor que se recusou a sair até que eu me encontrasse com ele. Quando a equipe disse que eu não voltaria logo, o homem se deitou no chão e ficou nu, prometendo ficar ali até que Kai-Fu Lee ouvisse sua ideia.

Esse empreendedor em particular recebeu uma escolta policial em vez de um investimento inicial, mas o episódio mostra a mania de inovação que estava tomando conta da China. Um país que tinha passado uma década dançando nas bordas do empreendedorismo na internet estava agora mergulhando de cabeça. O mesmo aconteceu com Guo Hong. Enquanto criava a Avenida dos Empreendedores, Guo foi picado pelo bichinho do empreendedorismo e, em 2017, deixou o mundo das autoridades chinesas para se tornar o fundador e presidente do Zhongguancun Bank, uma "startup" financeira que segue o modelo do Silicon Valley Bank, dedicada a trabalhar com empreendedores e inovadores locais.

Todas as peças estavam agora no lugar para o florescimento do universo alternativo da internet na China. Havia o salto tecnológico, o financiamento, as instalações, o talento e o ambiente. A mesa estava pronta para criar empresas de internet novas, valiosas e exclusivamente chinesas.

Aqui, lá e O2O em todo lugar

Para fazer tudo isso, a internet chinesa teve que pôr a mão na massa. Por duas décadas, as empresas de internet chinesas desempenharam um papel semelhante ao de seus pares norte-americanos: nós de informação em uma rede digital. Agora estavam prontas para mergulhar nos pormenores da vida cotidiana.

Os analistas apelidaram a explosão de serviços de internet do mundo real que floresceram em cidades chinesas de "a revolução o2o", abreviação em inglês de "on-line-para-off-line". A terminologia pode ser confusa, mas o conceito é simples: transformar ações on-line em serviços off-line. Sites de comércio eletrônico como o Alibaba e a Amazon havia muito faziam isso para compras de bens físicos duráveis. A revolução do o2o foi trazer essa mesma conveniência do comércio eletrônico para a compra de serviços do mundo real, coisas que não podem ser colocadas em uma caixa de papelão e transportadas pelo país, como comida quente, uma viagem até um bar ou um novo corte de cabelo.

O Vale do Silício deu origem a um dos primeiros modelos o2o transformacionais: compartilhamento de carona. A Uber usou telefones celulares e carros pessoais para mudar a forma como as pessoas circulavam pelas cidades dos Estados Unidos e depois pelo mundo. Empresas chinesas como Didi Chuxing rapidamente copiaram o modelo de negócio e o adaptaram às condições locais, sendo que a Didi acabou expulsando a Uber da China e agora está tentando conquistar os mercados globais. A Uber pode ter dado uma das primeiras visões do que é o o2o, mas foram as empresas chinesas que aproveitaram os pontos fortes desse modelo e o aplicaram para transformar dezenas de outras indústrias.

As cidades chinesas eram o laboratório perfeito para a experimentação. A China urbana pode ser uma alegria, mas também pode ser uma selva: cheia, poluída, barulhenta e nada limpa. Depois de passar um dia viajando no metrô lotado e atravessando cruzamentos de oito pistas, muitos chineses de classe média querem apenas ser poupados de outra saída para conseguir uma refeição ou resolver alguma tarefa. Para sorte deles, essas cidades também abrigam grandes grupos de trabalhadores migrantes que, de bom grado, levam esse serviço até a sua porta por uma pequena taxa. É um ambiente construído para o o2o.

O primeiro serviço de o2o, além do compartilhamento de carros, foi a entrega de comida. As gigantes de internet da China e uma enxurrada de startups, como o Meituan Dianping de Wang Xing, criaram a entrega de comida via o2o, despejando subsídios e recursos de engenharia no mercado. Multidões em restaurantes chineses diminuíram, e as ruas se encheram de enxames de scooters elétricas deixando no ar o vapor das refeições quentes que estavam levando. Os pagamentos podem ser feitos facilmente por meio da WeChat Wallet e do Alipay. Até o fim de 2014, os gastos chineses com entrega de alimentos O2O tinham crescido mais de 50% e chegavam a 15 bilhões de renminbi (RMB). Em 2016, os 20 milhões pedidos diários de comida on-line na China foram iguais a dez vezes o total dos Estados Unidos.[7]

A partir daí, os modelos O2O se tornaram ainda mais criativos. Alguns cabeleireiros e manicures desistiram inteiramente de suas lojas, agendando exclusivamente através de aplicativos e fazendo visitas domiciliares. Quem tinha um problema de saúde podia contratar outras pessoas para esperar nas famosas filas dos hospitais. Donos de animais de estimação preguiçosos podia usar um aplicativo para chamar alguém que fosse limpar a caixa de areia do gato ou dar banho no cachorro. Pais chineses conseguiam contratar motoristas para buscar seus filhos na escola, confirmando sua identidade e se as crianças haviam chegado em segurança a suas casas por meio de aplicativos. Já aqueles que não queriam ter filhos podiam usar outro aplicativo para entrega de preservativos 24 horas por dia.

Para os chineses, a transição melhorou muito a vida urbana. Para as pequenas empresas, significou um boom de clientes, pois a diminuição dos atritos levou os moradores urbanos chineses a gastar mais. E, para a nova onda de startups da China, significou um aumento vertiginoso das avaliações e um impulso incessante para entrar em mais setores da vida urbana.

Depois de alguns anos de crescimento explosivo e competição de gladiadores, a produção maníaca de novos modelos O2O diminuiu. Muitos unicórnios O2O que apareceram da noite para o dia morreram quando o crescimento alimentado por subsídios terminou. Mas os inovadores e gladiadores que sobreviveram — como o Meituan Dianping de Wang Xing — multiplicaram suas já bilionárias avaliações em dólares reformulando fundamentalmente o setor de serviços urbanos da China.

No final de 2017, o Meituan Dianping estava avaliado em 30 bilhões de dólares e a Didi Chuxing teve uma valorização de 57,6 bilhões, superando a da própria Uber. Foi uma transformação social e comercial alimentada — e capacitada — pelo WeChat. Instalado em mais da metade de todos os smartphones na China, e agora conectado às contas bancárias de muitos usuários, o WeChat tinha o poder de impulsionar centenas de milhões de chineses em compras O2O e escolher os vencedores entre as startups concorrentes. A WeChat Wallet conectou-se com as principais startups O2O para que os usuários do WeChat pudessem chamar um táxi, pedir uma refeição, reservar um hotel, gerenciar uma conta telefônica e comprar um voo para os Estados Unidos sem sair do aplicativo. (Não é coincidência que a maioria das startups que o WeChat escolheu para figurar em sua Wallet também foi destinatária dos investimentos da Tencent.)

Com o crescimento do O2O, o WeChat também cresceu e se tornou finalmente digno do título que Connie Chan, do importante fundo de investimentos Andreesen Horowitz, havia lhe dado: um controle remoto para nossas vidas. Ele se tornou um superaplicativo, um centro para diversas funções que estão espalhadas por dezenas de outros *apps* diferentes em outros ecossistemas. Realmente, o WeChat assumiu a funcionalidade do Facebook, iMessage, Uber, Expedia, eVite, Instagram, Skype, PayPal, Grubhub, Amazon, LimeBike, WebMD e muitos outros. Não é um substituto perfeito para nenhum desses aplicativos, mas pode realizar a maioria das principais funções de cada um, com pagamentos móveis simplificados já integrados.

Tudo isso marca um forte contraste com o modelo "constelação de aplicativos" do Vale do Silício, no qual cada aplicativo adere a um conjunto estrito de funções. O Facebook chegou ao ponto de dividir a rede social e a função de mensagens em dois aplicativos diferentes, o Facebook e o Messenger. A escolha da Tencent de um modelo de superaplicativo parecia arriscada no começo: era possível juntar tantas coisas sem sobrecarregar o usuário? Mas esse modelo provou ser um grande sucesso para o WeChat e desempenhou um papel crucial na formação desse universo alternativo de serviços de internet.

O toque leve contra o peso pesado

Mas a revolução O2O apresentou uma divisão ainda mais profunda — e na era da implementação da IA, mais impactante — entre o Vale do Silício e a China — o que eu chamo de "ser leve" contra "ser pesado". Os termos referem-se ao envolvimento de uma empresa de internet no fornecimento de bens ou serviços. Representam a extensão da integração vertical à medida que uma empresa conecta os mundos on e off-line.

Quando querem revolucionar uma nova indústria, as empresas de internet norte-americanas tendem a adotar uma abordagem "leve". Elas geralmente acreditam que o poder fundamental da internet é compartilhar informações, diminuir lacunas de conhecimento e conectar pessoas digitalmente. Como empresas voltadas para a internet, tentam se ater a essa força básica. As startups do Vale do Silício construirão a plataforma informacional, mas deixarão as empresas de tijolo lidarem com a logística. Querem vencer superando os adversários, criando soluções — com códigos novos e elegantes — para problemas de informação.

Na China, as empresas tendem a ser "pesadas". Não querem apenas construir a plataforma — querem recrutar cada vendedor, cuidar das mercadorias, dirigir a equipe de entregas, abastecer as scooters, consertá-las e controlar o pagamento. E, se for necessário, vão subsidiar todo esse processo para acelerar a adoção dos usuários e minar os rivais. Para as startups chinesas, quanto mais forem fundo nos mínimos — e, com frequência, caros — detalhes, mais difícil será para um concorrente imitar o modelo de negócios e enfraquecê-lo no preço. Ser pesado significa construir muros ao redor do seu negócio, isolando-se do derramamento de sangue econômico das guerras de gladiadores chineses. Essas empresas ganham tanto superando seus oponentes quanto trabalhando mais, sendo mais agressivas e gastando mais.

É uma distinção que podemos ver bem se compararmos as plataformas de restaurantes mais conhecidas nos dois países, a Yelp e a Dianping. As duas foram fundadas por volta de 2004 como plataformas para desktop a fim de publicar resenhas de restaurantes. As duas acabaram se tornando aplicativos para smartphones, mas, enquanto a Yelp se manteve fiel às resenhas, a Dianping mergulhou de cabeça no frenesi das compras coletivas: criação de pagamentos, desenvolvimento de relacionamentos com fornecedores e gastos massivos com subsídios.

Quando as duas empresas entraram na área de pedidos e entregas on-line, adotaram diferentes abordagens. A Yelp mudou mais tarde com uma abordagem leve. Depois de onze anos como uma plataforma puramente digital que vivia de publicidade, em 2015, a Yelp finalmente deu um pequeno passo para as entregas, adquirindo a Eat24, uma plataforma de pedidos e entrega de comida. Mas ainda pedia que os restaurantes manejassem a maioria das entregas, apenas usando a Eat24 para preencher as lacunas dos restaurantes que não tinham equipes de entregadores. O processo leve oferecia aos restaurantes poucos incentivos reais para participar e, como resultado, os negócios nunca decolaram totalmente. Em dois anos e meio, a Yelp desistiu, vendendo Eat24 para o Grubhub e recuando para sua abordagem leve. "[A venda para o Grubhub] nos permitiu continuar fazendo o que fazemos melhor", explicou o CEO da Yelp, Jeremy Stoppelman, "que é criar o aplicativo da Yelp."[8]

Por outro lado, a Dianping entrou no comércio cedo e atuou fortemente na entrega de alimentos. Depois de quatro anos nas trincheiras das guerras de compras em grupo, a Dianping começou a pilotar a entrega de alimentos no final de 2013. Gastou milhões de dólares contratando e gerenciando frotas de scooters que entregavam os pedidos do restaurante até a casa dos clientes. As equipes de entrega da Dianping faziam o trabalho pesado, então, de repente, todas as pequenas lojas tinham a opção de expandir sua base de clientes sem precisar contratar uma equipe de entregas.

Ao investir toneladas de dinheiro e pessoas para resolver o problema, a Dianping conseguiu ganhar economias de escala nos densos centros urbanos da China. Foi um esforço caro e logisticamente desgastante, mas que, em última análise, melhorou a eficiência e reduziu os custos para o cliente final. Dezoito meses depois de estrear seu serviço de entrega, a Dianping dobrou as economias de escala ao se unir ao arquirrival Meituan. Em 2017, a avaliação do Meituan Dianping de 30 bilhões de dólares era mais do que o *triplo* da Yelp e do Grubhub combinados.

São abundantes outros exemplos de empresas O2O na China com a abordagem pesada. Depois de tirar a Uber do mercado chinês, a Didi começou a comprar postos de gasolina e oficinas de automóveis para atender sua frota, obtendo grandes margens de lucro por compreender seus motoristas e pela confiança que estes sentiam na marca Didi. Embora o Airbnb continue sendo uma plataforma leve para alugar imóveis por temporada, o rival chinês da empresa, o Tujia, administra ele mesmo uma grande quantidade de propriedades. Para os anfitriões chineses, o Tujia se oferece para cuidar de grande parte do trabalho pesado: limpar o apartamento após cada visita, abastecê-lo com suprimentos e instalar fechaduras inteligentes.

Essa disposição para o pesado — gastar dinheiro, gerenciar a força de trabalho, fazer o trabalho duro e construir economias de escala — reformulou a relação entre as economias digital e do mundo real. A internet da China está penetrando muito mais profundamente nas vidas econômicas das pessoas comuns, e está afetando tanto as tendências de consumo quanto os mercados de trabalho. Em um estudo de 2016 da McKinsey and Company,[9] 65% dos usuários chineses de O2O disseram que gastavam mais dinheiro em refeições por causa dos aplicativos. Nas categorias de viagem e transporte, 77% e 42% dos usuários, respectivamente, relataram aumento de gastos.

No curto prazo, esse fluxo de caixa estimulou a economia chinesa e aumentou o valor das empresas. Mas o legado de longo prazo desse movimento é o ambiente de dados que criou. Ao registrar os fornecedores, processar os pedidos, entregar os alimentos e receber os pagamentos, os campeões chineses de O2O começaram a acumular uma grande quantidade de dados reais sobre os padrões de consumo e os hábitos pessoais de seus usuários. Ser pesado deu a essas empresas uma vantagem de dados sobre seus pares do Vale do Silício, mas foram os pagamentos móveis que estenderam seu alcance ainda mais ao mundo real e transformaram essa vantagem de dados em uma liderança.

Escanear ou ser escaneado

À medida que os gastos com O2O explodiram, Alipay e Tencent decidiram fazer uma oferta direta para revolucionar a economia do país, sempre baseada somente em dinheiro. (Em 2011, o Alibaba desmembrou seus serviços financeiros, incluindo o Alipay, em uma empresa que se tornaria a Ant Financial.) A China nunca havia adotado totalmente os cartões de crédito e débito, ao contrário, a grande maioria usava dinheiro para todas as transações. Grandes supermercados ou shoppings centers permitiam que os clientes usassem o cartão, mas as lojas e os restaurantes familiares que dominam a paisagem da cidade raramente tinham a maquininha para processar cartões de plástico.

Os donos dessas lojas, no entanto, têm smartphones. Então, os gigantes de internet da China transformaram esses telefones em portais móveis para pagamentos. A ideia era simples, mas a velocidade de execução, o impacto no comportamento do consumidor e os dados resultantes foram surpreendentes.

Durante 2015 e 2016, a Tencent e o Alipay gradualmente introduziram a capacidade de pagar em lojas físicas apenas escaneando um código QR — basicamente, um código de barras quadrado para telefones — dentro do aplicativo. É um mundo em que escaneamos ou somos escaneados. As empresas maiores compraram dispositivos POS simples que podem escanear o código QR exibido nos telefones dos clientes e cobrar pela compra. Os proprietários de pequenas lojas podiam simplesmente imprimir uma imagem de um código QR que estava ligado à WeChat Wallet deles. Os clientes então usam os aplicativos Alipay ou WeChat para escanear o código e inserir o total do pagamento, usando uma impressão digital para a confirmação. Os fundos são instantaneamente transferidos de uma conta bancária para a outra — sem taxas e sem necessidade de tirar a carteira do bolso. Isso marcou um distanciamento radical do modelo de cartão de crédito no mundo desenvolvido. Quando foram introduzidos pela primeira vez, os cartões de crédito eram tecnologia de ponta, a solução mais conveniente e econômica para o problema de pagamento. Mas essa vantagem agora se transformou em um inconveniente, com taxas de 2,5% a 3% na maioria das cobranças, se transformando em um obstáculo à adoção e utilização.

A infraestrutura de pagamento móvel da China ampliou seu uso muito além dos cartões de débito tradicionais. O Alipay e o WeChat até permitem transferências *peer-to-peer*, o que significa que você pode enviar dinheiro para familiares, amigos, pequenos comerciantes ou estranhos. Com ajustes simples e conectado aos dispositivos móveis, os aplicativos logo se transformaram em ferramentas para "dar gorjetas" aos criadores de artigos e vídeos on-line. Micropagamentos de somente quinze centavos começaram a crescer. As empresas também decidiram não cobrar comissões sobre a grande maioria das transferências, ou seja, as pessoas aceitavam pagamentos móveis para todas as transações — nenhuma das compras mínimas obrigatórias ou taxas de cinquenta centavos cobradas pelos varejistas dos Estados Unidos em pequenas compras com cartões de crédito.

A adoção de pagamentos móveis aconteceu muito rapidamente. As duas empresas começaram a experimentar o escaneamento em 2014 e o implementaram em escala em 2015. No final de 2016, era difícil encontrar uma loja em uma grande cidade que não aceitasse pagamentos móveis. Os chineses pagavam por mantimentos, massagens, ingressos de cinema, cerveja e reparos de bicicletas somente com esses dois aplicativos. No final de 2017, 65% dos mais de 753 milhões de usuários de smartphones da China tinham ativado os pagamentos móveis.[10]

Por causa das barreiras extremamente baixas de entrada, esses sistemas de pagamento logo conquistaram a vasta economia informal da China. Os trabalhadores migrantes que vendem comida de rua simplesmente permitem que os clientes escaneiem e enviem os pagamentos enquanto o proprietário frita o macarrão. Chegou a um ponto em que pedintes nas ruas de cidades chinesas começaram a pendurar pedaços de papel em volta do pescoço com impressões de dois códigos QR, um para o Alipay e outro para o WeChat.

O dinheiro desapareceu tão rapidamente das cidades chinesas que até mesmo "quebrou" o crime. Em março de 2017, dois primos chineses ganharam as manchetes depois de uma infeliz série de roubos. A dupla tinha viajado para Hangzhou, a cidade rica onde está a sede do Alibaba, com o objetivo de dar alguns golpes lucrativos e depois fugir. Armados com duas facas, os primos roubaram três lojas de conveniência consecutivas só para descobrir que os donos quase não tinham dinheiro para entregar — quase todos os seus clientes pagavam diretamente com seus celulares. A onda de crimes rendeu cerca de 125 dólares para cada — que não era nem suficiente para cobrir a viagem de ida e volta de Hangzhou — quando foram pegos pela polícia. A mídia local relatou rumores de que, ao serem presos, um dos homens gritou: "Como é que não sobrou dinheiro em Hangzhou?".[11]

Isso representa um forte contraste com o crescimento atrofiado dos pagamentos móveis nos Estados Unidos. O Google e a Apple apostaram nos pagamentos móveis com o Google Wallet e o Apple Pay, mas nenhum deles realmente foi amplamente adotado. A Apple e o Google não divulgam números de usuários de suas plataformas, mas a observação cotidiana e a análise mais rigorosa apontam para grandes lacunas na adoção. A empresa de pesquisa de mercado iResearch estimou, em 2017, que os gastos com pagamento móvel chinês superavam os dos Estados Unidos em uma proporção de cinquenta para um.[12] Em 2017, o total de transações nas plataformas de pagamento móvel da China teria superado os 17 trilhões de dólares[13] — valor maior do que o do PIB chinês —, um número surpreendente e possível pelo fato de que esses pagamentos permitem transferências peer-to-peer e várias transações móveis para itens e serviços em toda a cadeia de produção.

Saltos e motoristas de táxi

Essa enorme lacuna é parcialmente explicada pela força da capacidade instalada. Os norte-americanos já se beneficiam (e pagam) pela conveniência dos cartões de crédito e débito — a tecnologia financeira de ponta dos anos 1960. Os pagamentos móveis são uma melhoria nos cartões, mas não uma melhoria tão incrível quanto o salto sobre o dinheiro. Assim como a rápida transição da China para a internet móvel, a fraqueza do país na tecnologia atual instalada (computadores, telefones fixos e cartões de crédito) se transformou na força que permitiu que ela saltasse para um novo paradigma.

Mas esse salto para os pagamentos móveis não foi apenas um produto da fraca tecnologia atual e das escolhas independentes do consumidor. O Alibaba e a Tencent aceleraram a transição ao forçar a adoção por meio de subsídios massivos, uma forma de "ser pesado" que faz as empresas de tecnologia norte-americanas se contorcerem.

Nos primeiros dias dos aplicativos de viagens na China, os passageiros podiam fazer reservas por meio dos *apps*, mas em geral pagavam em dinheiro. Uma grande parte dos carros nas principais plataformas chinesas eram táxis tradicionais dirigidos por homens mais velhos — pessoas que não tinham pressa de desistir do bom e velho dinheiro. Então a Tencent ofereceu subsídios tanto para o passageiro quanto para o motorista se usassem a

WeChat Wallet para pagar. O passageiro pagava menos e o motorista recebia mais, com a Tencent bancando a diferença para os dois lados.

A promoção saiu muito cara — devido a viagens legítimas e fraudulentas destinadas a roubar os subsídios —, mas a Tencent persistiu. Essa decisão foi recompensada. A promoção criou o hábito nos usuários e atraiu os motoristas de táxi para a plataforma, que são os principais nós da economia de consumo urbana.

Por outro lado, o Apple Pay e o Google Wallet avançaram pouco nesse setor. Teoricamente eles oferecem maior conveniência aos usuários, mas não estão dispostos a subornar os usuários para que descubram o método. A relutância por parte das gigantes de tecnologia dos Estados Unidos é compreensível: os subsídios comem a receita trimestral, e as tentativas de "comprar usuários" são geralmente desaprovadas pelos puristas da inovação do Vale do Silício.

Mas essa relutância norte-americana de serem pesados desacelerou a adoção de pagamentos móveis e prejudicará ainda mais essas empresas em um mundo de IA baseado em dados. Os dados dos pagamentos móveis estão atualmente gerando os mais ricos mapas de atividades de consumo que o mundo já conheceu, muito além dos dados das compras tradicionais via cartões de crédito ou atividades on-line capturadas por atores do comércio eletrônico como a Amazon ou plataformas como Google e Yelp. Os dados de pagamento móvel serão inestimáveis na criação de empresas voltadas para IA no varejo, no mercado imobiliário e em vários outros setores.

As bicicletas de Pequim

Enquanto os pagamentos móveis transformaram totalmente o cenário financeiro da China, as bicicletas compartilhadas modificaram suas paisagens urbanas. De muitas maneiras, a revolução da bicicleta compartilhada estava girando o relógio para trás. Desde a Revolução Comunista de 1949 até a virada do milênio, as cidades chinesas estavam repletas de bicicletas. Mas como as reformas econômicas criaram uma classe média, a posse de carros decolou e andar de bicicleta tornou-se algo para pessoas que eram muito pobres para o transporte de quatro rodas. As bicicletas foram empurradas para as margens das ruas das cidades e da cultura chinesas. Uma mulher no programa televisivo de namoro mais popular do país capturou o materialismo do momento quando rejeitou um pretendente pobre, dizendo: "Prefiro chorar dentro de uma BMW do que sorrir na garupa de uma bicicleta".

E então, de repente, o universo alternativo da China reverteu a maré. A partir do final de 2015, as startups de compartilhamento de bicicletas Mobike e ofo começaram a fornecer dezenas de milhões de bicicletas conectadas à internet e distribuí-las pelas principais cidades chinesas. A Mobike equipou suas bicicletas com códigos QR e fechaduras inteligentes conectadas à internet ao redor da roda traseira. Quando os ciclistas usam o aplicativo Mobike (ou seu miniaplicativo na WeChat Wallet) para escanear o código QR de uma bicicleta, a trava na roda traseira se abre automaticamente. Os usuários da Mobike andam de bicicleta em qualquer lugar que quiserem e a deixam para o próximo ciclista. Os custos de um passeio variam de acordo com a distância e o tempo, mas subsídios pesados significam que, em geral, custam quinze centavos ou menos. É uma inovação revolucionária do mundo real, possibilitada pelos pagamentos móveis. O acréscimo de máquinas POS de cartão de crédito a bicicletas seria caro demais e necessitaria de muitos reparos, mas os pagamentos móveis sem atrito são baratos para o caso e incrivelmente eficientes.

O uso compartilhado de bicicletas explodiu. No período de um ano, passaram de esquisitices urbanas a figuras totalmente onipresentes, estacionadas em todos os cruzamentos, em frente a todas as saídas do metrô e agrupadas em torno de lojas e restaurantes populares. É só dar uma olhada em qualquer direção para encontrar uma, sendo necessários apenas cinco segundos no aplicativo para desbloqueá-la. As ruas das cidades se transformaram em um arco-íris de bicicletas coloridas: laranja e prata para a Mobike; amarelo brilhante para o ofo; e uma mistura de azul, verde e vermelho para outras empresas imitadoras. No outono de 2017, a Mobike registrou 22 milhões de viagens por dia, quase todas realizadas na China. Isso é quatro vezes o número de viagens *globais* que a Uber estava realizando a cada dia em 2016, a última vez que anunciou seus totais. Na primavera de 2018, a Mobike foi comprada pelo Meituan Dianping de Wang Xing por 2,7 bilhões de dólares,[14] apenas três anos após a fundação da empresa de compartilhamento de bicicletas.

Algo novo estava surgindo de todas essas viagens: talvez as maiores e mais úteis redes de internet das coisas (*Internet of Things*, IOT, na sigla em inglês) do mundo. A IOT se refere a coleções de dispositivos do mundo real conectados à internet que podem transmitir dados do mundo ao seu redor para outros dispositivos na rede. A maioria das Mobikes é equipada com GPS, aceleradores, Bluetooth e capacidade de comunicação com o campo próximo alimentados por energia solar, que podem ser ativados por um smartphone. Juntos, esses sensores geram vinte terabytes de dados por dia, transmitidos para servidores na nuvem da Mobike.

Linhas borradas e admiráveis mundos novos

No espaço de menos de dois anos, a revolução chinesa no compartilhamento de bicicletas reformulou a paisagem urbana do país e enriqueceu profundamente sua paisagem de dados. Essa mudança forma uma ilustração visual dramática do que o universo alternativo da internet na China faz melhor: resolver problemas práticos borrando as linhas entre os mundos on-line e off-line. Usa a força central da internet (transmissão de informações) e a aproveita na construção de empresas que alcançam o mundo, real e tocam diretamente em todos os cantos de nossas vidas.

A construção desse universo alternativo não aconteceu da noite para o dia. Exigiu empreendedores voltados para o mercado, usuários adotando dispositivos móveis, superaplicativos inovadores, cidades densas, mão de obra barata, pagamentos móveis e uma mudança de cultura patrocinada pelo governo. Tem sido um processo confuso, dispendioso e disruptivo, mas a recompensa está sendo tremenda. A China construiu uma lista de gigantes da tecnologia no valor de mais de 1 trilhão de dólares — um feito realizado por nenhum outro país além dos Estados Unidos.

Mas as maiores riquezas desse novo mundo tecnológico chinês ainda precisam ser concretizadas. Como a matéria orgânica há muito soterrada que se transformou em combustíveis fósseis que impulsionaram a Revolução Industrial, as ricas interações do mundo real no universo alternativo da internet chinesa estão criando os dados massivos que impulsionarão a revolução da IA. Cada dimensão desse universo — atividade no WeChat, serviços O2O, caronas, pagamentos móveis e compartilhamento de bicicletas — adiciona uma nova camada a um cenário de dados sem precedentes em seu mapeamento granular de hábitos reais de consumo e transporte.

A explosão da O2O na China deu às suas empresas dados extraordinários sobre a vida off-line de seus usuários: o que comem, onde e quando fazem suas refeições, massagens e outras atividades do dia a dia. Os pagamentos digitais abriram a caixa-preta das compras do consumidor no mundo real, dando a essas empresas um mapa de dados preciso e em tempo real do comportamento do consumidor. Transações *peer-to-peer* adicionaram uma nova camada de dados sociais por cima dessas transações econômicas. A revolução do compartilhamento de bicicletas do país cobriu suas cidades com dispositivos de transporte da IOT que colorem a vida urbana. Eles rastreiam dezenas de milhões de deslocamentos, viagens para fazer compras, retornar para casa e os primeiros encontros, superando empresas como Uber e Lyft em quantidade e granularidade de dados.

Os números dessas categorias revelam a diferença entre a China e os Estados Unidos nesses setores-chave. Estimativas recentes mostram que as empresas chinesas superam os concorrentes norte-americanos em dez para um em quantidade de entregas de alimentos e cinquenta para um em gastos com pagamentos móveis. As compras de comércio eletrônico da China são aproximadamente o dobro do total nos Estados Unidos, e a diferença está crescendo. Os dados sobre os deslocamentos totais por meio de aplicativos de viagem são um tanto escassos, mas durante o auge da competição entre Uber e Didi, os números informados das duas empresas mostravam que a Didi fazia na China quatro vezes mais viagens que o total global da Uber. Quando se trata de uso de bicicletas compartilhadas, a China está ultrapassando os Estados Unidos em uma proporção surpreendente de trezentos para um.[15]

Isso já ajudou as gigantes chinesas a alcançar suas contrapartes norte-americanas, tanto em receitas quanto em capitalização de mercado.

Na era da implementação da IA, o impacto desses ecossistemas divergentes de dados será muito mais profundo. Ele irá moldar quais indústrias as startups de IA irão destruir em cada país e quais problemas até então insolúveis elas resolverão.

No entanto, a construção de uma economia orientada pela IA exige mais do que apenas empreendedores gladiadores e dados abundantes. Também é preciso um exército de engenheiros de IA treinados e um governo ávido por abraçar o poder dessa tecnologia transformadora. Esses dois fatores — conhecimento em IA e apoio do governo — são as peças finais do quebra-cabeça da IA. Quando postos em prática, completarão nossa análise sobre o equilíbrio competitivo entre as duas superpotências mundiais na tecnologia definidora do século XXI.

4. Um conto de dois países

Em 1999, os pesquisadores chineses ainda estavam no escuro quando se tratava de estudar a inteligência artificial — literalmente. Vou explicar.

Naquele ano, visitei a Universidade de Ciência e Tecnologia da China para dar uma palestra sobre nosso trabalho em reconhecimento de fala e imagem na Microsoft Research. A universidade era uma das melhores escolas de engenharia da China, mas estava localizada na cidade de Hefei, no sul do país, um lugar remoto em comparação com Pequim.

Na noite da palestra, os alunos se espremeram no auditório, e aqueles que não tinham conseguido entrar ficaram pressionados contra as janelas, na esperança de ouvir um pouco através do vidro. O interesse era tão intenso que por fim pedi aos organizadores que permitissem que os alunos preenchessem os corredores e até se sentassem no palco ao meu redor. Eles ouviram atentamente enquanto eu estabelecia os fundamentos do reconhecimento de fala, da síntese de fala, dos gráficos 3-D e da visão computacional. Rabiscaram notas e me encheram de perguntas sobre princípios subjacentes e aplicações práticas. Era evidente que a China estava mais de uma década atrás dos Estados Unidos na pesquisa de IA, mas esses estudantes eram como esponjas para qualquer conhecimento do mundo exterior. A animação na sala era palpável.

A palestra durou muito, e já estava escuro quando saí do auditório e fui em direção ao portão principal da universidade. Os dormitórios estudantis cobriam os dois lados do caminho, mas o campus estava quieto e a rua, vazia.

E então, de repente, não estavam mais. Como se houvesse tocado um sinal, longas filas de estudantes começaram a sair dos dormitórios ao meu redor para a rua. Fiquei lá, perplexo, observando o que parecia ser um exercício anti-incêndio em câmera lenta, tudo isso em total silêncio.

Apenas quando se sentaram na calçada e abriram seus livros que percebi o que estava acontecendo: os dormitórios apagavam todas as luzes às 23 horas em ponto, e assim a maioria dos estudantes saía para continuar seus estudos debaixo da iluminação pública. Fiquei olhando enquanto centenas das mentes jovens e brilhantes dos futuros engenheiros da China se amontoavam debaixo da suave luz amarelada. Não sabia disso na época, mas o futuro fundador de uma das mais importantes empresas de IA da China estava lá, esforçando-se para ter algumas horas extras de estudo na noite escura de Hefei.

Muitos dos livros didáticos que esses alunos liam estavam desatualizados ou mal traduzidos. Mas eles eram os melhores que os estudantes podiam encontrar, e esses jovens acadêmicos buscavam cada gota de conhecimento que eles continham. O acesso à internet na escola era um bem escasso, e estudar no exterior só era possível se os alunos ganhassem uma bolsa integral. As páginas marcadas desses livros e as palestras ocasionais de um acadêmico visitante eram a única janela que tinham para o estado da pesquisa global de IA.

Ah, como as coisas mudaram.

O MATERIAL DE UMA SUPERPOTÊNCIA DE IA

Como expus anteriormente, a criação de uma superpotência de IA para o século XXI exige quatro blocos de construção principais: dados abundantes, empreendedores tenazes, cientistas de IA bem treinados e um ambiente político favorável. Já vimos como o ecossistema de gladiadores das startups chinesas treinou uma geração de empresários sagazes e como o universo alternativo da internet na China criou o ecossistema de dados mais rico do mundo.

Este capítulo avalia o equilíbrio de poder entre os dois ingredientes restantes — conhecimento em IA e apoio do governo. Acredito que na era da implementação da IA, a vantagem do Vale do Silício por sua elite especializada não será tão importante. E no domínio crucial do apoio governamental, a cultura política técnico-utilitária da China abrirá caminho para uma implementação mais rápida de tecnologias revolucionárias.

À medida que a inteligência artificial se infiltrar na economia mais ampla, recompensará a *quantidade* de sólidos engenheiros de inteligência artificial sobre a *qualidade* dos pesquisadores de elite. A verdadeira força econômica na era da implementação da IA não virá apenas de um punhado de cientistas de elite que ampliam os limites com suas pesquisas. Virá de um exército de engenheiros bem treinados que se juntarão a empreendedores para transformar essas descobertas em empresas revolucionárias.

A China está exatamente treinando esse exército. Nas duas décadas desde a minha palestra em Hefei, a comunidade de inteligência artificial da China eliminou a distância que tinha com os Estados Unidos. Enquanto os Estados Unidos ainda dominam quando se trata de pesquisadores superestrelas, as empresas e instituições de pesquisa chinesas se encheram do tipo de engenheiro bem treinado que pode impulsionar essa era de implementação da IA. Fez isso juntando a extraordinária fome de conhecimento que presenciei em Hefei com uma explosão no acesso à pesquisa global de ponta. Os estudantes chineses de IA não estão mais se esforçando no escuro para ler livros didáticos desatualizados. Estão aproveitando a cultura de pesquisa aberta da IA para absorver conhecimento direto da fonte e em tempo real. Isso significa dissecar as publicações acadêmicas on-line mais recentes, debater as abordagens dos principais cientistas de IA nos grupos de WeChat e transmitir suas palestras em smartphones.

Essa rica conectividade permite que a comunidade de IA da China se aproxime da elite intelectual, treinando uma geração de pesquisadores chineses interessados que agora contribuem para o campo em um alto nível. Também permite que startups chinesas apliquem algoritmos de código aberto de ponta a produtos de IA práticos: drones autônomos, sistemas "pague com seu rosto" e eletrodomésticos inteligentes.

Essas startups estão agora brigando por uma fatia da paisagem de IA cada vez mais dominada por um punhado de grandes atores: os chamados Sete Gigantes da era da IA, que incluem Google, Facebook, Amazon, Microsoft,

Baidu, Alibaba e Tencent. Esses gigantes corporativos estão quase igualmente divididos entre os Estados Unidos e a China, fazendo movimentos ousados para dominar a economia da IA. Estão usando bilhões de dólares em dinheiro e estonteantes estoques de dados para engolir todo talento disponível em IA. Além disso, estão trabalhando para construir as "redes de energia" para a era da IA: redes de computação controladas de forma privada que distribuem o aprendizado de máquina em toda a economia, com os gigantes corporativos agindo como "utilitários". É um fenômeno preocupante para aqueles que valorizam um ecossistema aberto de IA e também representa um bloco de obstáculo potencial para a ascensão da China como superpotência da IA.

Mas usar o poder da IA para sustentar a economia como um todo não pode ser feito apenas por empresas privadas — isso exige um ambiente político acomodado e pode ser acelerado pelo apoio direto do governo. Como você se lembra, logo após a derrota de Ke Jie para o AlphaGo, o governo central chinês divulgou um plano abrangente para a liderança chinesa em IA. Como a campanha de "inovação em massa e empreendedorismo em massa", o plano de IA da China está impulsionando o crescimento através de uma enxurrada de novos financiamentos, incluindo subsídios para startups de IA e generosos contratos governamentais para acelerar a adoção.

O plano também mudou os incentivos para a inovação política em torno da IA. Prefeitos ambiciosos em toda a China estão se esforçando para transformar suas cidades em vitrines para novos aplicativos de inteligência artificial. Estão planejando rotas de caminhões sem motoristas, instalando sistemas de reconhecimento facial no transporte público e conectando redes de tráfego em "cérebros da cidade" que otimizam os fluxos.

Por trás desses esforços está uma diferença fundamental na cultura política norte-americana e na chinesa: enquanto o sistema político combativo dos Estados Unidos pune agressivamente os erros ou o desperdício no financiamento de atualizações tecnológicas, a abordagem técnico-utilitária da China recompensa o investimento e a adoção proativos. Nenhum dos sistemas pode reivindicar superioridade moral objetiva, e o longo histórico dos Estados Unidos, tanto de liberdade pessoal quanto de realização tecnológica, é incomparável na era moderna. Mas acredito que, na era da implementação da IA, a abordagem chinesa terá o impacto de acelerar a implementação, gerar mais dados e plantar as sementes de crescimento adicional. É um ciclo de autoperpetuação, que se baseia em uma peculiar alquimia de dados digitais, determinação empreendedora, conhecimento conquistado com esforço e vontade política. Para ver onde estão as duas superpotências da IA, precisamos primeiro entender a fonte desse conhecimento.

Vencedores do Nobel e construtores sem nome

Quando Enrico Fermi pisou no convés do RMS *Franconia II* em 1938, mudou o equilíbrio global de poder. Fermi tinha acabado de receber o Prêmio Nobel de Física em Estocolmo, mas em vez de voltar para a Itália de Benito Mussolini, ele e sua família viajaram para Nova York. Fizeram a viagem para escapar das leis raciais da Itália, que proibiam judeus ou africanos de ter certos empregos ou se casarem com italianos. A esposa de Fermi, Laura, era judia, e ele decidiu levar a família para o outro lado do mundo em vez de viver sob o antissemitismo que estava varrendo a Europa.

Foi uma decisão pessoal com consequências terríveis. Depois de chegar aos Estados Unidos, Fermi soube da descoberta da fissão nuclear por cientistas na Alemanha nazista e rapidamente começou a trabalhar explorando o fenômeno. Ele criou a primeira reação nuclear autossustentável do mundo debaixo de uma arquibancada na Universidade de Chicago e desempenhou um papel indispensável no Projeto Manhattan. Esse projeto ultrassecreto foi o maior empreendimento industrial que o mundo já tinha visto, e culminou no desenvolvimento das primeiras armas nucleares do mundo usadas pelos militares dos Estados Unidos. Aquelas bombas puseram fim à Segunda Guerra Mundial no Pacífico e estabeleceram as bases para a ordem mundial nuclear.

Fermi e o Projeto Manhattan incorporaram uma era de descobertas que recompensava a qualidade em detrimento da quantidade em termos de especialização. Na física nuclear, as décadas de 1930 e 1940 foram uma era de avanços fundamentais, e quando se tratou de fazer essas descobertas, um Enrico Fermi valia milhares de físicos menos brilhantes. A liderança norte-americana nessa época foi construída em grande parte atraindo gênios como Fermi: homens e mulheres que poderiam, sozinhos, virar a balança do poder científico.

Mas nem toda revolução tecnológica segue esse padrão. Muitas vezes, quando um avanço fundamental é alcançado, o centro de gravidade rapidamente muda de um punhado de pesquisadores de elite para um exército de construtores — engenheiros com conhecimento suficiente para aplicar a tecnologia em diferentes problemas. Isso é especialmente verdadeiro quando a recompensa por um avanço é difundida por toda a sociedade, em vez de concentrada em alguns laboratórios ou sistemas de armas.

A eletrificação em massa exemplificou esse processo. Após o aproveitamento da eletricidade feito por Thomas Edison, o campo rapidamente passou da invenção para a implementação. Milhares de engenheiros começaram a trabalhar com a eletricidade, usando-a para alimentar novos dispositivos e reorganizar os processos industriais. Esses construtores não tinham de abrir novos caminhos como Edison. Só precisavam saber como a eletricidade funcionava para transformar seu poder em máquinas úteis e lucrativas.

Nossa presente fase de implementação da IA se encaixa neste último modelo. Um fluxo constante de manchetes sobre a última tarefa abordada pela IA nos dá a sensação equivocada de que estamos vivendo uma era de descobertas, uma época em que os Enrico Fermi do mundo determinam o equilíbrio de poder. Na verdade, estamos testemunhando a aplicação de um avanço fundamental — aprendizado profundo e técnicas relacionadas — a muitos problemas diferentes. Esse é um processo que exige cientistas de IA bem treinados, os construtores dessa era. Hoje, esses construtores estão usando os poderes super-humanos da IA de reconhecimento de padrões para fazer empréstimos, dirigir carros, traduzir textos, jogar Go e alimentar a Alexa da Amazon.

Os pioneiros do aprendizado profundo, como Geoffrey Hinton, Yann LeCun e Yoshua Bengio — os Enrico Fermi da IA — continuam a ampliar os limites da inteligência artificial. E ainda podem produzir outro avanço revolucionário que destruirá a hierarquia tecnológica global. Mas, enquanto isso, a ação real hoje é com os construtores.

Compartilhamento de inteligência

E para essa revolução tecnológica, os construtores têm uma vantagem adicional: acesso em tempo real ao trabalho dos principais pioneiros. Durante a Revolução Industrial, as fronteiras nacionais e as barreiras linguísticas fizeram com que novos avanços industriais ficassem engarrafados em seu país de origem, a Inglaterra. A proximidade cultural dos Estados Unidos e as leis de propriedade intelectual frouxas ajudaram a burlar algumas invenções importantes, mas ainda havia um grande atraso entre o inovador e o imitador.

Não é assim hoje. Quando questionados sobre até que ponto a China está atrasada em relação ao Vale do Silício em pesquisa de inteligência artificial, alguns empreendedores chineses, na brincadeira, respondem "dezesseis horas"— a diferença de tempo entre a Califórnia e Pequim. Os Estados Unidos podem ser o lar dos principais pesquisadores, mas muito do trabalho e das ideias deles estão disponíveis instantaneamente para qualquer pessoa com uma conexão à internet e conhecimento dos fundamentos da IA. Há dois traços definidores da comunidade de pesquisa em IA que facilitam essa transferência de conhecimentos: abertura e velocidade.

Pesquisadores de inteligência artificial tendem a ser bastante abertos sobre a publicação de seus algoritmos, dados e resultados. Essa abertura surgiu do objetivo comum de avançar no campo e do desejo de métricas objetivas em competições. Em muitas ciências físicas, os experimentos não podem ser totalmente replicados de um laboratório para outro — variações mínimas na técnica ou no ambiente podem afetar muito os resultados. Mas os experimentos de IA são perfeitamente replicáveis e os algoritmos são diretamente comparáveis. Eles só exigem que esses algoritmos sejam treinados e testados em conjuntos de dados idênticos. Competições internacionais com frequência colocam equipes com diferentes visões computacionais ou reconhecimento de fala uma contra a outra, com os competidores abrindo seu trabalho para serem examinados por outros pesquisadores.

A velocidade dos avanços na IA também faz com que os pesquisadores compartilhem instantaneamente seus resultados. Muitos cientistas de IA não estão tentando fazer avanços fundamentais de aprendizado profundo, mas estão sempre fazendo melhorias marginais nos melhores algoritmos.

Essas melhorias estabelecem regularmente novos registros de precisão em tarefas como reconhecimento de fala ou identificação visual. Os pesquisadores competem com base nesses registros — não em novos produtos ou números de receita — e quando se estabelece um novo registro, ele ou ela quer ser reconhecido e receber crédito pela conquista. Mas pelo ritmo acelerado das melhorias, muitos pesquisadores temem que, se esperarem para publicar em um periódico, seu registro já terá sido eclipsado e seu momento na vanguarda não será documentado. Então, em vez de esconder essa pesquisa, eles optam pela publicação imediata em sites como <www.arxiv.org>, um repositório on-line de artigos científicos. O site permite que os pesquisadores publiquem prontamente suas pesquisas, plantando uma estaca no solo para marcar "quando e o quê" de suas conquistas algorítmicas.

No mundo pós-AlphaGo, estudantes, pesquisadores e engenheiros chineses estão entre os leitores mais vorazes do <arxiv.org>. Eles vasculham o site em busca de novas técnicas, absorvendo tudo que os pesquisadores mais importantes do mundo têm a oferecer. Para além dessas publicações acadêmicas, estudantes de IA chineses também transmitem, traduzem e legendam palestras de importantes cientistas de IA, como Yann LeCun, Sebastian Thrun de Stanford e Andrew Ng. Depois de décadas estudando livros obsoletos no escuro, esses pesquisadores desfrutam dessa conectividade instantânea com as tendências de pesquisa globais.

No WeChat, a comunidade de IA da China se aglutina em gigantescos grupos de bate-papos e plataformas multimídia para analisar o que há de novo na IA. Treze novas empresas de mídia surgiram apenas para cobrir o setor, oferecendo notícias, análise especializada e diálogo aberto. Esses sites focados em IA contam com mais de 1 milhão de usuários registrados, e metade deles recebeu financiamento de risco no valor de mais de 10 milhões de dólares cada. Para mais discussões acadêmicas, faço parte do Weekly Paper Discussion Group, com quinhentos membros, apenas um das dezenas de grupos do WeChat que se reúnem para dissecar uma nova publicação de pesquisa de IA a cada semana. O grupo de bate-papo vibra com centenas de mensagens por dia: perguntas sinceras sobre o artigo da semana, capturas de tela das últimas conquistas algorítmicas dos membros e, é claro, muitos emojis animados.

Porém, os profissionais chineses de IA não são apenas receptores passivos da sabedoria que vem do mundo ocidental. Estão contribuindo para esse ecossistema de pesquisa em um ritmo acelerado.

Conflito de conferência

A Associação para o Avanço da Inteligência Artificial teve um problema. A célebre associação organizou uma das mais importantes conferências de inteligência artificial do mundo por três décadas, mas em 2017 eles corriam o risco de sediar um evento fracassado.

Por quê? As datas da conferência entravam em conflito com o Ano-Novo chinês.

Alguns anos antes, isso não teria sido um problema. Historicamente, estudiosos norte-americanos, britânicos e canadenses dominaram o processo, com apenas um punhado de pesquisadores chineses apresentando trabalhos. Mas a conferência de 2017 aceitou um número quase igual de papers de pesquisadores da China e dos Estados Unidos, e corria o risco de perder metade dessa equação para o feriado mais importante da cultura deles.

"Ninguém teria realizado o AAAI no dia de Natal", disse o presidente do grupo ao *Atlantic*.[1] "Nossa organização teve que fazer uma manobra rápida e mudar o local da conferência para realizá-la uma semana depois."

As contribuições da IA chinesa ocorreram em todos os níveis, variando de ajustes marginais aos modelos existentes à introdução de novas abordagens de alto nível na construção de redes neurais. Um olhar sobre citações nas pesquisas acadêmicas revela a influência crescente dos pesquisadores chineses. Um estudo da Sinovation Ventures examinou as citações nos cem principais periódicos e conferências de IA de 2006 a 2015; descobriu que a porcentagem de papers de autores com nomes chineses quase dobrou de 23,2% para 42,8% durante esse período.[2] Esse total inclui alguns autores com nomes chineses que trabalham no exterior — por exemplo, pesquisadores sino-americanos que não adotaram um nome anglicizado. Mas uma busca entre as instituições de pesquisa dos autores descobriu que a maioria deles trabalha na China.

Uma recente contagem de citações em instituições de pesquisa globais confirmou a tendência. Esse ranking das cem instituições de pesquisa mais citadas sobre IA, de 2012 a 2016, mostrou que a China está em segundo lugar, apenas atrás dos Estados Unidos.[3] Entre as instituições de elite, a Universidade Tsinghua ultrapassou lugares como a Universidade Stanford em citações totais de inteligência artificial. Esses estudos mostram em grande parte a era pré-AlphaGo, antes que a China inserisse ainda mais pesquisadores no setor. Nos próximos anos, toda uma nova onda de jovens alunos de doutorado levará a pesquisa chinesa de IA a um novo nível.

E essas contribuições não significam apenas uma pilha de documentos e citações. Os pesquisadores do país produziram alguns dos avanços mais importantes em redes neurais e visão computacional desde a chegada do aprendizado profundo. Muitos desses pesquisadores vieram da Microsoft Research China, uma instituição que fundei em 1998. Mais tarde renomeada Microsoft Research Asia, ela treinou mais de 5 mil pesquisadores em inteligência artificial, incluindo os principais executivos do Baidu, do Alibaba, da Tencent, da Lenovo e da Huawei.

Em 2015, uma equipe da Microsoft Research Asia detonou a concorrência na competição global de reconhecimento de imagem, a ImageNet. O algoritmo inovador da equipe foi chamado ResNet, e conseguiu identificar e classificar objetos de 100 mil fotografias em mil categorias diferentes, com uma taxa de erro de apenas 3,5%. Dois anos mais tarde, quando a DeepMind do Google criou o AlphaGo Zero — o sucessor autodidata do AlphaGo —, eles usaram o ResNet como um de seus principais componentes tecnológicos.

Os pesquisadores chineses por trás do ResNet não ficaram na Microsoft por muito tempo. Dos quatro autores do paper sobre o ResNet, um deles se juntou à equipe de pesquisa de Yann LeCun no Facebook, mas os outros três fundaram e se juntaram a startups de IA na China. Uma dessas startups, a Face++, rapidamente se tornou líder mundial em tecnologia de reconhecimento de imagem e rostos. Na competição de reconhecimento de imagem COCO (Common Objects in Content) de 2017, a equipe do Face++

ficou em primeiro lugar em três das quatro categorias mais importantes, vencendo as principais equipes do Google, do Facebook e da Microsoft.

Para alguns observadores no Ocidente, essas realizações de pesquisa significam um tapa na cara de seus profundos preconceitos sobre a natureza do conhecimento e da pesquisa em diferentes sistemas políticos. A forma como a China controla a internet não deveria prejudicar a capacidade dos pesquisadores do país para abrir novos caminhos no mundo? Há críticas válidas ao sistema de governança da China, que pesam muito sobre o debate público e a pesquisa nas ciências sociais. Mas quando se trata de pesquisa nas ciências exatas, essas questões não são tão limitantes quanto muitos estrangeiros presumem. A inteligência artificial não toca em questões políticas delicadas, e os cientistas de IA da China são, em geral, tão livres quanto seus colegas norte-americanos para construir algoritmos de ponta ou aplicativos rentáveis de inteligência artificial.

Mas não acreditem apenas em mim. Em uma conferência sobre inteligência artificial e segurança global em 2017, o ex-CEO do Google, Eric Schmidt, alertou os participantes contra a complacência quando se tratava de recursos de inteligência artificial chinesa. Prevendo que a China alcançaria as capacidades norte-americanas de IA em cinco anos, Schmidt foi contundente em sua avaliação: "Confie em mim, esses chineses são bons [. . .]. Se você tem algum tipo de preconceito ou preocupação de que, de alguma forma, o sistema político e educacional deles não produzirá o tipo de pessoa de que estou falando, você está errado".[4]

Os sete gigantes e o próximo aprendizado profundo

Enquanto a comunidade global de pesquisa de IA se transformou em um sistema fluido e aberto, um componente desse ecossistema permanece mais fechado: os laboratórios de pesquisa das grandes corporações. Pesquisadores acadêmicos podem se apressar para compartilhar seu trabalho com o mundo, mas as empresas de tecnologia de capital aberto têm a responsabilidade fiduciária de maximizar os lucros de seus acionistas. Isso geralmente significa menos publicação e mais tecnologia proprietária.

Das centenas de empresas que investiram recursos em pesquisa de IA, vamos ficar com as sete que surgiram como os novos gigantes da pesquisa corporativa de IA — Google, Facebook, Amazon, Microsoft, Baidu, Alibaba e Tencent. Esses Sete Gigantes, na verdade, se transformaram no que as nações eram há cinquenta anos — ou seja, sistemas grandes e relativamente fechados que concentram talentos e recursos em inovações que permanecerão sobretudo "dentro de casa".

Os selos em torno da pesquisa corporativa nunca são totalmente herméticos: membros da equipe saem para fundar suas próprias startups de IA, e alguns grupos como Microsoft Research, Facebook AI Research e DeepMind ainda publicam artigos sobre suas contribuições mais significativas. Mas, no geral, se uma dessas empresas fizer um avanço impressionante — um segredo comercial que poderia gerar grandes lucros apenas para essa empresa —, fará o máximo possível para mantê-lo sob controle e tentará extrair o valor máximo antes de divulgá-lo.

Uma descoberta inovadora que ocorre em um desses sistemas fechados representa a maior ameaça para o ecossistema aberto de IA do mundo. Também ameaça bloquear o objetivo da China de se tornar líder global em IA. Do jeito que as coisas estão hoje, a China já tem a vantagem em termos de empreendedorismo, dados e apoio do governo, e está rapidamente alcançando os Estados Unidos em especialização. Se o status quo tecnológico se mantiver nos próximos anos, uma série de startups chinesas de IA começará a se espalhar por diferentes setores. Elas alavancarão o aprendizado profundo e outras tecnologias de aprendizagem de máquina para revolucionar dezenas de setores e colher os frutos da transformação da economia.

Mas se o próximo avanço na escala de aprendizado profundo ocorrer em breve, e dentro de um ambiente corporativo hermeticamente fechado, todas as apostas serão canceladas. Isso poderia dar a uma empresa uma vantagem insuperável sobre os outros sete gigantes e nos levar de volta a uma era de descobertas na qual a perícia da elite colocaria o equilíbrio de poder em favor dos Estados Unidos.

Para ser claro, acredito que as chances são menores de que tal ruptura virá dos gigantes corporativos nos próximos anos. O aprendizado profundo marcou o maior salto nos últimos cinquenta anos, e os avanços nessa escala raramente ocorrem mais de uma vez a cada poucas décadas. Mesmo que tal avanço ocorra, é mais provável que surja do ambiente aberto da academia. Neste momento, os gigantes corporativos estão dedicando recursos sem precedentes para aprofundar o aprendizado profundo, se isso ajudar em algo. Isso significa muito ajuste fino nos algoritmos e apenas uma pequena porcentagem de pesquisas realmente abertas em busca da próxima mudança revolucionária de paradigma.

Enquanto isso, os acadêmicos são incapazes de competir com a indústria em aplicações práticas de aprendizado profundo por causa dos requisitos de grandes quantidades de dados e poder de computação. Então, em vez disso, muitos pesquisadores acadêmicos estão seguindo a exortação de Geoffrey Hinton de seguir em frente e se concentrar em inventar o "próximo aprendizado profundo", uma abordagem fundamentalmente nova para problemas de IA que poderia mudar o jogo.[5] Esse tipo de pesquisa aberta é o mais provável de tropeçar no próximo avanço e em seguida publicá-lo para todo o mundo aprender.

Google versus o resto

Mas se o próximo aprendizado profundo *estiver* destinado a ser descoberto no mundo corporativo, o Google tem a melhor chance. Entre os Sete Gigantes da IA, o Google — mais precisamente sua empresa controladora, a Alphabet, dona da DeepMind e de sua subsidiária de carros autônomos, a Waymo — se destaca bem acima do resto. Foi uma das primeiras empresas a ver o potencial do aprendizado profundo e dedicou mais recursos para explorá-lo do que qualquer outra.

Em termos de financiamento, o Google supera até seu próprio governo. O financiamento federal dos Estados Unidos para pesquisa em matemática e ciência da computação equivale a menos da metade do orçamento de pesquisa e desenvolvimento do próprio Google.[5] Essa loucura de gastos trouxe à Alphabet uma fatia enorme das mentes mais brilhantes do mundo da IA. Dos cem maiores pesquisadores e engenheiros da IA, cerca de metade já trabalha para o Google.

A outra metade está distribuída entre os outros Sete Gigantes, a academia e um punhado de startups menores. A Microsoft e o Facebook absorveram partes substanciais desse grupo, com o Facebook trazendo pesquisadores superestrelas como Yann LeCun. Das gigantes chinesas, o Baidu entrou na pesquisa do aprendizado profundo mais cedo — até tentando adquirir a startup de Geoffrey Hinton em 2013 antes de ser superado pelo Google —, e obteve uma enorme vitória em 2014, quando recrutou Andrew Ng para liderar seu laboratório de IA no Vale do Silício. Em um ano, essa contratação já estava mostrando excelentes resultados. Em 2015, os algoritmos de IA do Baidu tinham excedido as habilidades humanas no reconhecimento de fala dos chineses. Foi uma grande conquista, mas que passou despercebida nos Estados Unidos. Na verdade, quando a Microsoft atingiu o mesmo marco um ano depois para o inglês, a empresa chamou de "conquista histórica".[6] Ng deixou o Baidu em 2017 para criar seu próprio fundo de investimento em IA, mas o tempo que passou na empresa mostrou as ambições do Baidu e fortaleceu sua reputação de pesquisa.[7]

Alibaba e Tencent chegaram relativamente atrasados na corrida de talentos da IA, mas têm o dinheiro e os dados disponíveis para atrair os maiores talentos. Com o WeChat servindo como o superaplicativo completo do maior mercado de internet do mundo, a Tencent possui talvez o ecossistema de dados mais rico de todos os gigantes. Isso está ajudando a Tencent a atrair e capacitar os melhores pesquisadores de inteligência artificial. Em 2017, a Tencent abriu um instituto de pesquisa de IA em Seattle e imediatamente começou a roubar pesquisadores da Microsoft.

O Alibaba seguiu o exemplo com planos de abrir uma rede global de laboratórios de pesquisa, inclusive no Vale do Silício e em Seattle. Até o momento, a Tencent e o Alibaba ainda não demonstraram publicamente os resultados dessa pesquisa, optando por aplicações mais voltadas para seus produtos. O Alibaba assumiu a liderança em "City Brains": redes gigantescas controladas por IA que otimizam os serviços das cidades com base em dados de câmeras de vídeo, redes sociais, transporte público e aplicativos baseados em localização. Trabalhando com o governo municipal em sua cidade natal, Hangzhou, o Alibaba está usando algoritmos avançados de reconhecimento de objetos e previsão de trânsito para ajustar constantemente os padrões de luzes vermelhas e alertar os serviços de emergência para acidentes de trânsito. O teste aumentou as velocidades de tráfego em 10% em algumas áreas, e o Alibaba está agora se preparando para levar o serviço para outras cidades.

Apesar de o Google ter começado com uma grande vantagem na corrida armamentista por talentos de elite em IA, isso não garante a vitória. Como discutido, os avanços fundamentais são poucos e distantes entre si, e descobertas que mudam o paradigma com frequência surgem de lugares inesperados. O aprendizado profundo veio de uma pequena rede de pesquisadores idiossincráticos obcecados por uma abordagem de aprendizado de máquina que tinha sido descartada pelos pesquisadores mais importantes. Se o próximo aprendizado profundo estiver em algum lugar, pode estar se escondendo em qualquer campus universitário ou em laboratórios corporativos, e não há como adivinhar quando ou onde mostrará seu rosto. Enquanto o mundo espera que a loteria das descobertas científicas produza um novo avanço, continuamos entrincheirados em nossa atual era de implementação de IA.

Redes elétricas contra baterias de IA

Contudo, os gigantes não estão apenas competindo uns contra os outros em uma corrida pelo próximo aprendizado profundo. Também estão em uma corrida mais imediata contra as pequenas startups de IA que querem usar o aprendizado de máquina para revolucionar indústrias específicas. É uma disputa entre duas abordagens para distribuir a "eletricidade" da IA por toda a economia: a abordagem de "rede" dos Sete Gigantes versus a abordagem de "bateria" das startups. O modo como essa corrida se desenrolará vai determinar a natureza do cenário de negócios da IA — monopólios, oligopólios ou competição livre entre centenas de empresas.

A abordagem de "rede" está tentando tratar a IA como uma commodity. O objetivo é transformar o poder do aprendizado de máquina em um serviço padronizado que pode ser adquirido por qualquer empresa — ou mesmo ser doado gratuitamente para uso acadêmico ou pessoal — e acessado através de plataformas de computação na nuvem. Nesse modelo, as plataformas atuam como a rede, executando otimizações complexas de aprendizado de máquina sobre quaisquer problemas de dados que os usuários precisem. As empresas por trás dessas plataformas — Google, Alibaba e Amazon — agem como empresas de serviços, gerenciando a rede e cobrando as taxas.

Conectar-se a essa rede permitiria que empresas tradicionais com grandes conjuntos de dados acessassem facilmente os poderes de otimização da IA sem precisar refazer todo seu negócio. O TensorFlow do Google, um ecossistema de software de código aberto para a criação de modelos de aprendizado profundo, oferece uma versão inicial disso, mas ainda é preciso alguma experiência em IA para operá-lo. O objetivo da abordagem de rede é reduzir a necessidade de conhecimento e aumentar a funcionalidade dessas plataformas de inteligência artificial na nuvem. Usar o aprendizado de máquina não é nem de longe tão simples quanto colocar um eletrodoméstico na tomada — e talvez nunca seja —, mas os gigantes de IA esperam empurrar as coisas nessa direção e colher os frutos de gerar o "poder" e operar a "rede".

As startups de IA estão tomando uma direção oposta. Em vez de esperar que essa rede seja criada, elas estão construindo produtos de IA bastante específicos, alimentados por bateria, para cada caso de uso. Essas startups estão apostando mais em profundidade do que em amplitude. Em vez de fornecer recursos de aprendizado de máquina para objetivos gerais, criam produtos e treinam algoritmos para tarefas específicas, incluindo diagnósticos médicos, empréstimos hipotecários e drones autônomos.

Estão apostando que as empresas tradicionais não serão capazes de simplesmente conectar os detalhes básicos de suas operações diárias em uma rede voltada para todos os fins. Em vez de ajudar essas empresas a acessar a IA, as startups querem vencê-las usando a inteligência artificial. Pretendem construir as primeiras empresas de IA a partir do zero, criando uma nova lista de vencedores do setor na era da inteligência artificial.

É muito cedo para declarar um vencedor entre as abordagens de rede e de bateria. Enquanto gigantes como o Google espalham seus tentáculos pelo mundo, startups na China e nos Estados Unidos estão correndo para reivindicar os territórios virgens e se fortalecer contra as incursões dos Sete Gigantes. O desenrolar dessa disputa por território determinará a forma de nossa nova paisagem econômica, podendo concentrar os lucros astronômicos nas mãos dos Sete Gigantes — os superserviços da era da IA — ou difundir esses lucros em milhares de novas empresas vibrantes.

O chip no ombro da China

Uma área pouco discutida da competição de IA — entre os gigantes da IA, startups e os dois países — é a dos chips de computador, também conhecidos como semicondutores. Os chips de alto desempenho são heróis nada sexies, e muitas vezes não reconhecidos, de toda revolução da computação. Estão no núcleo, literalmente, de nossos desktops, laptops, smartphones e tablets, mas, por esse mesmo motivo, permanecem ocultos para o usuário final. Porém, do ponto de vista econômico e de segurança, construir esses chips é um grande negócio: os mercados tendem a monopólios lucrativos, e as vulnerabilidades de segurança são mais bem-vistas por aqueles que trabalham diretamente com o hardware.

Cada era da computação requer diferentes tipos de chips. Quando os desktops reinaram supremos, os fabricantes de chips procuraram maximizar a velocidade de processamento e os gráficos em uma tela de alta resolução, com pouca preocupação com o consumo de energia. (Os desktops estavam, afinal, sempre na tomada.) A Intel dominou o design desses chips e ganhou bilhões no processo. Com o advento dos smartphones, a demanda mudou para usos mais eficientes de energia, e a Qualcomm, cujos chips tinham como base os projetos da firma britânica ARM, assumiu o trono como o indiscutível rei dos chips.

Agora, à medida que os programas de computação tradicionais são substituídos pela operação dos algoritmos de IA, os requisitos voltam a mudar. O aprendizado de máquina exige a execução rápida de fórmulas matemáticas complexas, algo para o qual nem os chips da Intel nem os da Qualcomm foram construídos. Para ocupar esse vácuo, apareceu a Nvidia, uma fabricante de chips que anteriormente tinha se destacado no processamento de gráficos para games. A matemática por trás do processamento gráfico estava bem alinhada com os requisitos para a IA, e a Nvidia tornou-se o principal ator no mercado de chips. Entre 2016 e o início de 2018, o preço das ações da empresa se multiplicou por dez.

Esses chips são fundamentais para tudo, desde reconhecimento facial até carros autônomos, e isso desencadeou uma corrida para construir o chip de IA de última geração. O Google e a Microsoft — empresas que há muito tempo evitam construir seus próprios chips — entraram na briga, ao lado da Intel, da Qualcomm e de uma série de startups de chips bem financiadas no Vale do Silício. O Facebook fez uma parceria com a Intel para testar sua primeira investida em chips específicos para IA.

Mas, pela primeira vez, grande parte da ação nesse espaço está ocorrendo na China. O governo chinês tenta há muitos anos — décadas, até — conseguir a capacidade de construir chips no país. Mas produzir um chip de alto desempenho é um processo extremamente complexo e intensivo em conhecimento, algo que até agora vários projetos patrocinados pelo governo não conseguiram desenvolver. Nas últimas três décadas, foram as empresas privadas do Vale do Silício que lucraram com o desenvolvimento de chips.

Líderes chineses e uma série de startups de chips esperam que dessa vez seja diferente. O Ministério de Ciência e Tecnologia da China está distribuindo grandes somas de dinheiro, indicando como meta específica a construção de um chip com desempenho e eficiência energética vinte vezes melhor do que uma das atuais ofertas da Nvidia. Startups de chips chinesas como a Horizon Robotics, Bitmain e Cambricon Technologies estão recebendo muito investimento e trabalhando em produtos feitos sob medida para carros autônomos ou outros casos de uso de inteligência artificial. A vantagem do país em termos de dados também contribuirá para o desenvolvimento de chips, oferecendo aos fabricantes de hardware muitos exemplos para testar seus produtos.

Em suma, o Vale do Silício continua sendo o líder claro no desenvolvimento de chip de IA. Mas é uma liderança que o governo chinês e a comunidade de capital de risco do país estão tentando eliminar ao máximo. Isso porque quando a ruptura econômica ocorrer na escala prometida pela inteligência artificial, não será apenas uma questão de negócios — também será uma questão política importante.

Um conto de dois planos de IA

Em 12 de outubro de 2016, a Casa Branca do presidente Barack Obama divulgou um plano de longo prazo de como os Estados Unidos podem aproveitar o poder da inteligência artificial. O documento detalhava a transformação que a IA deve trazer para a economia e estabelecia medidas para aproveitar essa oportunidade: aumentar o financiamento para pesquisa, intensificar a cooperação civil-militar e fazer investimentos para diminuir as perturbações sociais. Oferecia um resumo decente de mudanças no horizonte e algumas prescrições de bom senso para adaptação.

Mas o relatório — emitido pelo mais poderoso gabinete político dos Estados Unidos — teve o mesmo impacto que um documento político de um *think tank* acadêmico. Lançado na mesma semana do vazamento de um vídeo infame de Donald Trump, então candidato, fazendo declarações sexistas, o relatório da Casa Branca quase não foi divulgado nos noticiários norte-americanos. Não provocou um surto nacional de interesse pela IA. Não levou a uma enxurrada de novos investimentos em capital de risco e financiamento do governo para startups de IA. E não estimulou prefeitos ou governadores a adotarem políticas amigáveis à IA. Na verdade, quando o presidente Trump assumiu a presidência, apenas três meses após a publicação do relatório, propôs *cortar* o financiamento para pesquisa de IA na National Science Foundation.[8]

A fraca resposta ao relatório de Obama marcou um forte contraste com as ondas de choque geradas pelo plano de inteligência artificial do governo chinês. Como os documentos anteriores do governo da China sobre tecnologia, o plano tinha uma linguagem simples, mas gerou um grande impacto. Publicado em julho de 2017, o "Plano de Desenvolvimento para uma Nova Geração de Inteligência Artificial" do Conselho de Estado chinês compartilhou muitas das mesmas previsões e recomendações do plano da Casa Branca. Também expôs centenas de aplicações específicas da indústria da inteligência artificial e estabeleceu sinais para o progresso da China no sentido de se tornar uma superpotência da IA. Defendia que o país atingisse o nível mais alto entre as economias de IA até 2020, alcançasse novos avanços até 2025 e se tornasse o líder mundial em IA até 2030.

Se o AlphaGo foi o Momento Sputnik da China, o plano de inteligência artificial do governo era como o discurso histórico do presidente John F. Kennedy, pedindo que os Estados Unidos enviassem um homem à Lua. O relatório carecia da elevada retórica de Kennedy, mas desencadeou uma mobilização nacional similar, uma abordagem prática para a inovação nacional.

Apostando na IA

O plano de IA da China foi criado nos níveis mais altos do governo central, mas é entre os ambiciosos prefeitos da China que a ação real acontece. Após a divulgação do plano do Conselho de Estado, as autoridades locais em busca de promoções se lançaram no objetivo de transformar suas cidades em centros de desenvolvimento de IA. Ofereceram subsídios para pesquisa, direcionaram fundos de orientação de capital de risco para IA, compraram os produtos e serviços de startups locais de IA e montaram dezenas de zonas especiais de desenvolvimento e incubadoras.

Podemos ver a complexidade dessas políticas de apoio olhando para uma cidade, Nanjing. Capital da província de Jiangsu, na costa leste da China, Nanjing não está entre as principais cidades chinesas para startups — essa honra vai para Pequim, Shenzhen e Hangzhou. Mas em uma tentativa de transformar Nanjing em um ponto de acesso à IA, a prefeitura está despejando grandes somas de dinheiro e recursos políticos para atrair empresas de IA e grandes talentos.

Entre 2017 e 2020, a Zona de Desenvolvimento Econômico e Tecnológico de Nanjing planeja investir pelo menos 3 bilhões de RMB (cerca de 450 milhões de dólares) em desenvolvimento de IA. Esse dinheiro será direcionado a uma gama estonteante de subsídios e benefícios de IA, incluindo investimentos de até 15 milhões de RMB em empresas locais, concessões de 1 milhão de RMB por empresa para atrair talentos, descontos em despesas de pesquisa de até 5 milhões de RMB, criação de um instituto de treinamento de IA, contratos governamentais para reconhecimento facial e tecnologia de robôs autônomos, procedimentos simplificados para registrar uma empresa, capital semente e escritórios para veteranos militares, ônibus gratuitos, vagas cobiçadas em escolas locais para filhos de executivos das empresas e apartamentos especiais para funcionários de startups de IA.

E isso tudo em apenas uma cidade. A população de Nanjing, de 7 milhões de pessoas, é apenas a décima na China, um país com cem cidades de mais de 1 milhão de habitantes. Essa chuva de incentivos governamentais está acontecendo em muitas dessas cidades agora, todas competindo para atrair, financiar e capacitar empresas de IA. É um processo de desenvolvimento tecnológico acelerado pelo governo que testemunhei duas vezes na última década. Entre 2007 e 2017, a China passou de ter zero linhas ferroviárias de alta velocidade a acumular mais quilômetros do que o resto do mundo combinado. Durante a campanha "inovação em massa e empreendedorismo em massa", que começou em 2015, uma onda semelhante de incentivos criou 6.600 novas incubadoras de startups e mudou a cultura nacional em torno do empreendedorismo tecnológico.

Claro que é muito cedo para saber os resultados exatos da campanha de IA da China, mas se a história chinesa servir como guia, é provável que seja um pouco ineficiente, mas extremamente eficaz. O escopo de financiamento total e a velocidade de implementação quase garantem que haverá ineficiências. As burocracias governamentais não podem implementar rapidamente bilhões de dólares em investimentos e subsídios sem alguma quantidade de desperdício. Haverá apartamentos para funcionários de IA que nunca serão habitados e investimentos em startups que nunca decolarão. Haverá empresas de tecnologia tradicionais que simplesmente mudarão de nome e passarão a se chamar "empresas de IA" para obter subsídios e compras de equipamentos de inteligência artificial que apenas acumularão poeira nos escritórios do governo.

Mas esse é um risco que essas autoridades do governo chinês estão dispostas a assumir, um gasto que estão dispostas a absorver em busca de um objetivo maior: forçar a modernização econômica e tecnológica de suas cidades. A potencial vantagem dessa transformação é grande o suficiente para justificar enormes apostas na próxima grande novidade. E se a aposta não der certo, os prefeitos não serão eternamente ridicularizados por seus oponentes por tentar agir de acordo com os desejos do governo central.

Compare isso com a tempestade política que se seguiu às maiores apostas erradas nos Estados Unidos. Após a crise financeira de 2008, o programa de estímulo do presidente Obama incluía planos para garantir empréstimos do governo a projetos promissores de energia renovável. Era um programa projetado para estimular uma economia estagnada, mas também para facilitar uma mudança econômica e ambiental mais ampla em direção à energia verde.

Um dos beneficiários dessas garantias de empréstimos foi a Solyndra, uma companhia de painéis solares da Califórnia que de início parecia promissora, mas depois faliu em 2011. Os críticos do presidente Obama logo transformaram esse fracasso em um dos mais importantes ataques políticos da eleição presidencial de 2012. Eles martelaram o presidente com milhões de dólares em anúncios de ataque, criticando os gastos "inúteis" como um sintoma de "capitalismo de camaradagem" e "socialismo de risco".[9] Não importa que, no geral, o programa de garantia de empréstimos tenha sido projetado para que o governo federal *ganhasse* dinheiro — um fracasso de alto nível foi suficiente para manchar todo o empreendimento de atualização tecnológica.

Obama sobreviveu ao ataque negativo e ganhou outro mandato, mas as lições para os políticos norte-americanos foram claras: usar fundos do governo para investir em atualizações econômicas e tecnológicas é um negócio arriscado. Os sucessos são quase sempre ignorados e cada fracasso torna-se motivo para ataques. É muito mais seguro ficar de fora do negócio confuso de atualizar uma economia.

Dilemas da direção autônoma

Essa mesma divisão nas culturas políticas pode ser aplicada à criação de um ambiente político favorável ao desenvolvimento da IA. Nos últimos trinta anos, os líderes chineses estão praticando uma espécie de técnico-utilitarismo, alavancando as atualizações tecnológicas para maximizar o bem-estar social mais amplo, aceitando que haverá desvantagens para certos indivíduos ou setores. Como todas as estruturas políticas, esse é um sistema bastante imperfeito. Decisões de cima para baixo do governo para expandir o investimento e a produção também podem fazer com que o pêndulo do investimento público se desvie demais em uma determinada direção. Nos últimos anos, isso levou a enormes excessos de oferta e cargas de dívida insustentáveis nas indústrias chinesas, que vão de painéis solares ao aço. Mas quando os líderes nacionais canalizam corretamente esses mandatos para novas tecnologias que podem levar a mudanças econômicas sísmicas, a abordagem técnico-utilitária pode ter enormes vantagens.

Os carros autônomos são um bom exemplo desse equilíbrio. Em 2016, os Estados Unidos perderam 40 mil pessoas em acidentes de trânsito. Esse número anual de mortos equivale a que os ataques terroristas de 11 de setembro ocorressem uma vez por mês, de janeiro a novembro, e duas vezes em dezembro. A Organização Mundial de Saúde (OMS) estima que ocorrem cerca de 260 mil mortes anuais nas estradas chinesas e 1,25 milhão no mundo.[10]

Os veículos autônomos estão a caminho de se tornarem, de alguma forma, muito mais seguros do que os veículos dirigidos por seres humanos, e a implementação generalizada da tecnologia reduzirá drasticamente essas fatalidades. Também levará a enormes aumentos na eficiência das redes de transporte e logística, ganhos que ecoarão em toda a economia.

Porém, paralelamente às vidas salvas e à produtividade obtida, haverá outros casos em que empregos ou até vidas serão perdidos devido à mesma tecnologia. Para começar, os motoristas de táxi, caminhão e ônibus e entregadores em geral terão pouca utilidade em um mundo de direção autônoma. Também será inevitável o mau funcionamento em veículos autônomos que causarão colisões. Haverá circunstâncias que forçarão esses veículos a tomarem decisões éticas angustiantes, como se deverão virar para a direita, com 55% de chance de matar duas pessoas, ou virar para a esquerda, com 100% de chance de matar uma.

Cada um desses riscos negativos apresenta questões éticas espinhosas. Como devemos equilibrar a subsistência de milhões de motoristas de caminhão contra os bilhões de dólares e milhões de horas economizados por veículos autônomos? Como um carro autônomo deve "otimizar" em situações em que é forçado a escolher em qual carro bater? Como o algoritmo de um veículo autônomo deve pesar a vida de seu dono? Seu carro autônomo deveria sacrificar sua própria vida para salvar a vida de outras três pessoas?

Essas são as questões que causam insônia nos estudiosos de ética. Também são questões que poderiam atrasar a legislação necessária para a implementação de veículos autônomos e enrolar as empresas de IA em processos que durariam anos. Podem levar os políticos norte-americanos, sempre com medo de grupos de interesse e ataques, a frearem a implementação generalizada de veículos autônomos. Já vimos os primeiros sinais disso, com os sindicatos dos motoristas de caminhões sendo bem-sucedidos no lobby no Congresso em 2017 para excluir os caminhões da legislação destinada a acelerar a implantação de veículos autônomos.

Acredito que o governo chinês verá essas preocupações difíceis como tópicos importantes a serem explorados, mas não como motivos para adiar a implementação de uma tecnologia que salvará dezenas, talvez centenas de milhares de vidas, num futuro não muito distante. Para o bem ou para o mal — e reconheço que a maioria dos norte-americanos poderá não aceitar essa visão —, a cultura política chinesa não possui a expectativa norte-americana de alcançar um consenso moral em cada uma das questões acima. A promoção de um bem social mais amplo — a recompensa a longo prazo em vidas salvas — é uma razão boa o suficiente para começar a implementação, com casos extremos e complicações jurídicas a serem resolvidos no devido tempo. Novamente, isso não é um apelo para que os Estados Unidos e a Europa imitem a abordagem técnico-utilitária utilizada na China — cada país deve decidir sobre sua própria abordagem baseada em seus próprios valores culturais. Mas é importante entender a abordagem chinesa e suas implicações para o ritmo e o caminho do desenvolvimento da IA.

Acelerar essa implementação levará à mesma correria dos funcionários do governo local para se destacar na IA. Além de competir para atrair empresas de IA por meio de subsídios, esses prefeitos e governadores das províncias competirão para serem os primeiros a implementar projetos de inteligência artificial de alto perfil, como médicos ajudados pela IA em hospitais públicos ou rotas autônomas de caminhões e "cérebros da cidade" que otimizem o trânsito. Eles podem buscar esses projetos tanto para marcar pontos políticos quanto para o lado social mais amplo, passando menos tempo obcecados pelos riscos de fracassos que afugentariam os políticos norte-americanos sensíveis ao risco.

Esse não é um julgamento ético de nenhum desses dois sistemas. Sistemas de governo utilitários e abordagens baseadas em direitos têm seus pontos cegos e desvantagens. A abertura dos Estados Unidos à imigração e a ênfase nos direitos individuais há muito tempo ajudam a atrair algumas das mentes mais brilhantes do mundo — pessoas como Enrico Fermi, Albert Einstein e muitos dos principais cientistas de IA de hoje. A abordagem hierárquica da China para as atualizações econômicas e a ânsia dos funcionários de baixo escalão de adotar cada nova ordem do governo central também podem levar a desperdícios e dívidas se as indústrias-alvo não forem bem escolhidas. Mas, nesse caso particular — construir uma sociedade e uma economia preparadas para aproveitar o potencial da IA —, a abordagem técnico-utilitarista da China proporciona certa vantagem. Sua aceitação do risco permite que o governo faça grandes apostas em tecnologias revolucionárias, e sua abordagem acerca da política incentivará a adoção mais rápida dessas tecnologias.

Com esses pontos nacionais fortes e fracos em mente, podemos construir uma linha do tempo para a implementação da IA e ver como os produtos e sistemas específicos da inteligência artificial estão prontos para mudar o mundo ao nosso redor.

5. As quatro ondas da IA

Foi no ano de 2017 que ouvi pela primeira vez Donald Trump falar chinês fluentemente. Durante a primeira viagem do presidente dos Estados Unidos à China, ele apareceu em uma telona para receber os participantes de uma importante conferência de tecnologia. Começou seu discurso em inglês e depois mudou de idioma abruptamente.

"A IA está mudando o mundo", disse ele, falando em um chinês impecável, mas com a fanfarronice típica de Trump. "E a iFlyTek é realmente fantástica."

O presidente Trump não sabe, é claro, falar chinês. Mas a IA está realmente mudando o mundo, e empresas chinesas, como a iFlyTek, são as líderes dessa mudança. Ao treinar seus algoritmos em grandes amostras de dados dos discursos do presidente Trump, a iFlyTek criou um modelo digital quase perfeito de sua voz: entonação, tom e padrão de fala. Em seguida, recalibrou esse modelo vocal para o mandarim, mostrando ao mundo como Donald Trump soaria se tivesse crescido em uma vila perto de Pequim. O movimento dos lábios não estava precisamente sincronizado com as palavras chinesas, mas estava perto o suficiente para enganar um espectador casual à primeira vista. O presidente Obama recebeu o mesmo tratamento da iFlyTek: um vídeo de uma conferência de imprensa real, mas com seu estilo professoral convertido em um mandarim perfeito.

"Com a ajuda da iFlyTek, aprendi chinês", disse Obama ao corpo de imprensa da Casa Branca. "Acho que meu chinês é melhor que o do Trump. O que vocês acham?"

A iFlyTek poderia falar o mesmo de seus concorrentes. A empresa chinesa conquistou vitórias em uma série de prestigiosas competições internacionais de IA de reconhecimento síntese de fala, reconhecimento de imagem e tradução automática. Mesmo na "segunda língua" da empresa, o inglês, a iFlyTek muitas vezes supera as equipes do Google, da DeepMind, do Facebook e da IBM Watson no processamento de linguagem natural — isto é, a capacidade da IA de decifrar o significado geral em vez de apenas palavras.

Esse sucesso não aconteceu da noite para o dia. Em 1999, quando iniciei a Microsoft Research Asia, meu principal recruta foi um brilhante e jovem doutorando chamado Liu Qingfeng. Ele era um dos estudantes que vi saindo dos dormitórios para estudar sob as luzes da rua depois da minha palestra em Hefei. Liu era esforçado e criativo na abordagem de questões de pesquisa; era um dos jovens pesquisadores mais promissores da China. Mas quando pedimos que aceitasse nossa oferta de bolsa de estudo e virasse estagiário, depois funcionário da Microsoft, ele recusou. Queria começar sua própria empresa de IA para fala. Disse a ele que era um ótimo pesquisador, mas que a China estava muito atrás dos gigantes norte-americanos de reconhecimento de fala como a Nuance, e havia menos clientes na China para essa tecnologia. Para seu crédito, Liu ignorou o conselho e se preparou para construir a iFlyTek. Quase vinte anos e dezenas de prêmios em competições de IA mais tarde, a iFlyTek superou em muito a Nuance em capacidade e valor de mercado, tornando-se a empresa de IA para fala mais valiosa do mundo.

A combinação dos recursos de ponta da iFlyTek em reconhecimento de fala, tradução e síntese produzirá produtos de IA transformadores, incluindo fones de tradução simultânea que convertem instantaneamente suas palavras e voz para qualquer idioma. É o tipo de produto que em breve revolucionará as viagens internacionais, os negócios e a cultura, e desbloqueará grandes estoques novos de tempo, produtividade e criatividade no processo.

As ondas

Mas isso não vai acontecer de uma vez. A revolução completa de IA levará um pouco de tempo e nos inundará em uma série de quatro ondas: IA de internet, IA de negócios, IA de percepção e IA autônoma. Cada uma dessas ondas aproveita o poder da IA de uma maneira diferente, atacando diferentes setores e inserindo a inteligência artificial mais profundamente no tecido de nossa vida diária.

As duas primeiras ondas — IA da internet e dos negócios — já estão ao nosso redor, remodelando nossos mundos digital e financeiro de maneiras que mal conseguimos registrar. Estão intensificando o controle das empresas de internet em relação a nosso serviço, substituindo consultores por algoritmos, negociando ações e diagnosticando doenças.

A IA de percepção está agora digitalizando nosso mundo físico, aprendendo a reconhecer nossos rostos, entender nossos pedidos e "ver" o mundo ao nosso redor. Essa onda promete revolucionar a forma como vivenciamos e interagimos com o nosso mundo, atenuando as linhas entre o digital e o físico. A IA autônoma virá por último, mas terá um impacto mais profundo em nossa vida. À medida que carros autônomos tomem as ruas, drones autônomos tomem os céus e robôs inteligentes tomem as fábricas, eles vão transformar tudo, da agricultura orgânica a viagens por autoestradas e o fast-food.

Todas essas quatro ondas se alimentam de diferentes tipos de dados, e cada uma delas apresenta uma oportunidade única para que os Estados Unidos ou a China assumam a liderança. Veremos que a China está em uma posição forte para liderar ou coliderar na IA da internet e na IA de percepção, e provavelmente em breve alcançará os Estados Unidos na IA autônoma. Hoje, a IA de negócios continua sendo a única arena na qual os Estados Unidos mantêm uma liderança clara.

A competição, no entanto, não vai acontecer apenas entre esses dois países. Os serviços baseados em IA, pioneiros nos Estados Unidos e na China, irão proliferar em bilhões de usuários no mundo todo, muitos deles em países em desenvolvimento. Empresas como Uber, Didi, Alibaba e Amazon já estão competindo ferozmente por esses mercados em desenvolvimento, mas adotando estratégias muito diferentes. Enquanto os gigantes do Vale do Silício estão tentando conquistar cada novo mercado com seus próprios produtos, as empresas de internet da China estão investindo nas startups locais desses países enquanto procuram combater o domínio dos Estados Unidos. É uma competição que está apenas começando, e que terá profundas implicações no panorama econômico global do século XXI.

Para entender como essa competição vai se desenrolar tanto na China quanto nos demais países, devemos primeiro mergulhar em cada uma das quatro ondas de IA que se espalham pelas nossas economias.

Primeira onda: IA da internet

A IA da internet provavelmente já tem um forte controle de seus olhos, se não da sua carteira. Já se viu em um buraco interminável de vídeos do YouTube? Os sites de streaming de vídeo têm uma habilidade incomum para recomendar o próximo vídeo que você precisa conferir antes de voltar ao trabalho? A Amazon parece saber o que você vai querer comprar antes mesmo de você?

Se sim, então você é o beneficiário (ou vítima, dependendo de como valorize seu tempo, sua privacidade e seu dinheiro) da IA da internet. Essa primeira onda começou há quase quinze anos, mas finalmente se popularizou em 2012. A IA da internet tem, em grande parte, a ver com o uso de algoritmos de IA como *motores de recomendação*: sistemas que aprendem nossas preferências pessoais e, em seguida, veiculam conteúdos escolhidos a dedo para nós.

A potência desses mecanismos de inteligência artificial depende dos dados digitais aos quais têm acesso, e atualmente não há um depósito maior desses dados do que as principais empresas da internet. Mas esses dados só se tornam verdadeiramente úteis para algoritmos depois de terem sido rotulados. Nesse caso, "rotulado" não significa que você precisa avaliar ativamente o conteúdo ou marcá-lo com uma palavra-chave. Os rótulos apenas vêm da vinculação de um dado a um resultado específico: comprado *versus* não comprado, clicado *versus* não clicado, assistido até o final em relação aos vídeos pulados. Essas etiquetas — nossas compras, curtidas, visualizações ou momentos prolongados em uma página da web — são usadas para treinar algoritmos a fim de recomendar mais conteúdo que provavelmente consumiremos.

As pessoas, no geral, acham que isso significa que a internet está "ficando melhor"— ou seja, que está nos dando o que queremos — e se tornando mais viciante com o tempo. No entanto, isso também é uma prova do poder da IA de aprender sobre nós por meio de dados e otimização, a fim de mostrar o que desejamos. Essa otimização se traduziu em fortes aumentos nos lucros das empresas de internet estabelecidas que ganham dinheiro com nossos cliques: os Googles, Baidus, Alibabas e YouTubes do mundo. Usando a IA da internet, o Alibaba pode recomendar produtos que você está mais propenso a comprar, o Google pode segmentá-lo com anúncios com maior probabilidade de um clique, e o YouTube pode sugerir vídeos que você terá maior probabilidade de assistir. Adotando esses mesmos métodos em um contexto diferente, uma empresa como a Cambridge Analytica usou dados do Facebook para entender melhor e atingir os eleitores norte-americanos durante a campanha presidencial de 2016. De maneira reveladora, foi Robert Mercer, fundador da Cambridge Analytica, que cunhou a famosa frase: "Não há melhores dados do que ainda mais dados".[1]

Algoritmos e editores

A primeira onda da IA deu origem a empresas de internet inteiramente novas e impulsionadas pela IA. O líder da China nessa categoria é Jinri Toutiao (que significa "manchetes de hoje"; nome em inglês: "ByteDance"). Fundada em 2012, a Toutiao é às vezes chamada de "o BuzzFeed da China", porque os dois sites servem como hubs para histórias virais. Mas as semelhanças param no potencial viral. O BuzzFeed é formado por uma equipe de jovens editores com um talento especial para criar conteúdo original. Os editores da Toutiao são algoritmos.

Os motores de IA da Toutiao vasculham a internet em busca de conteúdo, usando processamento de linguagem natural e visão computacional para compilar artigos e vídeos de uma vasta rede de sites de parceiros e colaboradores comissionados. Em seguida, usa o comportamento anterior de seus usuários — seus cliques, leituras, visualizações, comentários e assim por diante — para organizar um feed de notícias altamente personalizado, adaptado aos interesses de cada pessoa. Os algoritmos do aplicativo até reescrevem títulos para otimizar os cliques dos usuários. E quanto mais esses usuários clicam, mais a Toutiao melhora suas recomendações para o conteúdo que eles querem ver. É um ciclo de feedback positivo que criou uma das plataformas de conteúdo mais viciantes na internet, com usuários passando uma média de 74 minutos por dia no aplicativo.[2]

Repórteres-robôs e *fake news*

Indo além da simples curadoria, a Toutiao também usa o aprendizado de máquina para criar e policiar seu conteúdo. Durante os Jogos Olímpicos de 2016 no Rio de Janeiro, a Toutiao trabalhou com a Universidade de Pequim para criar um "repórter" IA que escrevia artigos curtos resumindo eventos esportivos poucos minutos depois do apito final. O texto não era exatamente uma obra de arte, mas a velocidade era incrível: o "repórter" produzia resumos curtos dois segundos após o término de alguns jogos, e "cobria" mais de trinta eventos esportivos por dia.

Algoritmos também estão sendo usados para farejar *fake news* na plataforma, muitas vezes na forma de tratamentos médicos falsos. Originalmente, os leitores descobriam e relatavam histórias enganosas — essencialmente etiquetando esses dados. A Toutiao, então, usava esses dados etiquetados para treinar um algoritmo que pudesse identificar *fake news* na rede. Depois, até treinou um algoritmo separado para *escrever fake news* e, em seguida, colocou esses dois algoritmos um contra o outro, competindo para se enganarem. Assim, ambos foram aprimorados.

Essa abordagem orientada por IA para conteúdo está valendo a pena. No final de 2017, a Toutiao já estava avaliada em 20 bilhões de dólares e conseguiu levantar uma nova rodada de financiamento que a avaliaria em

30 bilhões, superando a avaliação de 1,7 bilhão do BuzzFeed na época. Para 2018, a Toutiao projetava receitas entre 4,5 milhões e 7,6 bilhões de dólares. E a empresa chinesa está trabalhando rapidamente para se expandir no exterior. Depois de tentar e não conseguir comprar o Reddit em 2016, o popular site de agregação e discussão dos Estados Unidos, em 2017 a Toutiao comprou um agregador de notícias da França e o Musical.ly, um aplicativo chinês de sincronização labial que é muito popular entre os adolescentes norte-americanos.

A Toutiao é apenas uma empresa, mas seu sucesso é indicativo da força da China na IA da internet. Com mais de 700 milhões de usuários de internet compilando conteúdo no mesmo idioma, os gigantes da internet da China estão obtendo enormes recompensas por otimizar serviços on-line com a inteligência artificial. Isso ajudou a alimentar o rápido crescimento do valor de mercado da Tencent — ultrapassando o Facebook em novembro de 2017 e se tornando a primeira empresa chinesa a superar os 500 bilhões de dólares — e permitiu que o Alibaba enfrentasse a Amazon. Apesar da força do Baidu em pesquisa de inteligência artificial, seus serviços móveis estão muito atrás dos do Google. Mas essa diferença é mais do que compensada por empresas iniciantes como a Toutiao, empresas chinesas que estão gerando avaliações multibilionárias ao construir sua base de negócios na IA da internet. Os enormes lucros se acumularão para essas empresas de internet à medida que se tornarem ainda melhores em manter nossa atenção por mais tempo e colher nossos cliques.

No geral, as empresas chinesas e norte-americanas estão no mesmo nível na IA da internet, com as mesmas chances de liderança baseadas na tecnologia atual. Prevejo que daqui a cinco anos, as empresas de tecnologia chinesas terão uma pequena vantagem (de 60% do mercado) quando se trata de liderar o mundo da IA da internet e colher as maiores recompensas de sua implementação. Lembre-se, somente a China tem mais usuários de internet do que os Estados Unidos e toda a Europa juntos, e esses usuários têm o poder de fazer pagamentos móveis simplificados para criadores de conteúdo, plataformas O2O e outros usuários. Essa combinação está gerando aplicativos criativos de IA da internet e oportunidades de monetização inigualáveis em qualquer outro lugar do mundo. Acrescente os empreendedores tenazes e bem financiados da China à mistura, e o país tem uma forte — mas ainda não decisiva — vantagem sobre o Vale do Silício.

Mas, apesar de todo o valor econômico gerado pela primeira onda de IA, ela continua bastante engarrafada no setor de alta tecnologia e no mundo digital. O poder de otimização da IA só é levado para as empresas mais tradicionais na economia geral durante a segunda onda: a IA de negócios.

Segunda onda: IA de negócios

A primeira onda da IA aproveita o fato de que os usuários de internet estão etiquetando dados automaticamente enquanto navegam. A IA de negócios tira proveito do fato de que as empresas tradicionais também etiquetaram automaticamente enormes quantidades de dados por décadas. Por exemplo, as seguradoras cobrem acidentes e pegam fraudes, os bancos emitem empréstimos e documentam taxas de pagamento, e os hospitais mantêm registros de diagnósticos e taxas de sobrevivência. Todas essas ações geram pontos de dados rotulados — um conjunto de características e um resultado significativo —, mas, até recentemente, a maioria das empresas tradicionais tinha dificuldades para explorá-los e obter melhores resultados.

A IA de negócios faz a mineração desses bancos de dados para correlações ocultas que muitas vezes escapam ao olho nu e ao cérebro humano. Baseia-se em todas as decisões e resultados históricos dentro de uma organização e usa dados rotulados para treinar um algoritmo que pode superar até mesmo os humanos mais experientes. Isso porque os humanos, em geral, fazem predições com base em *preditores fortes*, um punhado de pontos de dados altamente correlacionados a um resultado específico, quase sempre em uma clara relação de causa e efeito. Por exemplo, ao prever a probabilidade de que alguém desenvolva diabetes, o peso e o índice de massa corporal de uma pessoa são características fortes. Os algoritmos de IA realmente incorporam essas características fortes, mas também analisam milhares de outras *características fracas*: pontos de dados periféricos que podem parecer não ter relação com o resultado, mas contêm algum poder de predição quando combinados em dezenas de milhões de exemplos. Essas correlações sutis são muitas vezes impossíveis para qualquer humano explicar em termos de causa e efeito: por que quem toma um empréstimo na quarta-feira paga mais rapidamente? Mas algoritmos que podem combinar milhares desses preditores fracos e fortes — muitas vezes usando relações matemáticas complexas indecifráveis a um cérebro humano — superarão até mesmo os melhores seres humanos em muitas tarefas de negócios analíticas.

Otimizações como essa funcionam bem em setores com grandes quantidades de dados estruturados com resultados de negócios significativos. Nesse caso, "estruturado" refere-se aos dados que foram categorizados, rotulados e tornados pesquisáveis. Os principais exemplos de conjuntos de dados corporativos bem estruturados incluem histórico de preços de ações, uso de cartões de crédito e inadimplência de hipotecas.

O NEGÓCIO DA IA DE NEGÓCIOS

Já em 2004, empresas como a Palantir e a IBM Watson ofereciam consultoria de negócios de *big data* para empresas e governos. Mas a adoção generalizada do aprendizado profundo em 2013 turbinou essas capacidades e deu origem a novos concorrentes, como Element AI no Canadá e 4th Paradigm na China.

Essas startups vendem seus serviços para empresas ou organizações tradicionais, oferecendo seus algoritmos para trabalharem soltos em bancos de dados existentes em busca de otimizações. Elas ajudam essas empresas a melhorar a detecção de fraudes, fazer negociações mais inteligentes e descobrir ineficiências nas cadeias de suprimentos. Os primeiros casos de IA de negócios se concentraram fortemente no setor financeiro, porque naturalmente ele se presta à análise de dados. A indústria utiliza informações bem estruturadas e tem métricas claras que busca otimizar.

É também por isso que os Estados Unidos construíram uma forte vantagem nas primeiras aplicações de IA de negócios. Grandes empresas norte-americanas já coletam gigantescas quantidades de dados e os armazenam em formatos bem estruturados. Elas costumam usar software empresarial para contabilidade, estoque e gerenciamento do relacionamento com o cliente. Quando os dados estão nesses formatos, é fácil para empresas como a Palantir gerarem resultados significativos aplicando a IA de negócios com o objetivo de economizar custos e maximizar os lucros.

Não é assim na China. As empresas chinesas nunca adotaram o software empresarial ou o armazenamento de dados padronizado, mantendo suas contas de acordo com seus próprios sistemas idiossincráticos. Esses sistemas geralmente não são escaláveis e são difíceis de integrar aos softwares existentes, tornando a limpeza e a estruturação de dados um processo muito mais complicado. Dados fracos também tornam os resultados das otimizações de IA menos robustos. Por uma questão de cultura empresarial, as empresas chinesas gastam muito menos dinheiro em consultoria terceirizada do que suas contrapartes norte-americanas. Muitas empresas chinesas antigas ainda são administradas mais como feudos pessoais do que como organizações modernas, e o conhecimento externo não é considerado algo pelo qual vale a pena pagar.

Demita seu banqueiro

Tanto os dados corporativos da China quanto sua cultura corporativa tornam um desafio a aplicação da segunda onda da IA em suas empresas tradicionais. Mas nos setores em que a IA de negócios pode ultrapassar os sistemas preexistentes, a China está dando passos sérios. Nesses casos, o atraso relativo da China em áreas como serviços financeiros se transforma em um trampolim para aplicativos avançados de inteligência artificial. Um dos mais promissores é o microfinanciamento com tecnologia IA.

Por exemplo, quando a China pulou os cartões de crédito e foi direto para os pagamentos móveis, esqueceu uma peça-chave do quebra-cabeça do consumidor: o crédito em si. O WeChat e o Alipay permitem que você compre diretamente de sua conta bancária, mas seus serviços principais não permitem que você gaste um pouco além dos seus recursos enquanto espera pelo próximo salário.

Nesse vazio, surgiu o Smart Finance, um aplicativo com tecnologia de inteligência artificial que depende exclusivamente de algoritmos para fazer milhões de pequenos empréstimos. Em vez de pedir aos tomadores que digam quanto dinheiro ganham, simplesmente solicita acesso a alguns dos dados do telefone de um mutuário em potencial. Esses dados formam uma espécie de impressão digital, com uma capacidade impressionante para prever se o mutuário pagará um empréstimo de trezentos dólares.

Os algoritmos de aprendizado profundo do Smart Finance não analisam apenas as métricas óbvias, como quanto dinheiro há na sua WeChat Wallet. Em vez disso, possui poder de previsão a partir de pontos de dados que parecem irrelevantes para um agente de crédito humano. Por exemplo, considera a velocidade com que você digitou sua data de nascimento, quanta bateria resta no seu celular e milhares de outros parâmetros.

O que a bateria do celular de um candidato tem a ver com o crédito? Esse é o tipo de pergunta que não pode ser respondida em termos de causa e efeito simples. Mas não é um sinal das limitações da IA. É um sinal das limitações de nossas próprias mentes em reconhecer correlações escondidas dentro de fluxos massivos de dados. Treinando seus algoritmos em milhões de empréstimos — muitos que foram pagos e alguns que não —, a Smart Finance descobriu milhares de características fracas que estão correlacionadas com a credibilidade, mesmo que essas correlações não possam ser explicadas de uma maneira simples que os humanos possam entender. Essas métricas incomuns constituem o que o fundador da Smart Finance, Ke Jiao, chama de "um novo padrão de beleza" para empréstimos, para substituir as métricas brutas de renda, CEP e até mesmo a pontuação de crédito.[3]

A crescente montanha de dados continua refinando esses algoritmos, permitindo que a empresa amplie e estenda o crédito a grupos rotineiramente ignorados pelo setor bancário tradicional da China: os jovens e os trabalhadores migrantes. No final de 2017, a empresa estava fazendo mais de 2 milhões de empréstimos por mês com taxas de inadimplência média baixas, um histórico que causa muita inveja nos bancos tradicionais de tijolo e argamassa.

"O algoritmo o receberá agora"

Falar sobre a IA de negócios pode ser mais do que falar sobre dólares e centavos. Quando aplicada a outros bens públicos orientados à informação, pode significar uma enorme democratização de serviços de alta qualidade para aqueles que anteriormente não podiam pagar por eles. Um dos mais promissores é o diagnóstico médico. Os principais pesquisadores dos Estados Unidos, como Andrew Ng e Sebastian Thrun, demonstraram excelentes algoritmos que estão no mesmo nível dos médicos no diagnóstico de doenças específicas com base em imagens — pneumonia através de radiografias de tórax e câncer de pele por meio de fotos. Mas uma aplicação da IA de negócios mais ampla para a medicina procurará lidar com todo o processo de diagnóstico para uma ampla variedade de doenças.

No momento, o conhecimento médico — e, portanto, o poder de fornecer diagnósticos precisos — é praticamente mantido engarrafado por um pequeno número de humanos muito talentosos, pessoas com memórias imperfeitas e tempo limitado para acompanhar os novos avanços no campo. Claro, uma vasta riqueza de informações médicas está espalhada pela internet, mas não de uma forma que seja navegável para a maioria das pessoas. O diagnóstico médico de primeira linha ainda é muito racionado com base na geografia e, obviamente, na capacidade de pagar por ele.

Isso é especialmente difícil na China, onde médicos bem treinados se encontram apenas nas cidades mais ricas. Viaje para fora de Pequim e Xangai, e é provável que veja uma queda drástica no conhecimento de médicos que tratam sua doença. O resultado? Pacientes de todo o país tentam se enfiar nos principais hospitais, fazendo filas durante dias e sobrecarregando os recursos limitados até a exaustão.

A segunda onda da IA promete mudar tudo isso. Apesar dos muitos elementos sociais que representam uma visita a um médico, o cerne do diagnóstico envolve a coleta de dados (sintomas, histórico médico, fatores ambientais) e a previsão dos fenômenos correlacionados com eles (uma doença). Esse ato de buscar várias correlações e fazer predições é exatamente o que o aprendizado profundo faz melhor. Com dados suficientes de treinamento — nesse caso, registros médicos precisos —, uma ferramenta de diagnóstico com tecnologia IA poderia transformar qualquer profissional médico em um superdiagnosticador, um médico com experiência em dezenas de milhões de casos, uma capacidade incomum de detectar correlações ocultas e uma memória perfeita que pode ser usada.

Isso é o que a RXThinking está tentando construir. Fundada por um pesquisador chinês de IA com profunda experiência no Vale do Silício e no Baidu, a startup está treinando algoritmos médicos de IA para se tornarem superdiagnosticadores que podem ser enviados para todos os cantos da China. Em vez de substituir os médicos por algoritmos, o aplicativo de diagnóstico de IA da RXThinking os capacita. Age como um "aplicativo de navegação" para o processo de diagnóstico, aproveitando todo o conhecimento disponível para recomendar a melhor rota, mas ainda permitindo que os médicos conduzam o carro.

À medida que o algoritmo obtém mais informações sobre cada caso específico, reduz progressivamente o escopo de possíveis doenças e solicita mais esclarecimentos sobre as informações necessárias para completar o diagnóstico. Quando informações suficientes são inseridas para dar ao algoritmo um alto nível de certeza, ele faz uma previsão para a causa dos sintomas, junto com todos os outros diagnósticos possíveis e a chance percentual de que sejam os verdadeiros culpados.

O aplicativo nunca substitui um médico — que sempre pode escolher ignorar as recomendações do aplicativo —, mas percorre mais de 400 milhões de registros médicos existentes e examina continuamente as publicações médicas mais recentes para fazer recomendações. Ele dissemina o conhecimento médico de primeira linha igualmente por sociedades altamente desiguais, e permite que todos os médicos e enfermeiros se concentrem nas tarefas humanas que nenhuma máquina pode fazer: garantir que os pacientes se sintam cuidados e consolados quando o diagnóstico não é otimista.

Julgando os juízes

Princípios semelhantes estão agora sendo aplicados ao sistema legal da China, outra burocracia em expansão com níveis de especialização bastante desiguais entre as regiões. A iFlyTek assumiu a liderança na aplicação de inteligência artificial nos tribunais, construindo ferramentas e executando um programa-piloto com base em Xangai que usa dados de casos anteriores para ajudar os juízes nas provas e sentenças. Um sistema de referência cruzada de provas usa o reconhecimento de fala e o processamento de linguagem natural para comparar todas as provas apresentadas — testemunhos, documentos e material de apoio — e procurar padrões factuais contraditórios. Ele alerta, então, o juiz para essas disputas, permitindo investigações e esclarecimentos adicionais por parte dos membros do tribunal.

Quando uma sentença é proferida, o juiz pode recorrer a outra ferramenta de inteligência artificial para obter conselhos sobre a sentença. O assistente de sentença começa com o padrão factual — ficha criminal do condenado, idade, danos causados e assim por diante —, então seus algoritmos examinam milhões de registros judiciais para casos semelhantes. Ele usa esse corpo de conhecimento para fazer recomendações para tempo de prisão ou multas a serem pagas. Os juízes também podem ver casos semelhantes como pontos de dados espalhados por um gráfico X-Y, clicando em cada ponto para ver os detalhes sobre o padrão factual que levou à sentença. É um processo que cria consistência em um sistema com mais de 100 mil juízes, e pode controlar os valores discrepantes cujos padrões de sentença os colocam longe do normal. Uma província chinesa está usando a IA para classificar e criar um ranking do desempenho de todos os promotores.[4] Alguns tribunais norte-americanos implementaram algoritmos semelhantes para aconselhar sobre o nível de "risco" dos presos em liberdade condicional, embora o papel e a falta de transparência dessas ferramentas de inteligência artificial já tenham sido contestados em tribunais superiores.

Tal como acontece com o "sistema de navegação" da RXThinking para os médicos, todas as ferramentas judiciais da iFlyTek são exatamente isto: ferramentas que auxiliam um ser humano a tomar decisões informadas. Ao capacitar os juízes com recomendações orientadas por dados, elas podem ajudar a equilibrar a balança da justiça e corrigir os vieses presentes em juízes bem treinados. Os estudiosos de direito norte-americanos têm demonstrado grandes disparidades na condenação dos Estados Unidos com base na raça da vítima e do réu. E os vieses judiciais podem ser muito menos maliciosos do que o racismo: um estudo com juízes israelenses mostrou que eles são muito mais severos em suas decisões antes do almoço e mais brandos na concessão de liberdade condicional depois de uma boa refeição.

Quem lidera?

Então, qual país irá liderar na categoria mais ampla de IA de negócios? Hoje, os Estados Unidos desfrutam da liderança (90-10) nessa onda, mas acredito que em cinco anos a China diminuirá essa lacuna um pouco (70-30), e o governo chinês tem mais chances de fazer bom uso do poder da IA de negócios. Os Estados Unidos têm uma clara vantagem nas implementações mais imediatas e lucrativas da tecnologia: otimizações em serviços bancários, seguros ou qualquer setor com muitos dados estruturados que possam ser extraídos para uma melhor tomada de decisões. Suas empresas têm a matéria-prima e a vontade corporativa para aplicar a IA de negócios ao problema de maximizar seus resultados.

Não há dúvidas de que a China vai ficar para trás no mundo corporativo, mas pode liderar em serviços públicos e indústrias, com potencial de superar sistemas ultrapassados. O imaturo sistema financeiro do país e o sistema de saúde desequilibrado dão fortes incentivos para repensar como os serviços, por exemplo o crédito ao consumidor e a assistência médica, são distribuídos. A IA de negócios transformará essas fraquezas em pontos fortes ao reinventar essas indústrias a partir do zero.

Essas aplicações da segunda onda da IA têm impactos imediatos no mundo real, mas os próprios algoritmos ainda estão navegando em informações digitais mediadas por seres humanos. A terceira onda da IA muda tudo isso, dando à IA dois dos mais valiosos instrumentos de coleta de informações: olhos e ouvidos.

Terceira onda: ia de percepção

Antes da ia, todas as máquinas eram surdas e cegas. Claro, você podia tirar fotos digitais ou fazer gravações de áudio, mas elas apenas reproduziam nossos ambientes auditivos e visuais para que humanos os interpretassem — as próprias máquinas não conseguiam entender essas reproduções. Para um computador normal, uma fotografia era apenas muitos pixels sem sentido espalhados e que deveriam ser armazenados. Para um iPhone, uma música era apenas uma série de zeros e uns que deveria ser reproduzida para a apreciação de um humano.

Tudo isso mudou com o advento da ia de percepção. Os algoritmos agora podem agrupar os pixels de uma foto ou vídeo em grupos significativos e reconhecer objetos da mesma maneira que nosso cérebro: golden retriever, semáforo, seu irmão Patrick e assim por diante. Isso também vale para dados de áudio. Em vez de simplesmente armazenar arquivos de áudio como coleções de bits digitais, os algoritmos agora podem escolher palavras e, muitas vezes, analisar o significado de sentenças completas.

A terceira onda de ia trata de ampliar e expandir esse poder para todo nosso ambiente de vida, digitalizando o mundo ao nosso redor através da proliferação de sensores e dispositivos inteligentes. Esses dispositivos estão transformando nosso mundo físico em dados digitais que podem ser analisados e otimizados por algoritmos do aprendizado profundo. O Amazon Echo está digitalizando o ambiente de áudio das residências das pessoas. A City Brain do Alibaba está digitalizando fluxos de tráfego urbano através de câmeras e reconhecimento de objetos via ia. As câmeras do iPhone x da Apple e do Face++ executam a mesma digitalização para os rostos, usando os dados de percepção para proteger seu celular ou carteira digital.

Linhas borradas e nosso mundo "omo"

Como resultado, a ia de percepção está começando a borrar as linhas que separam os mundos on-line e off-line. Isso é feito expandindo muito os nós através dos quais interagimos com a internet. Antes da ia de percepção, nossas interações com o mundo on-line só se estendiam por dois pontos de estrangulamento muito estreitos: os teclados em nossos computadores ou a tela em nossos smartphones. Esses dispositivos funcionam como portais para o vasto conhecimento armazenado na rede mundial de computadores, mas são uma maneira muito desajeitada de inserir ou recuperar informações, especialmente quando você está fazendo compras ou dirigindo no mundo real.

À medida que a IA de percepção melhorar o reconhecimento de nossos rostos, compreensão de nossas vozes e visão do mundo ao nosso redor, isso adicionará milhões de pontos de contato entre os mundos on-line e off-line. Esses nós serão tão difundidos que não vai fazer mais sentido pensar em "ficar on-line". Quando você pede uma refeição completa apenas falando uma frase do seu sofá, você está on-line ou off-line? Quando sua geladeira em casa diz ao seu carrinho de compras na loja que o leite acabou, você está se movendo por um mundo físico ou digital?

Eu chamo esses novos ambientes misturados de OMO: *on-line-merge-offline* (on-line combinado com off-line). O OMO é o próximo passo em uma evolução que já nos levou de puras entregas de comércio eletrônico a serviços O2O (on-line-para-off-line). Cada uma dessas etapas construiu novas pontes entre o mundo on-line e o mundo físico, mas o OMO constitui a integração total dos dois. Traz a conveniência do mundo on-line para o off-line e a rica realidade sensorial do mundo off-line para o on-line. Nos próximos anos, a IA de percepção transformará shoppings, supermercados, ruas e nossas casas em ambientes OMO. No processo, produzirá alguns dos primeiros aplicativos de inteligência artificial que parecerão realmente futuristas para o usuário comum.

Alguns deles já estão aqui. Um restaurante da KFC na China recentemente se uniu ao Alipay para serem pioneiros em uma opção de pagamento com o rosto em algumas lojas. Os clientes fazem seu pedido em um terminal digital e uma rápida verificação facial conecta seu pedido à conta Alipay — não é necessário dinheiro, cartões ou telefones celulares. A IA que alimenta as máquinas até executa um rápido "algoritmo de vivacidade" para garantir que ninguém possa usar uma fotografia do rosto de outra pessoa para pagar por uma refeição.

Os aplicativos de pagamento com o rosto são divertidos, mas são apenas a ponta do iceberg do OMO. Para ter uma ideia de para onde as coisas estão indo, vamos fazer uma rápida viagem apenas alguns anos no futuro, para ver como seria um supermercado totalmente equipado com dispositivos de IA de percepção.

"Onde todo carrinho de compras sabe seu nome"

"*Nihao*, Kai-Fu! Bem-vindo de volta à Yonghui Superstore!"

É sempre uma sensação agradável quando seu carrinho de compras o recebe como se você fosse um velho amigo. Enquanto tiro o carrinho da fileira, sensores visuais embutidos na barra já completaram uma varredura do meu rosto e o combinaram com um perfil rico de meus hábitos como gourmet, comprador e marido de uma fantástica cozinheira de comida chinesa. Enquanto estou quebrando a cabeça para lembrar as compras que precisaremos esta semana, acende uma tela na barra.

"Na tela, há uma lista de sua típica compra semanal no mercado", anuncia o carrinho. E assim, a lista básica de mantimentos da nossa família aparece na tela: berinjela fresca, pimenta-de-sichuan, iogurte grego, leite desnatado e assim por diante.

Minha geladeira e armários já detectaram quais itens estão terminando esta semana, e automaticamente pediram os produtos não perecíveis — arroz, molho de soja, óleo de cozinha — para entrega a granel. Isso significa que os supermercados como o Yonghui podem personalizar sua seleção em itens que você gostaria de escolher: produtos frescos, vinhos exclusivos, frutos do mar vivos. Também permite que os supermercados diminuam muito a área ocupada pelas lojas e instalem locais menores a uma curta distância da maioria das casas.

"Avise-me se há algo que você gostaria de adicionar ou tirar da lista", diz o carrinho. "Com base no que está em seu carrinho e na sua geladeira em casa, parece que sua dieta precisa de mais fibra esta semana. Devo acrescentar um saco de amêndoas ou ingredientes para uma sopa de ervilhas para corrigir isso?"

"Sem sopa de ervilha, mas mande entregar um grande saco de amêndoas na minha casa, obrigado." Não tenho certeza se um algoritmo exige agradecimento, mas faço isso por hábito. Examinando a lista, realizo alguns ajustes. Minhas filhas estão viajando, então posso cortar alguns itens, e já tenho um pouco de carne na minha geladeira, por isso decido fazer a receita da minha mãe de macarrão com carne para a minha esposa.

"Retire o iogurte grego e mude para leite integral a partir de agora. Além disso, adicione os ingredientes para macarrão com carne que não tenho em casa."

"Sem problema", responde o carrinho enquanto ajusta minha lista de compras. Ele está falando em mandarim, mas na voz sintetizada da minha atriz favorita, Jennifer Lawrence. É um toque agradável, e uma das razões para que esse tipo de tarefa não seja tão chata.

O carrinho se move de forma autônoma pela loja, ficando alguns passos à minha frente enquanto escolho as berinjelas mais maduras e a pimenta-de-sichuan mais perfumada, fundamental para criar a especiaria entorpecedora no macarrão com carne. Ele então me leva para a parte de trás da loja, onde um robô guiado com precisão me passa a massa fresca. Quando os coloco na cesta, as câmeras de detecção de profundidade no aro do carrinho reconhecem cada item, e os sensores que cobrem o fundo os pesam à medida que entram.

A tela vai riscando os produtos enquanto caminho e exibe o custo total. A localização precisa e a apresentação de cada item foram otimizadas com base nos dados de percepção e compra reunidos na loja: Por quais corredores os compradores passam? Onde param e pegam itens para inspecionar? E quais desses eles finalmente compram? Essa matriz de dados visuais e comerciais dá aos supermercados ativados por IA o mesmo tipo de compreensão rica do comportamento do consumidor que antes era reservado aos varejistas on-line.

Virando a esquina em direção ao corredor de vinhos, um jovem simpático usando um uniforme do supermercado se aproxima.

"Oi, sr. Lee, como anda?", ele pergunta. "Acabamos de receber um carregamento de alguns fantásticos vinhos de Napa. Sei que o aniversário da sua esposa está chegando, e queremos lhe oferecer um desconto de 10%

em sua primeira compra do Opus One de 2014. Sua esposa normalmente prefere o Overture, e esta é a oferta premium da mesma vinícola. Tem alguns sabores maravilhosos, toques de café e até mesmo chocolate escuro. Gostaria de uma degustação?"

Ele conhece minha fraqueza pelos vinhos da Califórnia, e aceito a oferta. É realmente fantástico.

"Adorei", digo, devolvendo a taça para o jovem. "Vou levar duas garrafas."

"Excelente escolha — o senhor pode continuar com suas compras, eu levarei as garrafas em um instante. Se quiser agendar entregas regulares para sua casa ou precisar de recomendações sobre o que deveria experimentar, poderá encontrar no aplicativo do Yonghui ou comigo aqui."

Todos os funcionários são conhecedores, amigáveis e treinados na arte da venda casada. É muito mais trabalho socialmente engajado do que os empregos em supermercados tradicionais, com todos os funcionários prontos para conversar sobre receitas, produtos direto do campo à mesa e como cada produto se compara com os que já experimentei no passado.

As compras continuam assim, com meu carrinho me guiando através de nossas compras típicas, e os funcionários ocasionalmente me incentivando a gastar em itens que os algoritmos predizem que vou gostar. Enquanto um funcionário está guardando minhas mercadorias, meu celular vibra com o recibo da compra na minha WeChat Wallet. Quando terminam, o carrinho de compras volta para seu lugar, e eu caminho os dois quarteirões até minha casa.

Compras com tecnologia de IA de percepção como essa capturarão uma das contradições fundamentais da era da IA antes de nós: parecerá completamente comum e totalmente revolucionária. Grande parte de nossa atividade diária ainda seguirá nossos padrões estabelecidos todos os dias, mas a digitalização do mundo eliminará os pontos comuns de fricção e adaptará os serviços a cada indivíduo. Trarão a conveniência e a abundância do mundo on-line para nossa realidade off-line. Da mesma forma importante, ao compreender e prever os hábitos de cada cliente, essas lojas farão grandes melhorias em suas cadeias de suprimentos, reduzindo o desperdício de alimentos e aumentando a lucratividade.

E um supermercado como o que descrevi não está longe. As principais tecnologias já existem e, em grande parte, agora é uma questão de resolver pequenos problemas no software, integrando o *back-end* da cadeia de suprimentos e construindo as lojas em si.

Uma educação alimentada por OMO

Esses tipos de cenários OMO imersivos vão muito além das compras. Essas mesmas técnicas — identificação visual, reconhecimento de fala, criação de um perfil detalhado baseado no comportamento anterior — podem ser usadas para criar uma experiência altamente personalizada em educação.

Os sistemas atuais de educação ainda são amplamente executados no "modelo fabril" de educação do século XIX: todos os alunos são forçados a aprender na mesma velocidade, da mesma maneira, no mesmo lugar e ao mesmo tempo. As escolas adotam uma abordagem de "linha de montagem", passando as crianças de uma série para a outra a cada ano, em grande parte independentemente de terem absorvido ou não o que foi ensinado. É um modelo que antes fazia sentido, dadas as severas limitações de recursos de ensino, ou seja, o tempo e a atenção de alguém que pode ensinar, monitorar e avaliar os alunos.

Mas a IA pode nos ajudar a eliminar essas limitações. As habilidades de percepção, reconhecimento e recomendação da IA podem adaptar o processo de aprendizado a cada aluno e liberar os professores para mais tempo de instrução individual.

A experiência de educação com tecnologia IA ocorre em quatro cenários: ensino em sala de aula, lição de casa e exercícios, provas e notas, e aulas personalizadas. O desempenho e o comportamento nesses quatro ambientes alimentam e constroem o alicerce da educação baseada em IA, o perfil do aluno. Esse perfil contém uma contabilidade detalhada de tudo que afeta o processo de aprendizado do aluno, como quais conceitos eles já entenderam, em quais têm dificuldades, como reagem a diferentes métodos de ensino, se prestam atenção durante a aula, com que rapidez respondem às perguntas, e quais incentivos os motivam. Para ver como esses dados são coletados e usados para atualizar o processo educacional, vamos examinar os quatro cenários descritos acima.

Durante o ensino presencial, as escolas empregarão um modelo de professor duplo que combina uma palestra de transmissão remota de um educador de alto nível e uma atenção mais pessoal do professor na sala de aula. Na primeira metade da aula, um professor de primeira linha faz uma palestra por meio de uma televisão de tela grande na frente da turma. Esse professor dá palestras simultaneamente para cerca de vinte salas de aula e faz perguntas que os alunos devem responder por dispositivos portáteis em tempo real, demonstrando se compreendem os conceitos.

Durante a palestra, uma câmera de videoconferência na frente da sala usa reconhecimento facial e análise de postura para mostrar a participação, verificar a atenção dos alunos e avaliar o nível de compreensão baseado em gestos, como assentir, balançar a cabeça e expressões de perplexidade. Todos esses dados — respostas às perguntas, atenção e compreensão — vão diretamente para o perfil do estudante, preenchendo uma imagem em tempo real do que os alunos sabem e em que parte precisam de ajuda extra.

Mas a aprendizagem em sala de aula é apenas uma fração de todo o quadro da educação em IA. Quando os alunos vão para casa, o perfil do estudante é combinado com algoritmos geradores de perguntas para criar tarefas de casa adaptadas com precisão às habilidades de cada um deles. Enquanto as crianças espertas terão que completar problemas de nível mais alto que as desafiam, os alunos que ainda precisam entender o material recebem perguntas mais fundamentais e, talvez, exercícios extras.

A cada passo do caminho, o tempo e o desempenho dos alunos em diferentes problemas alimentam seus perfis, ajustando os problemas subsequentes para reforçar a compreensão. Além disso, para disciplinas como inglês (que é obrigatória nas escolas públicas chinesas), o reconhecimento de fala com tecnologia de IA pode levar uma boa formação em língua inglesa para as regiões mais remotas. Os algoritmos de reconhecimento de fala de alto desempenho podem ser treinados para avaliar a pronúncia dos alunos, ajudando-os a melhorar a entonação e o sotaque, sem a necessidade de um falante nativo de inglês no local.

Do ponto de vista de um professor, essas mesmas ferramentas podem ser usadas para aliviar o peso das tarefas de avaliação de rotina, liberando-os para que passem mais tempo com os próprios alunos. As empresas chinesas já usaram as habilidades de reconhecimento visual da IA de percepção para criar scanners que podem classificar testes de múltipla escolha e preencher os espaços em branco. Mesmo em ensaios, erros padrão de ortografia ou gramática podem ser marcados automaticamente, com deduções predeterminadas de pontos para certos erros. Essa tecnologia alimentada por IA economizará tempo dos professores na correção dos conceitos básicos, permitindo que dediquem esse tempo para se comunicar com os alunos sobre os conceitos de redação de nível mais alto.

Finalmente, para os alunos que estão ficando para trás, o perfil do aluno com tecnologia IA notificará os pais sobre a situação de seus filhos, dando uma explicação clara e detalhada de quais conceitos o aluno está tendo dificuldade. Os pais podem usar essas informações para conseguir um tutor remoto por meio de serviços como o VIPKid, que conecta professores norte-americanos a estudantes chineses para aulas de inglês on-line. A tutoria remota existe há algum tempo, mas a IA de percepção permite agora que essas plataformas coletem dados continuamente sobre o envolvimento dos alunos através da análise da expressão e do sentimento. Esses dados alimentam sem cessar o perfil dos estudantes, ajudando as plataformas a filtrar os tipos de professores que envolvem os alunos.

Quase todas as ferramentas descritas aqui já existem e muitas estão sendo implementadas em diferentes salas de aula em toda a China. Juntas, elas constituem um novo paradigma de educação com tecnologia IA, que une os mundos on-line e off-line para criar uma experiência de aprendizagem adaptada às necessidades e habilidades de cada aluno. A China parece pronta para ultrapassar os Estados Unidos em educação via IA, em grande parte devido à demanda voraz dos pais chineses. Os pais de filhos únicos investem dinheiro em sua educação, resultado de valores profundamente enraizados entre os chineses, intensa competição por vagas nas universidades e um sistema de educação pública de qualidade. Esses pais já levaram serviços como o VIPKid a uma avaliação de mais de 3 bilhões de dólares em apenas alguns anos.

Espaços públicos e dados privados

Criar e alavancar essas experiências OMO exigem a aspiração de oceanos de dados do mundo real. A otimização dos fluxos de tráfego através do City Brain do Alibaba exige que você receba feeds de vídeo de toda a cidade. Personalizar as experiências de varejo OMO para cada cliente exige identificá-los por meio do reconhecimento facial. E ter acesso ao poder da internet por meio de comandos de voz requer tecnologia que escute cada palavra nossa.

Esse tipo de coleta de dados pode não ser bem-visto para muitos norte-americanos. Eles não querem que o Big Brother ou a América corporativa saibam tanto sobre o que estão fazendo. Mas o povo chinês aceita que seu rosto, voz e escolhas de compra sejam capturados e digitalizados. Esse é outro exemplo da maior disposição chinesa para trocar algum grau de privacidade por conveniência. Essa vigilância é filtrada de usuários individuais a ambientes urbanos inteiros. As cidades chinesas já usam uma densa rede de câmeras e sensores para reforçar as leis de trânsito. Essa teia de imagens de vigilância agora está alimentando diretamente algoritmos de otimização para gerenciamento de tráfego, policiamento e serviços de emergência.

Cabe a cada país tomar suas próprias decisões sobre como equilibrar a privacidade e os dados públicos. A Europa adotou a abordagem mais rigorosa em matéria de proteção de dados, introduzindo o Regulamento Geral sobre a Proteção de Dados, uma lei que estabelece uma série de restrições à coleta e utilização de informações na União Europeia. Os Estados Unidos continuam lutando para implementar proteções apropriadas à privacidade do usuário, uma tensão ilustrada pelo escândalo Cambridge Analytica do Facebook e pelas subsequentes audiências no Congresso. A China começou a implementar sua própria Lei de Segurança Cibernética em 2017, que incluía novas punições para a coleta ou venda ilegal de dados dos usuários.

Não há resposta certa para questões sobre que nível de vigilância social é um preço que vale a pena pagar para maior conveniência e segurança, ou que nível de anonimato devemos garantir em aeroportos ou estações de metrô. Mas, em termos de impacto imediato, a relativa abertura da China para a coleta de dados em locais públicos significa uma grande vantagem inicial na implementação da IA de percepção. Está acelerando a digitalização de ambientes urbanos e abrindo as portas para novas aplicações OMO no varejo, na segurança e no transporte.

Mas implementar a IA de percepção nessas esferas requer mais do que apenas câmeras de vídeo e dados digitais. Ao contrário da IA da internet e de negócios, a IA de percepção é um empreendimento que exige muito hardware. À medida que transformarmos hospitais, carros e cozinhas em ambientes OMO, precisaremos de um conjunto diversificado de dispositivos de hardware habilitados por sensores para sincronizar os mundos físico e digital.

Feito em Shenzhen

O Vale do Silício pode ser o campeão mundial de inovação de software, mas Shenzhen leva essa coroa para o hardware. Nos últimos cinco anos, essa jovem metrópole industrial na costa sul da China se transformou no ecossistema mais vibrante do mundo para a construção de hardware inteligente. Criar um aplicativo inovador não requer quase nenhuma ferramenta do mundo real: tudo o que você precisa é de um computador e um programador com uma ideia inteligente. Mas construir o hardware para a IA de percepção — carrinhos de compras com olhos e aparelhos de som com orelhas — exige um ecossistema de fabricação poderoso e flexível, incluindo fornecedores de sensores, engenheiros de moldagem por injeção e fábricas de eletrônicos de pequeno porte.

Quando a maioria das pessoas pensa em fábricas chinesas, imaginam lugares horríveis com milhares de trabalhadores mal pagos costurando sapatos baratos e ursinhos de pelúcia. Essas fábricas ainda existem, mas o ecossistema manufatureiro chinês passou por uma grande atualização tecnológica. Hoje, a maior vantagem de fabricar na China não é a mão de obra barata — países como Indonésia e Vietnã oferecem salários mais baixos. Em vez disso, é a flexibilidade incomparável das redes de suprimentos e os exércitos de engenheiros industriais qualificados que podem criar protótipos de novos dispositivos e construí-los em grande escala.

Esses são os ingredientes secretos que impulsionam Shenzhen, cujos trabalhadores talentosos a transformaram de uma cidade industrial barata para outra que atrai empreendedores que querem construir novos drones, robôs, aparelhos portáteis ou máquinas inteligentes. Em Shenzhen, esses empreendedores têm acesso direto a milhares de fábricas e centenas de milhares de engenheiros que os ajudam a fazer iterações mais rápidas e a produzir bens mais baratos do que em qualquer outro lugar.

Nos vertiginosos mercados eletrônicos da cidade, eles podem escolher entre milhares de diferentes variações de placas de circuito, sensores, microfones e câmeras em miniatura. Quando um protótipo está montado, os construtores podem ir de porta em porta em centenas de fábricas para encontrar alguém capaz de produzir seu produto em pequenos lotes ou em larga escala. Essa densidade geográfica de fornecedores de peças e fabricantes de produtos acelera o processo de inovação. Empreendedores de hardware dizem que uma semana de trabalho em Shenzhen é equivalente a um mês nos Estados Unidos.

Como a IA de percepção transforma nosso ambiente, a facilidade de experimentação e a produção de aparelhos inteligentes dão uma vantagem às startups chinesas. Shenzhen está aberta a startups de hardware internacionais, mas os locais têm uma forte vantagem em casa. As muitas fricções de operar em um país estrangeiro — barreira do idioma, emissão de vistos, complicações fiscais e distância da sede — podem retardar as startups norte-americanas e aumentar o custo de seus produtos. Multinacionais enormes como a Apple têm os recursos para alavancar a produção chinesa ao máximo, mas para pequenas startups estrangeiras, essas fricções podem significar um fracasso. Enquanto isso, startups de hardware locais em Shenzhen são como crianças em uma loja de doces, experimentando livremente e construindo barato.

Mi primeiro

A startup de hardware chinesa Xiaomi dá um exemplo de como seria uma rede de dispositivos de IA de percepção bem trançada. Tendo começado como fabricante de smartphones de baixo custo que tomou o país de assalto, a Xiaomi está agora construindo uma rede de eletrodomésticos capacitados por IA que transformará nossas cozinhas e salas de estar em ambientes OMO.

Central para esse sistema é o alto-falante Mi AI, um dispositivo de comando de voz similar ao Amazon Echo, mas vendido a cerca de metade do preço, graças à vantagem da indústria chinesa de fabricação caseira. Essa vantagem é então aproveitada para construir vários eletrodomésticos inteligentes baseados em sensores: purificadores de ar, panelas de arroz, geladeiras, câmeras de segurança, máquinas de lavar roupa e aspiradores de pó autônomos. A Xiaomi não constrói todos esses dispositivos. Em vez disso, investiu em 220 empresas e incubou 29 startups — muitas delas operando em Shenzhen —, cujos produtos inteligentes estão ligados ao ecossistema Xiaomi. Juntos, eles estão criando um ecossistema doméstico acessível e inteligente, com produtos habilitados para wi-fi que se conectam e facilitam a configuração. Os usuários da Xiaomi podem, então, controlar facilmente todo o ecossistema por meio do comando de voz ou direto em seu celular.

É uma constelação de preço, diversidade e capacidade que criou a maior rede de eletrodomésticos inteligentes do mundo: 85 milhões no final de 2017,[5] muito à frente de qualquer rede norte-americana comparável. É também um ecossistema baseado na vantagem do Made in Shenzhen. Os preços baixos e o enorme mercado da China estão turbinando o processo de coleta de dados da Xiaomi, alimentando um ciclo virtuoso de algoritmos mais fortes, produtos mais inteligentes, melhor experiência de usuário, mais vendas e ainda mais dados. É também um ecossistema que produziu quatro startups unicórnios e está levando a empresa a um IPO previsto que pode avaliá-la em cerca de 100 bilhões de dólares.[6]

À medida que a IA de percepção se conecta a mais peças de hardware, toda a casa se alimentará e operará com dados digitalizados do mundo real. Sua geladeira IA vai pedir mais leite quando perceber que o seu está acabando. Sua máquina de cappuccino vai ligar com seu comando de voz. O chão equipado com IA de seus pais idosos irá alertá-lo imediatamente se eles tiverem tropeçado e caído.

Produtos da terceira onda de IA como esses estão prestes a transformar nosso ambiente cotidiano, eliminando as linhas entre o mundo digital e o mundo físico, até que desapareçam completamente. Durante essa transformação, a indiferença cultural dos usuários chineses com relação à privacidade dos dados e a força de Shenzhen na fabricação de hardware proporcionam uma vantagem clara na implementação. Hoje, a vantagem da China é pequena (60-40), mas prevejo que, daqui a cinco anos, os fatores acima darão à China uma superioridade de mais de 80-20 sobre os Estados Unidos e o resto do mundo na implementação de IA de percepção.

Essas inovações da terceira onda da IA criarão enormes oportunidades econômicas e estabelecerão as bases para a quarta e última onda, a plena autonomia.

Quarta onda: IA autônoma

Quando as máquinas puderem ver e ouvir o mundo ao redor, estarão prontas para se mover por ele com segurança e trabalhar de forma produtiva. A IA autônoma representa a integração e a culminação das três ondas anteriores, unindo a capacidade das máquinas de fusão de otimizar a partir de conjuntos de dados extremamente complexos com suas novas capacidades sensoriais. Combinar esses poderes sobre-humanos produz máquinas que não apenas compreendem o mundo ao seu redor — elas conseguem moldá-lo.

Todos podem estar pensando em carros autônomos hoje em dia, mas antes de mergulharmos nisso, é importante ampliar a lente e reconhecer como será profunda e larga a pegada da quarta onda de IA. Aparelhos IA autônomos vão revolucionar muito do nosso dia a dia, incluindo nossos shoppings, restaurantes, cidades, fábricas e bombeiros. Tal como acontece com as diferentes ondas de IA, isso não se realizará de uma vez. As primeiras aplicações robóticas autônomas funcionarão apenas em ambientes altamente estruturados, onde poderão criar valor econômico imediato. Isso significa principalmente fábricas, armazéns e fazendas.

Mas esses lugares já não são bastante automatizados? As máquinas pesadas já não substituíram muitos empregos braçais? Sim, o mundo desenvolvido substituiu em grande parte o músculo humano por máquinas de alta potência. Mas apesar de serem *automatizadas*, essas máquinas não são *autônomas*. Elas podem repetir uma ação, mas não podem tomar decisões ou improvisar de acordo com a mudança das condições. Inteiramente cegas para as entradas visuais, devem ser controladas por um ser humano ou operar em uma única trilha imutável. Podem executar tarefas repetitivas, mas não podem lidar com desvios ou irregularidades nos objetos que manipulam. No entanto, fornecendo às máquinas o poder da visão, o sentido do tato e a capacidade de otimizar os dados, podemos expandir muito o número de tarefas que elas podem resolver.

Campos de morango e besouros robóticos

Alguns desses aplicativos já estão aqui. Colher morangos parece uma tarefa simples, mas a capacidade de encontrar, julgar e extrair os frutos das plantas mostrou-se impossível de automatizar antes da IA autônoma. Em vez disso, dezenas de milhares de trabalhadores com baixos salários tinham que caminhar debruçados sobre os campos de morango durante todo o dia, usando seus olhos e dedos hábeis para fazer a colheita. É um trabalho cansativo e entediante, e muitos agricultores da Califórnia viam os frutos apodrecerem em seus campos quando não conseguiam encontrar pessoas dispostas a realizá-lo.

Mas uma startup da Califórnia, a Traptic, criou um robô que pode realizar a tarefa. O aparelho é montado na parte de trás de um trator pequeno (ou, no futuro, de um veículo autônomo) e usa algoritmos avançados de visão para encontrar os morangos em meio a um mar de folhagem. Esses mesmos algoritmos verificam a cor da fruta para avaliar a maturação, e um braço de máquina a apanha delicadamente sem danificar o morango.

Os armazéns da Amazon nos dão uma ideia antecipada de como essas tecnologias podem ser transformadoras. Apenas cinco anos atrás, pareciam armazéns tradicionais: longos corredores de prateleiras sedentárias com humanos caminhando ou dirigindo pelos corredores para buscar o estoque. Hoje, os seres humanos ficam parados e as prateleiras vêm até eles. Os armazéns estão cobertos por bandos errantes de robôs autônomos, semelhantes a besouros, que correm em volta com torres quadradas de mercadorias sobre as costas. Esses besouros andam pelo chão da fábrica, evitando por pouco um ao outro e trazendo um punhado de itens para humanos parados quando precisam dessas mercadorias. Tudo o que os funcionários precisam fazer é pegar um item dessa torre, escaneá-lo e colocá-lo em uma caixa. Os seres humanos ficam em um lugar enquanto o armazém executa um balé autônomo elegantemente coreografado ao redor deles.

Todos esses robôs autônomos têm uma coisa em comum: criam valor econômico direto para seus proprietários. Como observado, a IA autônoma aparecerá primeiro em ambientes comerciais, porque esses robôs criam um retorno tangível sobre o investimento, fazendo os trabalhos dos funcionários, que estão ficando mais caros ou mais difíceis de encontrar.

Trabalhadores domésticos nos Estados Unidos — limpadores, cozinheiros e cuidadores — se encaixam muito bem nesses critérios, mas é improvável que vejamos a IA autônoma em casa tão cedo. Contrário ao que os filmes de ficção científica nos condicionaram a acreditar, robôs semelhantes a humanos para o lar estão fora de alcance. Tarefas aparentemente simples, como limpar um quarto ou cuidar de uma criança, estão muito além das capacidades atuais da IA, e os desordenados lugares em que vivemos constituem uma corrida de obstáculos para robôs desajeitados.

Inteligência de enxame

Mas à medida que a tecnologia autônoma se tornar mais ágil e mais inteligente, veremos algumas intricadas aplicações da tecnologia, especialmente com drones, que poderão salvar vidas. Enxames de drones autônomos trabalharão juntos para pintar o exterior de sua casa em apenas algumas horas. Enxames de drones resistentes ao calor combaterão incêndios florestais com uma eficiência centenas de vezes maior que a das equipes de bombeiros tradicionais. Outros drones realizarão operações de busca e resgate após furacões e terremotos, trazendo comida e água para os ilhados e se unindo a drones próximos para resgatar pessoas.

Nesse sentido, a China quase certamente assumirá a liderança na tecnologia de drones autônomos. Shenzhen é o lar da DJI, a maior fabricante de drones do mundo, e o renomado jornalista de tecnologia Chris Anderson afirmou que é "a melhor empresa que já conheci".[7] Estima-se que a DJI já possua 50% do mercado norte-americano de drones e partes ainda maiores do segmento de alta tecnologia. A empresa dedica enormes recursos a pesquisa e desenvolvimento, e já está implementando alguns drones autônomos para uso industrial e pessoal. As tecnologias de enxame ainda estão engatinhando, mas quando conectadas ao incomparável ecossistema de hardware de Shenzhen, os resultados serão impressionantes.

Enquanto esses enxames transformam nossos céus, carros autônomos transformarão nossas estradas. Essa revolução também vai muito além do transporte, modificando os ambientes urbanos, os mercados de trabalho e a forma como organizamos nossos dias. Empresas como o Google demonstraram claramente que os carros autônomos serão muito mais seguros e eficientes do que os condutores humanos. Neste momento, dezenas de startups, gigantes de tecnologia, montadoras e fabricantes de veículos elétricos estão em uma corrida generalizada para serem os primeiros a realmente comercializarem a tecnologia. Google, Baidu, Uber, Didi, Tesla e muitos outros estão construindo equipes, testando tecnologias e reunindo dados para tirar totalmente os motoristas humanos da equação.

Os líderes nessa corrida — o Google, por meio de sua filial de direção autônoma, a Waymo, e a Tesla — representam duas filosofias diferentes para a implementação autônoma, duas abordagens com ecos estranhos nas políticas das duas superpotências de IA.

A abordagem do Google versus a abordagem da Tesla

O Google foi a primeira empresa a desenvolver a tecnologia de direção autônoma, mas foi relativamente lento na implementação dessa tecnologia em escala. Por trás dessa cautela está uma filosofia subjacente: construir o produto perfeito e, em seguida, dar o salto direto para a plena autonomia quando o sistema for muito mais seguro do que os motoristas humanos. É a abordagem de um perfeccionista, com uma tolerância muito baixa ao risco para vidas humanas ou reputação corporativa. É também um sinal de como o Google está à frente da concorrência por causa dos muitos anos de pesquisas. A Tesla adotou uma abordagem mais incremental na tentativa de ganhar terreno. A empresa de Elon Musk acrescentou recursos autônomos limitados aos seus carros assim que eles se tornaram disponíveis: piloto automático para rodovias, giros automáticos para evitar acidentes e capacidade de estacionamento autônomo. É uma abordagem que acelera a velocidade de implementação e, ao mesmo tempo, aceita certo nível de risco.

As duas abordagens são alimentadas pelo mesmo elemento que alimenta a IA: dados. Carros autônomos devem ser treinados em milhões, talvez bilhões, de quilômetros de dados para que possam aprender a identificar objetos e prever os movimentos de carros e pedestres. Esses dados são extraídos de milhares de diferentes veículos na estrada, e tudo é alimentado em um "cérebro" central, a principal coleção de algoritmos que impulsiona a tomada de decisões em toda a frota. Isso significa que, quando qualquer carro autônomo encontra uma nova situação, todos os carros em execução nesses algoritmos aprendem com ele.

O Google adotou uma abordagem lenta e constante para coletar esses dados, dirigindo sua pequena frota de veículos equipados com tecnologias de detecção muito caras. Em vez disso, a Tesla começou a instalar equipamentos mais baratos em seus veículos comerciais, permitindo que os proprietários coletassem os dados para eles quando usassem certos recursos autônomos. As diferentes abordagens levaram a uma enorme diferença de dados entre as duas empresas. Em 2016, o Google levava seis anos acumulando quase 2,5 milhões de quilômetros de dados de condução do mundo real.[8] Em apenas seis meses, a Tesla tinha acumulado 75 milhões de quilômetros.

Google e Tesla estão agora se aproximando um do outro em termos de abordagem. O Google — talvez sentindo a proximidade da Tesla e outros rivais — acelerou a implementação de veículos totalmente autônomos, pilotando um programa com veículos semelhantes a táxis na área metropolitana de Phoenix. Enquanto isso, a Tesla parece ter freado o rápido lançamento de veículos totalmente autônomos, uma desaceleração depois de um acidente em maio de 2016 que matou o dono de um Tesla que estava usando o piloto automático.

Mas a diferença fundamental na abordagem permanece, e apresenta prós e contras. O Google está buscando a segurança impecável, mas no processo atrasou a implementação de sistemas que provavelmente poderiam salvar vidas. A Tesla adota uma abordagem mais técnico-utilitarista, levando seus carros ao mercado assim que obtenham uma melhoria em relação aos motoristas humanos, esperando que as taxas mais rápidas de acumulação de dados treinem os sistemas mais cedo e salvem vidas em geral.

A abordagem estilo "Tesla" da China

Ao gerenciar um país de 1,39 bilhão de pessoas — em que 260 mil pessoas morrem em acidentes de carro a cada ano —, a mentalidade chinesa é que não se pode deixar a perfeição ser a inimiga do bem. Ou seja, em vez de esperar pela chegada de carros autônomos perfeitos, os líderes chineses provavelmente procurarão maneiras de implementar veículos autônomos mais limitados em ambientes controlados. Essa implementação terá o efeito colateral de levar a um crescimento mais exponencial no acúmulo de dados e um avanço correspondente no poder da IA por trás dela.

O ponto-chave para essa implementação incremental será a construção de novas infraestruturas especialmente feitas para acomodar veículos autônomos. Nos Estados Unidos, em contrapartida, constroem-se carros autônomos para se adaptarem às estradas existentes, porque supõe-se que as estradas não poderão ser mudadas. Na China, há uma sensação de que tudo pode mudar — inclusive as estradas atuais. Na verdade, as autoridades locais já estão modificando as rodovias existentes, reorganizando padrões de carga e construindo cidades que serão feitas sob medida para carros sem motoristas.

Os reguladores das rodovias na província chinesa de Zhejiang já anunciaram planos para construir a primeira autoestrada inteligente do país, uma infraestrutura equipada desde o início para veículos autônomos e elétricos. O plano prevê a integração de sensores e comunicação sem fio entre a estrada, os carros e os motoristas a fim de aumentar a velocidade em 20% a 30% e reduzir drasticamente as fatalidades. A superautoestrada terá painéis solares fotovoltaicos embutidos em sua superfície, energia que alimenta estações de carga para veículos elétricos. A longo prazo, o objetivo é conseguir recarregar os veículos elétricos enquanto eles andam pela estrada. Se for bem-sucedido, o projeto acelerará a implementação de veículos autônomos e elétricos, fazendo com que, muito antes de a IA autônoma conseguir lidar com o caos do trânsito urbano, isso se realize nas rodovias, reunindo mais dados no processo.

Mas as autoridades chinesas não estão apenas adaptando as estradas existentes para veículos autônomos. Estão construindo cidades inteiramente novas ao redor da tecnologia. Quase a cem quilômetros ao sul de Pequim fica a Nova Área de Xiongan, um conjunto de aldeias adormecidas onde o governo central ordenou a construção de uma cidade-modelo para o progresso tecnológico e a sustentabilidade ambiental. A cidade está projetada para receber 583 bilhões de dólares em infraestrutura e atingir uma população de 2,5 milhões, quase o mesmo número de pessoas que Chicago.[9] A ideia de construir uma nova Chicago do zero é bastante impensável nos Estados Unidos, mas na China é apenas uma peça do kit de planejamento urbano do governo.

Xiongan está pronta para ser a primeira cidade do mundo construída especificamente para acomodar veículos autônomos. O Baidu assinou acordos com o governo local para construir uma "Cidade IA" com foco em gerenciamento de tráfego, veículos autônomos e proteção ambiental. As adaptações poderiam incluir sensores no cimento, semáforos equipados com visão por computador, cruzamentos que reconheçam a idade dos pedestres que estão atravessando e reduções drásticas no espaço necessário para os carros estacionados. Quando todos estão chamando seu próprio táxi autônomo, por que não transformar esses estacionamentos em parques urbanos?

Dando um passo à frente, novos desenvolvimentos como Xiongan poderiam até mesmo direcionar o tráfego em seus centros urbanos para o subsolo, reservando o coração da cidade para pedestres e ciclistas. É um sistema que seria difícil, se não impossível, de implementar em um mundo de motoristas humanos propensos a erros humanos que entupiriam os túneis. Mas combinando estradas aumentadas, iluminação controlada e veículos autônomos, toda uma rede de tráfego subterrânea poderia estar correndo na velocidade das rodovias, enquanto a vida acima do solo se move em um ritmo mais humano.

Não há garantia de que todas essas amenidades de IA de alta tecnologia serão bem-sucedidas — alguns dos desenvolvimentos tecnológicos da China fracassaram, e cidades novinhas em folha estão lutando para atrair moradores. Mas o governo central classificou o projeto como de alta prioridade e, se for bem-sucedido, cidades como Xiongan crescerão juntas com a IA autônoma. Elas se beneficiarão das eficiências que a inteligência artificial traz e alimentará cada vez mais dados nos algoritmos. A infraestrutura atual dos Estados Unidos significa que a IA autônoma deve se adaptar e conquistar as cidades ao seu redor. Na China, a abordagem proativa do governo é transformar essa conquista em coevolução.

O equilíbrio de poder autônomo

Embora tudo isso pareça estimulante e inovador para a paisagem chinesa, a dura verdade é que nenhuma quantidade de apoio do governo pode garantir que a China lidere a IA autônoma. Quando se trata da tecnologia básica necessária para carros autônomos, as empresas norte-americanas continuam de dois a três anos à frente da China. Nos cronogramas da tecnologia, isso significa anos-luz de distância. Parte disso decorre da importância relativa do conhecimento da elite na quarta onda da IA: as questões de segurança e a grande complexidade tornam os veículos autônomos muito mais difíceis de serem explorados. É um problema que exige uma equipe de engenheiros de primeira linha, em vez de apenas uma ampla base de bons engenheiros. Isso inclina a balança de volta para os Estados Unidos, onde os melhores engenheiros do mundo ainda se aglomeram em empresas como o Google.

As empresas do Vale do Silício também têm uma vantagem substancial em termos de pesquisa e desenvolvimento, um produto da tendência do Vale para projetos estratosféricos. O Google começou a testar seus carros autônomos em 2009, e muitos de seus engenheiros saíram para fundar startups de direção autônoma. O boom da China nessas startups realmente só começou por volta de 2016. Gigantes chinesas como o Baidu e startups de veículos autônomos como Momenta, JingChi e Pony.ai, no entanto, estão rapidamente alcançando a tecnologia e os dados. O Projeto Apollo do Baidu — uma parceria de código aberto e compartilhamento de dados entre cinquenta atores do setor de veículos autônomos, incluindo fabricantes de chips como a Nvidia e montadoras como a Ford e a Daimler — também apresenta uma alternativa ambiciosa à abordagem interna fechada da Waymo. No entanto, mesmo com essa rápida recuperação dos atores chineses, não há dúvida de que, até o momento, os tecnólogos autônomos mais experientes ainda estão nos Estados Unidos.

Prever qual país assumirá a liderança na IA autônoma se resume em grande parte a uma questão central: o principal gargalo para a implementação total será a tecnologia ou a política? Se, para a implementação, os problemas mais difíceis de resolver forem simplesmente técnicos, a Waymo do Google tem a melhor chance de resolvê-los anos antes do concorrente mais próximo. Mas se os novos avanços em áreas como visão computacional se disseminarem depressa por toda a indústria — essencialmente, uma maré técnica alta levantando todos os barcos —, então o avanço do Vale do Silício na tecnologia básica pode ser irrelevante. Muitas empresas se tornarão capazes de construir veículos autônomos seguros, e a implementação se tornará uma questão de adaptação política. Nesse universo, a política chinesa estilo Tesla dará muitas vantagens às suas empresas.

Neste ponto, ainda não sabemos onde será esse gargalo, e a quarta onda da IA continua sem um vencedor certo. Enquanto, hoje, os EUA estão na liderança (90-10), daqui a cinco anos eu daria aos Estados Unidos e à China chances iguais de liderar o mundo em relação aos carros autônomos, com a China tendo a vantagem em aplicações de hardware intensivo, como drones autônomos. Na tabela a seguir, resumo minha avaliação sobre as capacidades dos Estados Unidos e da China em todas as quatro ondas da inteligência artificial, tanto atualmente como daqui a cinco anos, segundo a minha melhor estimativa de como esse equilíbrio terá evoluído.

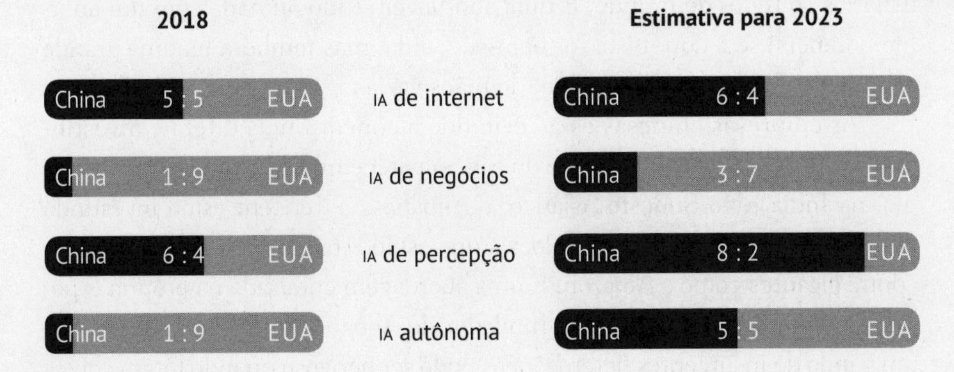

O equilíbrio de capacidades entre os Estados Unidos e a China nas quatro ondas da IA*, em 2018 e cinco anos depois, em 2023.*

Conquistando mercados e armando insurgentes

O que acontece quando você tenta levar esses revolucionários produtos de IA para o resto do mundo? Até agora, grande parte do trabalho feito em IA ficou contido nos mercados chinês e norte-americano, com as empresas evitando, em grande parte, a concorrência direta no território doméstico do outro país. Apesar do fato de que os Estados Unidos e a China são as duas maiores economias do mundo, a grande maioria dos futuros usuários da IA ainda vive em outros países, muitos deles no mundo em desenvolvimento. Qualquer empresa que quiser ser o Facebook ou o Google da era da IA precisa de uma estratégia para alcançar esses usuários e conquistar esses mercados.

Não surpreende que as empresas de tecnologia chinesas e norte-americanas estejam adotando abordagens muito diferentes nos mercados globais: enquanto as gigantes globais dos Estados Unidos buscam conquistar esses mercados para si, a China está, ao contrário, armando as insurgentes startup locais.

Em outras palavras, os gigantes do Vale do Silício, como Google, Facebook e Uber, querem introduzir diretamente seus produtos nesses mercados.

Farão esforços limitados na localização, mas vão se ater ao manual tradicional. Vão construir um produto global e empurrá-lo para bilhões de diferentes usuários ao redor do mundo. É uma abordagem tudo ou nada com um enorme potencial se a conquista for bem-sucedida, mas também há uma grande chance de essas empresas saírem de mãos vazias.

As empresas chinesas estão evitando a concorrência direta e investindo nas startups locais que o Vale do Silício parece querer eliminar. Por exemplo, na Índia e no Sudeste Asiático, o Alibaba e a Tencent estão investindo dinheiro e recursos em startups locais que estão lutando com unhas e dentes contra gigantes como a Amazon. É uma abordagem enraizada na própria experiência do país. Pessoas como o fundador do Alibaba, Jack Ma, sabem como um bando de insurgentes heterogêneos pode ser perigoso quando lutam contra um gigante estrangeiro monolítico. Então, em vez de tentar, ao mesmo tempo, esmagar essas startups e superar o Vale do Silício, estão apostando nos locais.

O ruído das viagens de automóvel

Já existem alguns precedentes para a abordagem chinesa. Desde que a Didi expulsou a Uber da China, investiu e fez parcerias com startups locais que estão lutando para fazer o mesmo em outros países: Lyft nos Estados Unidos, Ola na Índia, Grab em Cingapura, Taxify na Estônia, e Careem no Oriente Médio. Depois de investir na 99 Táxi do Brasil em 2017, a Didi adquiriu a empresa no início de 2018. Juntas, essas startups formaram uma aliança global antiUber, que funciona com dinheiro chinês e se beneficia do know-how do país. Depois de receber os investimentos da Didi, algumas das startups já reconstruíram seus aplicativos na imagem da Didi, e outras estão planejando explorar a força da empresa em IA: otimizando a correspondência com os motoristas, julgando automaticamente as disputas entre motoristas e passageiros, e, no futuro, lançando veículos autônomos.

Não conhecemos a profundidade atual dessas trocas técnicas, mas elas poderiam servir como um modelo alternativo de globalização da IA: capacitar startups domésticas, unindo o conhecimento mundial em IA com dados locais. É um modelo construído mais na cooperação do que na conquista, e pode ser mais adequado à globalização de uma tecnologia que exige tanto engenheiros de alta qualidade quanto coleta de dados local.

A IA tem um quociente de localização muito maior do que os primeiros serviços de internet. Carros autônomos na Índia precisam aprender como os pedestres andam pelas ruas de Bangalore, e os aplicativos de microcrédito no Brasil precisam absorver os hábitos de consumo dos millennials no Rio de Janeiro. Algum treinamento algorítmico pode ser transferido entre diferentes bases de usuários, mas não há substituto para dados reais do mundo real.

Os gigantes do Vale do Silício têm algumas noções sobre a busca e os hábitos sociais nesses países. Mas construir empresas, percepção e produtos de IA autônomos exigirá que as companhias coloquem de verdade o pé em cada mercado. Vão precisar instalar dispositivos de hardware e localizar serviços de inteligência artificial para as peculiaridades dos shoppings centers do norte da África e dos hospitais indonésios. Projetar poder global para fora do Vale do Silício via código de computador pode não ser a resposta de longo prazo.

Claro, ninguém sabe o final dessa partida de xadrez global de IA. As empresas norte-americanas poderiam repentinamente aumentar seus esforços de localização, alavancar seus produtos existentes e acabar dominando todos os países, exceto a China. Ou uma nova geração de empreendedores tenazes no mundo em desenvolvimento poderia usar o apoio chinês para criar impérios locais impenetráveis ao Vale do Silício. Se acontecer o último cenário, os gigantes da tecnologia da China não dominariam o mundo, mas teriam um papel em todos os lados, melhorariam seus próprios algoritmos usando dados de treinamento de muitos mercados e levariam para casa uma parte substancial dos lucros gerados.

Olhando para o futuro

Analisando o horizonte da IA, vemos ondas de tecnologia que em breve inundarão a economia global e inclinarão a paisagem geopolítica na direção da China. As empresas norte-americanas tradicionais estão fazendo um bom trabalho ao usar o aprendizado profundo para obter maiores lucros de seus negócios, e empresas orientadas para IA, como o Google, permanecem como bastiões de especialistas em elite. Mas quando se trata de construir novos impérios na internet, mudar a forma como diagnosticamos doenças, ou repensar o modo como fazemos compras, nos movemos e nos alimentamos, a China parece pronta para assumir a liderança global. As empresas de internet chinesas e norte-americanas adotaram abordagens diferentes para conquistar mercados locais e, à medida que esses serviços de IA se espalham por todos os cantos do mundo, elas podem competir por procuração em países como a Índia, a Indonésia e partes do Oriente Médio e da África.

Essa análise lança luz sobre a ordem mundial emergente da IA, mas também mostra um dos pontos cegos em nosso discurso de IA: a tendência a discuti-la apenas como uma corrida de cavalos. Quem está na frente? Quais são as chances de cada corredor? Quem vai ganhar?

Esse tipo de discussão é importante, mas se nos aprofundarmos nas mudanças que estão por vir, descobriremos que questões muito mais relevantes se escondem logo abaixo da superfície. Quando o verdadeiro poder da inteligência artificial for utilizado, a divisão real não será entre países como os Estados Unidos e a China. Em vez disso, as divisões mais perigosas surgirão dentro de cada país, e terão o poder de destruí-los de fora para dentro.

6. Utopia, distopia e a verdadeira crise da IA

Todos os produtos e serviços de IA descritos no capítulo anterior podem ser obtidos com base nas tecnologias atuais. Colocá-los no mercado não requer grandes inovações na pesquisa de IA, apenas o trabalho básico de implementação cotidiana: coleta de dados, modificação de fórmulas, iteração de algoritmos em experimentos e combinações diferentes, prototipagem de produtos e experimentação de modelos de negócios.

Mas a era da implementação fez mais do que tornar possíveis esses produtos práticos. Também incendiou a imaginação popular no que se trata de IA. Alimentou a crença de que estamos prestes a alcançar o que alguns consideram o Santo Graal da pesquisa de IA, a inteligência geral artificial (AGI) — máquinas pensantes com a capacidade de realizar qualquer tarefa intelectual que um ser humano pode fazer — e muito mais.

Alguns preveem que, com o surgimento da AGI, as máquinas que poderão melhorar a si mesmas desencadearão um crescimento descontrolado na inteligência de computadores. Muitas vezes chamada de "a singularidade", ou superinteligência artificial, esse futuro envolve computadores cuja capacidade de entender e manipular o mundo supera a nossa, comparável à diferença de inteligência entre seres humanos e, digamos, insetos. Essas previsões estonteantes dividiram grande parte da comunidade intelectual em dois campos: os utópicos e os distópicos.

Os utópicos veem a aurora da AGI e a singularidade subsequente como a fronteira final do desenvolvimento humano, uma oportunidade para expandir nossa própria consciência e conquistar a imortalidade. Ray Kurzweil — o excêntrico inventor, futurista e guru-residente do Google — prevê um futuro radical, no qual os seres humanos e as máquinas se fundirão totalmente. Vamos subir nossas mentes para a nuvem, ele prevê, e constantemente renovar nossos corpos através de nanorrobôs inteligentes lançados em nossa corrente sanguínea. Kurzweil prevê que até 2029 teremos computadores com inteligência comparável à dos humanos (isto é, AGI), e que alcançaremos a singularidade até 2045.[1]

Outros pensadores utópicos veem a AGI como algo que nos permitirá decodificar rapidamente os mistérios do universo físico. O fundador da DeepMind, Demis Hassabis, prevê que a criação da superinteligência permitirá que a civilização humana resolva problemas insolúveis, produzindo soluções inconcebivelmente brilhantes para o aquecimento global e doenças antes incuráveis. Com computadores superinteligentes que entendem o universo em níveis que os seres humanos não podem sequer conceber, essas máquinas podem se tornar não apenas ferramentas para aliviar os fardos da humanidade; elas se aproximam da onisciência e da onipotência de um deus.

Nem todo mundo, no entanto, é tão otimista. Elon Musk chamou a superinteligência de "o maior risco que enfrentamos como civilização",[2] comparando sua criação à "convocação de um demônio".[3] Celebridades intelectuais, como o falecido cosmólogo Stephen Hawking, juntaram-se a Musk no campo distópico, sendo que muitos deles foram inspirados pelo trabalho do filósofo de Oxford Nick Bostrom, cujo livro *Superintelligence*, de 2014, capturou a imaginação de muitos futuristas.

Na maior parte, os membros do campo distópico não estão preocupados com um domínio da IA, como imaginado em filmes como a série *Terminator*, com robôs semelhantes a humanos "se transformando em perversos" e caçando pessoas para destruir a humanidade e alcançar o poder. A superinteligência seria o produto da criação humana, não da evolução natural, e, portanto, não teria os mesmos instintos de sobrevivência, reprodução ou dominação que motivam os humanos ou os animais. Em vez disso, é provável que apenas procurasse atingir os objetivos dados da maneira mais eficiente possível.

O medo é de que, se os seres humanos representarem um obstáculo para alcançar um desses objetivos — reverter o aquecimento global, por exemplo —, um agente superinteligente possa facilmente, até de forma acidental, nos apagar da face da Terra. Para um programa de computador cuja imaginação intelectual superasse a nossa, isso não exigiria nada tão violento quanto robôs armados. O profundo conhecimento da superinteligência de química, física e nanotecnologia permitiria maneiras muito mais engenhosas de atingir instantaneamente seus objetivos. Pesquisadores se referem a isso como o "problema de controle" ou "problema de alinhamento de valor", e é algo que preocupa até mesmo os otimistas da AGI.

Embora os cronogramas para essas capacidades variem amplamente, o livro de Bostrom apresenta pesquisas com investigadores de IA, dando uma previsão mediana de 2040 para a criação da AGI, com a superinteligência provavelmente sendo alcançada dentro de três décadas.[4] Mas continue a ler.

Verificação de realidade

Quando as visões utópicas e distópicas do futuro superinteligente são discutidas publicamente, inspiram tanto admiração quanto um sentimento de medo nas audiências. Essas fortes emoções então confundem as linhas em nossa mente, separando esses futuros fantásticos de nossa atual era de implementação da IA. O resultado é uma confusão popular generalizada sobre onde estamos hoje e para onde as coisas estão indo.

Para ser claro, *nenhum* dos cenários descritos acima — as mentes digitais imortais ou as superinteligências onipotentes — são possíveis com base nas tecnologias de hoje. Ainda não há algoritmos conhecidos de AGI ou uma rota de engenharia clara para chegar lá. A singularidade não é algo que pode ocorrer espontaneamente, com veículos autônomos baseados em aprendizado profundo de repente "acordando" e percebendo que podem se unir para formar uma rede superinteligente.

Chegar à AGI exigiria uma série de inovações científicas fundamentais em inteligência artificial, de avanços na escala do aprendizado profundo, ou até algo maior. Essas inovações precisariam remover as principais restrições dos programas de "IA restrita" que executamos hoje e capacitá-los com uma ampla gama de novas habilidades: aprendizado multidomínio; aprendizagem independente do domínio; compreensão de linguagem natural; raciocínio de senso comum, planejamento e aprendizado com um pequeno número de exemplos. Dar o próximo passo para robôs emocionalmente inteligentes pode exigir autoconsciência, humor, amor, empatia e apreciação pela beleza. Estes são os principais obstáculos que separam o que a IA faz hoje — encontrar correlações em dados e fazer previsões — e inteligência geral artificial. Qualquer uma dessas novas habilidades pode exigir múltiplos avanços gigantescos; a AGI implica resolver todos eles.

O erro de muitas previsões da AGI é simplesmente pegar a rápida taxa de avanço da década passada e extrapolá-la para a frente ou lançá-la exponencialmente para cima, em uma bola de neve incontrolável de inteligência computacional. O aprendizado profundo representa um grande avanço no aprendizado de máquina, um movimento para um novo patamar com uma variedade de usos no mundo real: a era da implementação. Porém, não há provas de que essa mudança ascendente represente o começo do crescimento exponencial que inevitavelmente levará à AGI e, em seguida, à superinteligência, a um ritmo cada vez maior.

A ciência é difícil e os avanços científicos fundamentais são ainda mais difíceis. Descobertas como o aprendizado profundo que realmente elevem o padrão da inteligência de máquina são raras e estão, com frequência, separadas por décadas, até por mais tempo. Implementações e melhorias nesses avanços são abundantes, e pesquisadores em lugares como a DeepMind demonstraram poderosas novas abordagens para coisas como aprendizado por reforço. Mas, nos doze anos desde o artigo de Geoffrey Hinton e seus colegas sobre o aprendizado profundo,[5] não vi nada que representasse uma mudança similar na inteligência das máquinas. Sim, os cientistas de IA pesquisados por Bostrom previram uma data mediana de 2040 para a AGI, mas acredito que os cientistas tendem a ser excessivamente otimistas a respeito do prazo no qual uma demonstração acadêmica se tornará um produto no mundo real. No final dos anos 1980, eu era o principal pesquisador mundial em reconhecimento de fala de IA, e entrei para a Apple porque acreditava que a tecnologia seria popular em cinco anos. No final, eu errei por duas décadas.

Não posso garantir que os cientistas definitivamente não farão os avanços que trariam a AGI e, em seguida, a superinteligência. Na verdade, acredito que devemos esperar melhorias contínuas na tecnologia atual. Mas acredito que ainda estamos a muitas décadas, senão séculos, distantes dessa realidade. Há também uma possibilidade real de que a AGI seja algo que os seres humanos nunca alcançarão. A inteligência geral artificial significaria uma tremenda mudança na relação entre humanos e máquinas — o que muitos preveem que seria o evento mais significativo na história da humanidade. É um marco que acredito que não devemos ultrapassar a menos que resolvamos, em primeiro lugar, todos os problemas de controle e segurança. Mas pela relativamente lenta taxa de avanços científicos fundamentais, eu e outros especialistas em IA, entre eles Andrew Ng e Rodney Brooks, acreditamos que a AGI continua mais distante do que se imagina.

Isso significa que não vejo nada além de progresso material estável e glorioso florescimento humano em nosso futuro de IA? De modo nenhum. Ao contrário, acredito que a civilização em breve enfrentará um tipo diferente de crise induzida pela IA. Essa crise não terá o drama apocalíptico de um sucesso de bilheteria de Hollywood, mas, mesmo assim, vai destruir nossos sistemas econômicos e políticos e até chegar a questionar o que significa ser humano no século XXI.

Resumindo, é a futura crise de empregos e de desigualdade. Nossas capacidades atuais de IA não podem criar uma superinteligência que destrua nossa civilização. Mas meu medo é de que nós, seres humanos, podemos ser mais do que capazes de realizar essa tarefa.

Pequim dobrável: visões de ficção científica e economia com a IA

Quando o relógio bate seis da manhã, a cidade se devora. Edifícios densamente compactados de concreto e aço dobram-se na altura do quadril e giram em suas espinhas. Varandas e toldos externos são virados para dentro, criando exteriores suaves e hermeticamente fechados. Os arranha-céus se dividem em componentes, embaralhando e se consolidando em Cubos de Rubik de proporções industriais. Dentro desses blocos estão os moradores do Terceiro Espaço de Pequim, a subclasse econômica que trabalha durante a noite e dorme durante o dia. À medida que a paisagem urbana se dobra, uma colcha de retalhos de quadrados na superfície da Terra começa sua rotação de 180 graus, virando-se para esconder essas estruturas consolidadas no subsolo.

Quando o outro lado desses quadrados se vira para fora, revela uma cidade separada. Os primeiros raios do alvorecer surgem no horizonte quando essa nova cidade se levanta. Ruas arborizadas, vastos parques públicos e lindas casas unifamiliares começam a se desdobrar, espalhando-se para fora até cobrirem completamente a superfície. Os moradores do Primeiro Espaço despertam de seu sono, espreguiçando-se e olhando para um mundo próprio.

Essas são as visões de Hao Jingfang, uma escritora chinesa de ficção científica e pesquisadora de economia. O romance de Hao, *Folding Beijing* [Pequim dobrável],[6] ganhou o prestigioso Prêmio Hugo em 2016 por sua impressionante representação de uma cidade na qual as classes econômicas são separadas em mundos diferentes.

Em uma Pequim futurista, a cidade está dividida em três castas econômicas que dividem o tempo na superfície da cidade. Cinco milhões de habitantes do elitista Primeiro Espaço desfrutam de um ciclo de 24 horas, começando às seis da manhã, um dia e uma noite em uma cidade limpa, hipermoderna e organizada. Quando o Primeiro Espaço se dobra internamente, os 20 milhões de moradores do Segundo Espaço ganham dezesseis horas para trabalhar em uma paisagem urbana um pouco menos glamorosa. Finalmente, os habitantes do Terceiro Espaço — 50 milhões de trabalhadores de saneamento, fornecedores de alimentos e funcionários subalternos — surgem para um turno de oito horas, das dez da noite às seis da manhã, trabalhando no escuro entre os arranha-céus e as montanhas de lixo.

Os trabalhos de triagem de lixo que são um pilar do Terceiro Espaço poderiam ser inteiramente automatizados, mas são feitos por humanos para dar emprego aos desafortunados habitantes condenados a essa vida. É proibida a viagem entre os diferentes espaços, o que cria uma sociedade na qual os moradores privilegiados do Primeiro Espaço podem viver livres da preocupação de que as massas sujas contaminem sua tecnoutopia.

A verdadeira crise da IA

Essa história distópica é uma obra de ficção científica, mas está enraizada em medos reais sobre a estratificação econômica e o desemprego em nosso futuro automatizado. Hao é doutora em economia e gestão pela prestigiada Universidade de Tsinghua. Para o seu trabalho diário, ela realiza pesquisas econômicas em um *think tank* que responde diretamente ao governo central chinês, incluindo a investigação do impacto da IA nos empregos na China.

É um assunto que preocupa profundamente muitos economistas, tecnólogos e futuristas, inclusive eu. Acredito que à medida que as quatro ondas da IA se espalhar pela economia global, terão o potencial de abrir cada vez mais as divisões econômicas entre os que têm e os que não têm, levando ao desemprego tecnológico generalizado. Como a história de Hao ilustra de forma tão vívida, esses abismos de riqueza e classe podem se transformar em algo muito mais profundo: divisões econômicas que rasgam o tecido de nossa sociedade e desafiam nosso senso de dignidade e propósito humanos.

Ganhos de produtividade virão da automatização de tarefas geradoras de lucro, mas também eliminarão empregos de muitos trabalhadores. Essas demissões não discriminarão pelo grau de especializacão, atingindo executivos pós-graduados da mesma forma que muitos trabalhadores manuais. Um diploma universitário — até um diploma profissional altamente especializado — não é garantia de segurança no emprego ao competir com máquinas que podem identificar padrões e tomar decisões em níveis que o cérebro humano simplesmente não consegue entender.

Além das perdas diretas de empregos, a inteligência artificial exacerbará a desigualdade econômica global. Ao dar aos robôs o poder da visão e a capacidade de se mover de forma autônoma, a IA revolucionará a manufatura, fazendo com que as fábricas do Terceiro Mundo sejam abastecidas com exércitos de trabalhadores com baixos salários fora dos negócios. Ao fazer isso, cortará os degraus inferiores na escada do desenvolvimento econômico. Vai privar os países pobres da oportunidade de iniciar o crescimento econômico por meio de exportações de baixo custo, a única rota comprovada que tirou da pobreza países como Coreia do Sul, China e Cingapura. As grandes populações de jovens trabalhadores que antes constituíam a maior vantagem dos países pobres se transformarão em um passivo líquido e potencialmente desestabilizador. Como não há maneira de começar o processo de desenvolvimento, os países pobres vão estagnar enquanto as superpotências da IA decolarão.

Mesmo dentro daqueles países ricos e tecnologicamente avançados, a IA continuará a aumentar a divisão entre os que têm e os que não têm. O ciclo de feedback positivo gerado por quantidades crescentes de dados significa que as indústrias orientadas à IA tendem naturalmente ao monopólio, reduzindo ao mesmo tempo os preços e eliminando a competição entre as empresas. Enquanto as pequenas empresas acabarão sendo forçadas a fechar as portas, os gigantes da indústria da era da IA verão os lucros subirem a níveis antes inimagináveis. Essa concentração de poder econômico nas mãos de poucos será como esfregar sal nas feridas abertas da desigualdade social.

Na maioria dos países desenvolvidos, a desigualdade econômica e o ressentimento de classe estão entre os problemas mais perigosos e potencialmente explosivos. Os últimos anos nos mostraram como um caldeirão de desigualdade de longa duração pode se transformar em convulsão política radical. Acredito que, se não for controlada, a IA lançará gasolina nos incêndios socioeconômicos.

Espreitando debaixo desse tumulto social e econômico, haverá uma luta psicológica, que não aparecerá nas manchetes, mas que pode fazer toda a diferença. À medida que mais pessoas forem substituídas pelas máquinas, serão forçadas a responder a uma pergunta muito mais profunda: em uma era de máquinas inteligentes, o que significa ser humano?

Os tecno-otimistas e a "falácia luddita"

Como as previsões utópicas e distópicas da AGI, essa previsão de uma crise de empregos e desigualdade não está isenta das controvérsias. Um grande contingente de economistas e tecno-otimistas acredita que os temores sobre a perda de emprego criada pela tecnologia são fundamentalmente infundados.

Os membros desse campo rejeitam as previsões terríveis de desemprego como produto de uma "falácia luddita". O termo é derivado dos ludditas, um grupo de tecelões britânicos do século XIX que destruía os novos teares industriais têxteis pois os culpavam pelo aniquilamento de seus meios de subsistência. Apesar dos grandes esforços e protestos dos ludditas, a industrialização avançou a todo vapor, e tanto o número de empregos quanto a qualidade de vida na Inglaterra aumentaram de forma constante durante a maior parte dos dois séculos seguintes. Os ludditas podem ter falhado em sua tentativa de proteger seu ofício da automatização — e muitos daqueles diretamente impactados pela automatização de fato sofreram com salários estagnados por algum tempo —, mas seus filhos e netos estavam em melhor situação devido à mudança.[7]

Isso, afirmam os tecno-otimistas, é a verdadeira história da mudança tecnológica e do desenvolvimento econômico. A tecnologia melhora a produtividade humana e reduz o preço de bens e serviços. Esses preços mais baixos significam que os consumidores têm maior poder de compra e compram mais bens originais ou gastam esse dinheiro em outra coisa. Os dois resultados aumentam a demanda por trabalho e, portanto, empregos. Sim, mudanças na tecnologia podem levar a alguma substituição de curto prazo. Mas, da mesma forma que milhões de agricultores se tornaram operários de fábricas, esses operários demitidos podem se tornar professores de yoga e programadores de software. No longo prazo, o progresso tecnológico nunca leva realmente a uma redução real do emprego ou ao aumento do desemprego.

É uma explicação simples e elegante da riqueza material cada vez maior e dos mercados de trabalho relativamente estáveis no mundo industrializado. Também serve como uma refutação lúcida para uma série de momentos do tipo "O menino que gritava 'Lobo!'" em torno do desemprego tecnológico. Desde a Revolução Industrial, as pessoas temem que tudo, da tecelagem de teares a tratores e caixas eletrônicos, levará a perdas maciças de empregos. Mas, a cada vez, o aumento da produtividade se combinou com a magia do mercado para suavizar as coisas.

Economistas que olham para a história — e os gigantes corporativos que irão lucrar tremendamente com a IA — usam esses exemplos do passado para descartar alegações de desemprego induzido pela IA no futuro. Apontam para milhões de invenções — o descaroçador de algodão, as lâmpadas, os carros, as câmeras de vídeo e os telefones celulares — que não levaram a um desemprego generalizado. Com a inteligência artificial, dizem, não será diferente. Aumentará muito a produtividade e promoverá um crescimento saudável nos empregos e no bem-estar humano. Então, para que se preocupar?

O fim do otimismo cego

Se pensarmos em todas as invenções como pontos de dados e as pesarmos igualmente, os tecno-otimistas têm um argumento convincente e baseado em dados. Mas nem todas as invenções são iguais. Algumas delas mudam a forma como realizamos uma única tarefa (máquinas de escrever), algumas delas eliminam a necessidade de um tipo de mão de obra (calculadoras) e outras destroem toda uma indústria (o descaroçador de algodão).

E depois há mudanças tecnológicas em uma escala totalmente diferente. As ramificações dessas inovações atravessarão dezenas de indústrias, com o potencial de alterar fundamentalmente os processos econômicos e até a organização social. É o que os economistas chamam de tecnologias de propósito geral ou GPTs (General Purpose Technologies). No livro de referência *The Second Machine Age*, os professores do MIT Erik Brynjolfsson e Andrew McAfee descreveram as GPTs como as tecnologias que "realmente importam", aquelas que "interrompem e aceleram a marcha normal do progresso econômico".[8]

Observar apenas as GPTs reduz drasticamente o número de pontos de dados disponíveis para avaliar mudanças tecnológicas e perdas de emprego. Historiadores econômicos têm muitas queixas sobre exatamente quais inovações da era moderna deveriam se qualificar (ferrovias? O motor de combustão interna?), mas levantamentos da literatura revelam três tecnologias que recebem amplo apoio: o motor a vapor, a eletricidade e a tecnologia da informação e comunicação (como computadores e a internet). Estes foram divisores de água, as tecnologias disruptivas que estenderam seu alcance a muitos cantos da economia e alteraram radicalmente a maneira como vivemos e trabalhamos.

Essas três GPTs são raras o bastante para justificar uma avaliação própria, e não simplesmente para serem agregadas a milhões de inovações mais restritas, como a caneta esferográfica ou a transmissão automática. E embora seja verdade que a tendência histórica de longo prazo tenha sido na direção de mais empregos e maior prosperidade, quando olhamos apenas para as GPTs, três pontos de dados não são suficientes para extrair um princípio rígido. Em vez disso, devemos olhar para o registro histórico e ver como cada uma dessas inovações revolucionárias afetou empregos e salários.

A máquina a vapor e a eletrificação foram peças cruciais da primeira e segunda Revoluções Industriais (1760-1830 e 1870-1914, respectivamente). As duas GPTs facilitaram a criação do moderno sistema de fábrica, levando imenso poder e luz abundante aos edifícios que estavam transformando os modos tradicionais de produção. No geral, essa mudança no modo de produção foi de *desqualificação*. Essas fábricas assumiram tarefas que antes exigiam trabalhadores altamente qualificados (por exemplo, fabricar tecidos) e dividiram o trabalho em tarefas muito mais simples que poderiam ser realizadas por trabalhadores pouco qualificados (operando um tear movido a vapor). No processo, essas tecnologias aumentaram consideravelmente a quantidade de bens produzidos e reduziram os preços.

Em termos de emprego, as primeiras GPTs permitiram inovações de processos como a linha de montagem, que deu a milhares — e, em certos casos, a centenas de milhões — de antigos agricultores um papel produtivo na nova economia industrial. Sim, deslocaram um número relativamente pequeno de artesãos qualificados (alguns dos quais se tornariam ludditas), mas capacitaram um número muito maior de trabalhadores pouco qualificados para assumir trabalhos repetitivos e ajudados por máquinas, que aumentaram sua produtividade. Tanto o bolo econômico quanto os padrões gerais de vida aumentaram.

Mas e quanto à mais recente GPT, as tecnologias de informação e comunicação (TIC)? Até agora, seu impacto nos mercados de trabalho e a desigualdade de riqueza foram muito mais ambíguos. Como apontam Brynjolfsson e McAfee em *The Second Machine Age*, nos últimos trinta anos os Estados Unidos viram um crescimento estável na produtividade do trabalhador, mas um crescimento estagnado na renda média e no emprego. Brynjolfsson e McAfee chamam isso de "a grande dissociação".[9] Depois de décadas em que a produtividade, os salários e os empregos aumentaram quase em sintonia, essa linha outrora entrelaçada começou a se desgastar. Embora a produtividade tenha continuado a disparar para cima, os salários e os empregos ficaram estagnados ou diminuíram.

Isso levou a uma crescente estratificação econômica em países desenvolvidos como os Estados Unidos, com os ganhos econômicos da TIC ficando cada vez mais com o 1% mais rico. Esse grupo de elite nos Estados Unidos praticamente dobrou sua participação na renda nacional entre 1980 e 2016.[10] Em 2017, o 1% mais rico dos norte-americanos possuía quase o dobro de riqueza que os 90% inferiores juntos.[11] Enquanto a GPT mais recente proliferava por toda a economia, os salários reais para a classe média norte-americana permaneceram estáveis por mais de trinta anos, e realmente caíram para os mais pobres.[12]

Uma razão pela qual a TIC pode diferir do motor a vapor e da eletrificação é devido ao seu "viés de habilidade". Enquanto as outras duas GPTs aumentaram a produtividade ao *desqualificar* a produção de bens, a TIC possui com frequência — embora nem sempre — um *viés de habilidade* em favor de trabalhadores altamente qualificados. As ferramentas de comunicação digital permitem que os trabalhadores de melhor desempenho gerenciem com eficiência organizações muito maiores e alcancem públicos muito amplos. Ao quebrar as barreiras à disseminação de informações, a TIC capacita os melhores trabalhadores do conhecimento do mundo e prejudica o papel econômico de muitos no meio.

Debates sobre qual é o tamanho do papel desempenhado pela TIC na estagnação de empregos e salários nos Estados Unidos são complexos. A globalização, o declínio dos sindicatos de trabalhadores e a terceirização são todos fatores aqui, fornecendo aos economistas uma base para intermináveis argumentos acadêmicos. Mas uma coisa está cada vez mais clara: não há garantia de que as GPTs que aumentam nossa produtividade também levem a mais empregos ou salários mais altos para os trabalhadores.

Os tecno-otimistas podem continuar a desconsiderar essas preocupações como a mesma velha falácia luddita, mas agora estão argumentando contra algumas das mentes econômicas mais brilhantes da atualidade. Lawrence Summers foi economista-chefe do Banco Mundial, secretário do Tesouro no governo do presidente Bill Clinton, e diretor do Conselho Econômico Nacional do presidente Barack Obama. Nos últimos anos, tem alertado contra o otimismo não questionador em torno da mudança tecnológica e do emprego.

"A resposta claramente não é tentar impedir a mudança técnica", disse Summers ao *New York Times* em 2014, "mas a resposta não é apenas supor que tudo vai ficar bem porque a magia do mercado irá garantir que isso é verdade."[13]

Erik Brynjolfsson emitiu alertas semelhantes sobre a crescente desconexão entre a criação de riqueza e empregos, chamando-a de "o maior desafio de nossa sociedade para a próxima década".[14]

IA: COLOCANDO O G EM GPT

O que tudo isso tem a ver com a IA? Estou confiante de que a IA entrará em breve no clube de elite das GPTs universalmente reconhecidas, estimulando uma revolução na produção econômica e até mesmo na organização social. A revolução da IA estará na mesma escala que a Revolução Industrial, mas provavelmente será maior e definitivamente mais rápida. A empresa de consultoria PwC prevê que a IA adicionará 15,7 trilhões de dólares à economia global até 2030. Se essa previsão for real, será um montante maior do que todo o PIB da China hoje e igual a aproximadamente 80% do PIB dos Estados Unidos em 2017. Estima-se que 70% desses ganhos se acumularão nos Estados Unidos e na China.

Essas rupturas serão mais amplas do que as revoluções econômicas anteriores. O vapor alterou fundamentalmente a natureza do trabalho manual e a TIC fez o mesmo com certos tipos de trabalho cognitivo. A IA vai modificar ambos. Realizará muitos tipos de tarefas físicas e intelectuais com uma velocidade e potência que ultrapassarão em muito qualquer ser humano, aumentando drasticamente a produtividade em tudo, desde o transporte até a manufatura e a medicina.

Ao contrário das GPTs da primeira e segunda Revoluções Industriais, a IA não facilitará a desqualificação da produção econômica. Não será necessário realizar tarefas avançadas por um pequeno número de pessoas e dividi-las ainda mais para um número maior de trabalhadores com baixa qualificação. Em vez disso, simplesmente assumirá a execução de tarefas que atendem a dois critérios: podem ser otimizadas usando dados e não exigem interação social. (Entrarei em maiores detalhes sobre quais trabalhos a IA pode ou não substituir.)

Sim, haverá alguns novos empregos criados no caminho — reparação de robôs e cientistas de dados de IA, por exemplo. Mas o principal impulso do impacto no emprego da IA não é a criação de empregos por meio da requalificação, mas da substituição de empregos por máquinas cada vez mais inteligentes. Os trabalhadores substituídos podem, teoricamente, fazer a transição para outros setores que são mais difíceis de automatizar, mas isso é um processo altamente disruptivo que levará um longo tempo.

Hardware, melhor, mais rápido, mais forte

E o tempo é uma coisa que a revolução da IA não está inclinada a nos conceder. A transição para uma economia impulsionada por IA será muito mais rápida do que qualquer uma das transformações induzidas pela GPT, deixando os trabalhadores e as organizações em uma corrida louca para se ajustarem. Enquanto a Revolução Industrial ocorreu durante várias gerações, a revolução da IA terá um grande impacto em uma geração. Isso porque a adoção da IA será acelerada por três catalisadores que não existiam durante a introdução da energia a vapor e da eletricidade.

Primeiro, muitas criações de IA que aumentam a produtividade são apenas algoritmos digitais: infinitamente replicáveis e instantaneamente distributivos pelo mundo. Isso cria um forte contraste com as revoluções intensivas em hardware de energia a vapor, eletricidade e até mesmo grandes partes da TIC. Para que essas transições ganhassem força, os produtos físicos precisavam ser inventados, prototipados, construídos, vendidos e enviados para os usuários finais. Cada vez que uma melhoria marginal era feita em uma dessas peças de hardware, era necessário que o processo anterior fosse repetido, com os custos resultantes e as fricções sociais que retardavam a adoção de cada novo ajuste. Todas essas fricções atrasaram o desenvolvimento de novas tecnologias e estenderam o tempo até que um produto tivesse o melhor custo para adoção pelas empresas.

Por outro lado, a revolução da IA está bastante livre dessas limitações. Algoritmos digitais podem ser distribuídos praticamente sem custo, e uma vez disseminados, podem ser atualizados e melhorados gratuitamente. Esses algoritmos — não a robótica avançada — vai se espalhar rapidamente e eliminar uma boa parte dos empregos dos colarinhos-brancos. Grande parte da força de trabalho do colarinho-branco é paga para receber e processar informações e, em seguida, tomar uma decisão ou recomendação com base nessas informações — e isso é precisamente o que os algoritmos de IA fazem melhor. Em indústrias com um componente social mínimo, a substituição homem-máquina pode ser feita depressa e em massa, sem qualquer necessidade de lidar com os detalhes confusos de fabricação, envio, instalação e reparos no local. Enquanto o hardware de robôs alimentados por IA ou carros autônomos suportarão alguns desses custos preexistentes, o software subjacente não terá nenhum, permitindo a venda de máquinas que realmente vão melhorar com o tempo. Diminuir essas barreiras à distribuição e melhoria acelerará rapidamente a adoção da IA.

O segundo catalisador é aquele que muitos no mundo da tecnologia hoje consideram natural: a criação da indústria de capital de risco. Financiamento de risco — investimentos iniciais em empresas de alto risco e alto potencial — quase não existia antes dos anos 1970. Isso significava que os inventores e inovadores durante as duas primeiras Revoluções Industriais tiveram que confiar em uma fina colcha de retalhos de mecanismos de financiamento para lançar seus produtos, geralmente via riqueza pessoal, membros da família, patrocinadores ricos ou empréstimos bancários. Nenhum deles possui as estruturas de incentivo criadas para o jogo de alto risco e alto retorno da inovação transformadora do financiamento. Essa escassez de financiamento para a inovação significou que muitas boas ideias provavelmente nunca decolaram, e a implementação bem-sucedida das GPTs foi ampliada muito mais lentamente.

Hoje, o financiamento de risco é uma máquina bem lubrificada dedicada à criação e comercialização de novas tecnologias. Em 2017, o financiamento de capital de risco global estabeleceu um novo recorde, com 148 bilhões de dólares investidos, estimulados pela criação do "fundo de visão" de 100 bilhões de dólares da Softbank, que será desembolsado nos próximos anos.[15] No mesmo ano, o financiamento global de capital de risco para startups de IA saltou para 5,2 bilhões, um aumento de 141% em relação a 2016.[16] Esse dinheiro procura implacavelmente formas de extrair cada dólar de produtividade de uma GPT como a inteligência artificial, com um carinho especial por ideias que podem destruir e recriar uma indústria inteira. Na próxima década, capitais de risco vorazes impulsionarão a rápida aplicação da tecnologia e a iteração de modelos de negócios, não deixando pedra sobre pedra e explorando tudo o que a IA pode fazer.

Por fim, o terceiro catalisador é um igualmente óbvio e, no entanto, muitas vezes esquecido: a China. A inteligência artificial será a primeira GPT da era moderna em que a China está lado a lado com o Ocidente no avanço e na aplicação da tecnologia. Durante as eras da industrialização, eletrificação e informatização, a China esteve tão atrasada que seu povo poderia contribuir pouco ou nada para o campo. Foi apenas nos últimos cinco anos que a China alcançou o mesmo nível em tecnologias de internet para contribuir com ideias e talentos para o ecossistema global, uma tendência que acelerou drasticamente a inovação na internet móvel.

Com a inteligência artificial, o progresso da China permite que o talento de pesquisa e a capacidade criativa de quase um quinto da humanidade contribuam para a tarefa de distribuir e utilizar inteligência artificial. Combine isso com os empreendedores gladiadores do país, o ecossistema único da internet e o apoio proativo do governo, e a entrada da China no campo da IA constitui um grande acelerador para a IA que estava ausente nas GPTs anteriores.

Revendo os argumentos acima, acredito que podemos afirmar com confiança algumas coisas. Em primeiro lugar, durante a era industrial, a nova tecnologia foi associada à criação de empregos a longo prazo e ao crescimento dos salários. Em segundo, apesar dessa tendência geral de avanço econômico, as GPTs são raras e substanciais o suficiente para que o impacto de cada uma sobre o trabalho seja avaliado de forma independente. Em terceiro, das três GPTs amplamente reconhecidas da era moderna, os vieses de habilidade da energia a vapor e da eletrificação impulsionaram tanto a produtividade quanto o emprego. A TIC aumentou a primeira, mas não necessariamente o segundo, contribuindo para a queda dos salários de muitos trabalhadores no mundo desenvolvido e para uma maior desigualdade. Finalmente, a IA será uma GPT, cujos vieses de habilidade e velocidade de adoção — catalisados pela disseminação digital, pelo financiamento de capital de risco e pela China — sugerem que isso levará a impactos negativos no emprego e na distribuição de renda.

Se os argumentos acima forem verdadeiros, as próximas perguntas são claras: Quais empregos estão realmente em risco? E até que ponto será ruim?

O que a IA pode e não pode fazer: os gráficos de riscos de substituição

Quando se trata de substituição de empregos, os vieses da IA não se encaixam na métrica unidimensional tradicional de mão de obra pouco qualificada contra muito qualificada. Em vez disso, a IA cria uma bolsa misturada de vencedores e perdedores, dependendo do conteúdo específico das tarefas de trabalho realizadas. Embora a IA tenha superado em muito os seres humanos em tarefas estreitas que podem ser otimizadas com base em dados, ela permanece teimosamente incapaz de interagir naturalmente com as pessoas ou imitar a destreza de nossos dedos e membros. Também não pode se engajar em pensamento em domínios diferentes sobre tarefas criativas ou aquelas que exigem estratégia complexa, tarefas cujas entradas e resultados não são quantificáveis com facilidade. O que isso significa para a substituição de empregos pode ser expresso simplesmente por meio de dois gráficos X-Y, um para o trabalho físico e outro para o trabalho cognitivo.

Risco de substituição: trabalho cognitivo
Social
Associal
Baseado em otimização
Baseado em criatividade ou estratégia
Verniz Humano
Zona Segura
Zona de Perigo
Lento Rastejar
Organizador de casamentos
Concierge
Advogado de defesa
Professor
Médico (clínico geral)
Guia turístico
Assistente social
CEO
Psiquiatra
Diretor de relações públicas.
Consultor financeiro
Tutor remoto
Radiologista
Representante de serviço ao consumidor
Contador pessoal
Colunista
Médico pesquisador
Cientista
Artista
Analista de sinistro
Designer gráfico
Analista jurídico/financeiro
Tradutor de nível básico
Analista de empréstimos ao consumidor
Atendente de telemarketing

RISCO DE SUBSTITUIÇÃO: TRABALHO FÍSICO
Social
Associal
Baixa destreza e ambiente estruturado
Alta destreza e ambiente desestruturado
Verniz Humano
Zona Segura
Zona de Perigo
Lento Rastejar
Cuidador de idosos
Fornecedor
Fisioterapeuta
Recepcionista de hotel de luxo
Bartender
Cabeleireiro
Garçom de café
Adestrador de cachorros
Motorista
Caixa
Encanador
Empregada doméstica
Construtor/pedreiro
Preparador de fast-food
Cozinheiro
Segurança noturno
Operário de fábrica de roupas
Lavador de pratos
Motorista de caminhão
Mecânico aeroespacial
Colhedor de frutas
Inspetor de linha de produção

Para o trabalho físico, o eixo X se estende de "baixa destreza e ambiente estruturado" no lado esquerdo até "alta destreza e ambiente não estruturado" no lado direito. O eixo Y se move de "associal" na parte inferior para "altamente social" no alto. O gráfico de trabalho cognitivo compartilha o mesmo eixo Y (de associal a altamente social), mas usa um eixo X diferente: "baseado em otimização", à esquerda, para "baseado em criatividade ou estratégia", à direita. Tarefas cognitivas são categorizadas como "baseadas em otimização" se suas tarefas centrais envolvem a maximização de variáveis quantificáveis que podem ser capturadas em dados (por exemplo, definir a melhor taxa de seguro ou maximizar uma restituição de imposto).

Esses eixos dividem os dois gráficos em quatro quadrantes: o quadrante inferior esquerdo é a "Zona de Perigo", o canto superior direito é a "Zona Segura", o canto superior esquerdo é o "Verniz Humano", e o canto inferior direito é o "Lento Rastejar". Trabalhos cujas tarefas caem principalmente na "Zona de Perigo" (lavador de pratos, tradutores de nível básico) correm um alto risco de substituição nos próximos anos. Aqueles na "Zona Segura" (psiquiatras, enfermeiros etc.) provavelmente estão fora do alcance da automatização no futuro previsível. Os quadrantes "Verniz Humano" e "Lento Rastejar" são menos nítidos: embora não sejam totalmente substituíveis no momento, a reorganização das tarefas de trabalho ou os avanços constantes da tecnologia poderia levar a reduções generalizadas de empregos nesses quadrantes. Como veremos, as ocupações geralmente envolvem muitas atividades diferentes fora das "tarefas centrais" que usamos para colocá-las em um determinado quadrante. Essa diversidade de tarefas complicará a automatização de muitas profissões, mas, por enquanto, podemos usar esses eixos e quadrantes como orientação geral para pensar quais ocupações estão em risco.

Para o quadrante "Verniz Humano", grande parte do trabalho físico ou computacional já pode ser feito por máquinas, mas o principal elemento interativo social torna difícil automatizar em massa. O nome do quadrante deriva da rota mais provável para a automatização: enquanto o trabalho de otimização nos bastidores pode ser feito pelas máquinas, os trabalhadores humanos atuam como a interface social para os clientes, levando a uma relação simbiótica entre humano e máquina. Empregos nessa categoria podem incluir bartenders, professores e até mesmo cuidadores. Com que rapidez e qual porcentagem desses trabalhos desaparecerão depende da flexibilidade das empresas na reestruturação das tarefas executadas por seus funcionários e de até que ponto os clientes estarão abertos a interagir com os computadores.

A categoria "Lento Rastejar" (encanador, trabalhador da construção civil, designer gráfico de nível básico) não depende das habilidades sociais dos seres humanos, mas da destreza manual, criatividade ou capacidade de adaptação a ambientes não estruturados. Estes continuam a ser obstáculos substanciais para a IA, mas que a tecnologia irá reduzir gradualmente nos próximos anos. O ritmo da eliminação de empregos nesse quadrante depende menos da inovação de processos nas empresas e mais da expansão real das capacidades de IA. Mas na extremidade direita do "Lento Rastejar" há boas oportunidades para os profissionais criativos (como cientistas e engenheiros aeroespaciais) usarem ferramentas de IA para acelerar seu progresso.

Esses gráficos nos dão uma heurística básica para entender que *tipos* de empregos estão em risco, mas o que isso significa para o *emprego total* em toda a economia? Para isso, devemos olhar para os economistas.

O que os estudos dizem

Prever a escala de perdas de empregos produzidas pela IA tornou-se uma indústria para economistas e consultorias em todo o mundo. Dependendo do modelo que se usa, as estimativas variam de aterrorizante a não serem nenhum problema. Aqui dou uma breve visão geral da literatura e dos métodos, destacando os estudos que moldaram o debate. Poucos bons estudos foram feitos para o mercado chinês, então, em grande parte, me concentro em pesquisas que estimam o potencial de automatização nos Estados Unidos e depois extrapolo esses resultados para a China.

Dois pesquisadores da Universidade de Oxford deram o pontapé inicial em 2013 com um artigo que fazia uma previsão terrível: 47% dos empregos nos Estados Unidos poderiam ser automatizados nas próximas duas décadas.[17] Os autores do artigo, Carl Benedikt Frey e Michael A. Osborne, começaram pedindo a especialistas em aprendizado de máquina que avaliassem a probabilidade de que setenta ocupações pudessem ser automatizadas nos próximos anos. Combinando esses dados com uma lista dos principais "gargalos de engenharia" no aprendizado de máquina (similar às características que marcam a "Zona Segura" nos gráficos nas páginas 186 e 187), Frey e Osborne usaram um modelo de probabilidade para projetar a suscetibilidade de outras 632 ocupações a serem automatizadas.

O resultado — que quase metade dos empregos nos Estados Unidos estava em "alto risco" nas próximas décadas — causou uma grande agitação. Frey e Osborne tiveram o cuidado de observar as muitas ressalvas para sua conclusão. Mais importante ainda era uma estimativa de quais trabalhos seriam *tecnicamente possíveis* fazer com máquinas, não perdas de emprego reais ou níveis de desemprego resultantes. Mas a enxurrada de cobertura da imprensa, em grande parte, escondeu esses detalhes importantes e disseram aos leitores de que metade de todos os trabalhadores logo estaria desempregada.

Outros economistas revidaram. Em 2016, um trio de pesquisadores da Organização para a Cooperação e Desenvolvimento Econômico (OCDE) usou um modelo alternativo para produzir uma estimativa que parecia contradizer diretamente o estudo de Oxford: apenas 9% dos empregos nos Estados Unidos apresentavam alto risco de automatização.[18]

Por que a enorme diferença? Os pesquisadores da OCDE discordaram da abordagem "baseada na ocupação" de Osborne e Frey. Enquanto os pesquisadores de Oxford pediram a especialistas em aprendizado de máquina para julgar a automatibilidade de uma ocupação, a equipe da OCDE apontou que não são ocupações inteiras que serão automatizadas, mas sim tarefas específicas dentro dessas ocupações. A equipe da OCDE argumentou que esse foco nas ocupações ignora as muitas tarefas diferentes que um funcionário executa e que um algoritmo não conseguirá fazer: trabalhar com colegas em grupos, lidar com os clientes cara a cara, e assim por diante.

A equipe da OCDE, ao contrário, propôs uma abordagem *baseada em tarefas*, dividindo cada trabalho em suas muitas atividades componentes e observando quantas delas poderiam ser automatizadas. Nesse modelo, um contador não é meramente categorizado como uma ocupação, mas como uma série de tarefas que são automatizáveis (revisão de documentos de receita, cálculo de deduções máximas, revisão de formulários atrás de inconsistências etc.) e tarefas que não são automatizáveis (reunião com novos clientes, explicar as decisões para esses clientes etc.). A equipe da OCDE, em seguida, executou um modelo de probabilidade para descobrir que porcentagem de empregos estava em "alto risco" (ou seja, pelo menos 70% das tarefas associadas ao trabalho poderiam ser automatizadas). Como observado, eles descobriram que nos Estados Unidos apenas 9% dos trabalhadores entraram na categoria de alto risco. Aplicando o mesmo modelo em vinte outros países da OCDE, os autores descobriram que a porcentagem de empregos de alto risco variava de apenas 6% na Coreia a 12% na Áustria. Não se preocupe, o estudo parecia dizer, os relatos da morte do trabalho foram exagerados.

Não é surpresa que isso não tenha resolvido o debate. A abordagem baseada em tarefas da OCDE se tornou dominante entre os pesquisadores, mas nem todos concordaram com as conclusões otimistas do relatório. No início de 2017, pesquisadores da PwC usaram a abordagem baseada em tarefas para produzir sua própria estimativa, descobrindo que 38% dos empregos nos Estados Unidos estarão sob alto risco de automatização no início da década de 2030.[19] Foi uma divergência impressionante em relação aos 9% da OCDE, que resultou apenas do uso de um algoritmo ligeiramente diferente nos cálculos. Como nos estudos anteriores, os autores da PwC são rápidos em observar que isso é apenas uma estimativa de quais trabalhos *poderiam* ser feitos por máquinas, e quais perdas reais de empregos serão mitigadas por dinâmicas regulatórias, legais e sociais.

Depois dessas estimativas extremamente divergentes, os pesquisadores do McKinsey Global Institute aterrissaram em algum lugar entre ambas. Auxiliei o instituto em sua pesquisa relacionada à China e fui coautor de um relatório sobre o panorama digital chinês. Usando a popular abordagem baseada em tarefas, a equipe do McKinsey estimou que cerca de 50% das tarefas de trabalho em todo o mundo *já são automatizáveis*.[20] Para a China, esse número estava em 51,2%, com os Estados Unidos um pouco abaixo, com 45,8%. Mas quando se tratou da atual *substituição de emprego*, os pesquisadores do McKinsey foram menos pessimistas. Se houver uma adoção rápida de técnicas de automatização (um cenário mais comparável às estimativas acima), 30% das atividades de trabalho no mundo poderão ser automatizadas até 2030, mas apenas 14% dos trabalhadores precisarão mudar de ocupação.

Então, onde esses levantamentos nos deixam? Os especialistas continuam a pesquisar, com as estimativas de potencial de automatização nos Estados Unidos variando de 9% a 47%. Mesmo se ficarmos apenas com a abordagem baseada em tarefas, ainda temos uma variação de 9% a 38%, uma divisão que pode significar a diferença entre prosperidade de base ampla e uma crise de empregos definitiva. Essa variação de estimativas não deveria nos confundir. Em vez disso, deveria nos estimular a pensar criticamente sobre o que esses estudos podem nos ensinar — e o que eles podem ter deixado passar.

O que os estudos deixaram passar

Embora eu respeite a perícia dos economistas que fizeram as estimativas acima, também respeitosamente discordo das estimativas mais baixas da OCDE. Essa diferença está enraizada em dois desacordos: um em relação às entradas de suas equações e outro na grande diferença na maneira como prevejo que a IA destruirá os mercados de trabalho. O problema me faz preferir as estimativas mais altas da PwC, e a diferença de visão me leva a elevar ainda mais esse número.

Meu desacordo sobre insumos decorre da maneira como os estudos estimaram as capacidades técnicas das máquinas nos próximos anos. O estudo de Oxford de 2013 pediu a um grupo de especialistas em aprendizado de máquina que previsse se setenta ocupações provavelmente seriam automatizadas nas próximas duas décadas, usando essas avaliações para projetar a automatibilidade de forma mais ampla. E embora os estudos da OCDE e da PwC diferissem em como dividiam ocupações e tarefas, eles basicamente ficavam com as estimativas de capacidade futura de 2013.

Essas estimativas provavelmente constituíram a melhor suposição de especialistas na época, mas avanços significativos na precisão e no poder do aprendizado de máquina nos últimos cinco anos já movimentaram as metas. Especialistas naquela época podem ter sido capazes de projetar algumas das melhorias que estavam no horizonte. Mas poucos (se existe algum) especialistas previram que o aprendizado profundo iria ficar *tão bom, tão rapidamente*. Essas melhorias inesperadas estão expandindo o domínio do possível quando se trata de usos do mundo real e, portanto, de destruição de trabalho.

Um dos exemplos mais claros dessas melhorias aceleradas é o concurso ImageNet. Na competição, os algoritmos apresentados por equipes diferentes têm a tarefa de identificar milhares de objetos em milhões de imagens distintas, como pássaros, bolas de beisebol, chaves de fenda e mesquitas. O ImageNet tornou-se rapidamente um dos mais respeitados concursos de reconhecimento de imagem e um claro marco para o progresso da IA em visão computacional.

Quando os especialistas em aprendizado de máquina de Oxford fizeram suas estimativas de capacidades técnicas no início de 2013, a mais recente competição ImageNet de 2012 tinha sido a festa de lançamento do aprendizado profundo. A equipe de Geoffrey Hinton usou essas técnicas para alcançar uma taxa de erro recorde de cerca de 16%, um grande avanço em uma competição na qual nenhuma equipe jamais chegou a menos de 25%.

Foi o suficiente para acordar grande parte da comunidade de IA para essa coisa chamada aprendizado profundo, mas era apenas uma amostra do que estava por vir. Em 2017, quase todas as equipes tinham conseguido taxas de erro abaixo de 5% — aproximadamente a precisão dos seres humanos executando a mesma tarefa — com o algoritmo médio daquele ano cometendo apenas um terço dos erros do melhor algoritmo de 2012. Nos anos desde que os especialistas de Oxford fizeram suas previsões, a visão computacional já superou as capacidades humanas e expandiu drasticamente os casos de uso do mundo real para a tecnologia.

Essas capacidades ampliadas vão muito além da visão computacional. Novos algoritmos constantemente definem e ultrapassam registros em campos como reconhecimento de fala, leitura de máquina e tradução automática. Embora essas fortes capacidades não constituam avanços fundamentais na IA, elas abrem os olhos e estimulam a imaginação dos empreendedores.

Juntos, esses avanços técnicos e os usos emergentes me levam às altas porcentagens das estimativas baseadas em tarefas, a saber: a previsão da PwC de que 38% dos empregos nos Estados Unidos estarão sob alto risco de automatização no início da década de 2030.

Dois tipos de perda de trabalho: substituições um-a-um e destruição total

Mas além desse desacordo sobre a metodologia, acredito que usar apenas a abordagem baseada em tarefas deixa passar uma categoria totalmente separada de possíveis perdas de emprego: a destruição de toda uma indústria por causa dos novos modelos de negócios que usam a inteligência artificial. Separada da abordagem baseada na ocupação ou na tarefa, chamarei isso de abordagem *baseada no setor*.

Parte dessa diferença de visão pode ser atribuída ao background profissional. Muitos dos estudos anteriores foram feitos por economistas, enquanto sou um cientista de computação e investidor em estágio inicial. Ao prever quais trabalhos estavam em risco de automatização, os economistas analisaram quais tarefas uma pessoa completava enquanto realizava seu trabalho e perguntaram se uma máquina seria capaz de concluir essas mesmas tarefas. Em outras palavras, a abordagem baseada em tarefas perguntava como era possível fazer uma substituição um-a-um de uma máquina por um trabalhador humano.

Minha experiência me treina para abordar o problema de maneira diferente. No início da minha carreira, trabalhei para transformar tecnologias de ponta com IA em produtos úteis, e como capitalista de risco, financio e ajudo a construir novas startups. Esse trabalho me ajuda a ver a inteligência artificial criando duas ameaças distintas aos empregos: as substituições um-a-um e a destruição total.

Muitas das empresas de IA nas quais investi estão procurando construir um único produto baseado em inteligência artificial que possa substituir um tipo específico de trabalhador — por exemplo, um robô que possa fazer o trabalho de um funcionário de depósito ou um algoritmo de veículo autônomo que possa completar as tarefas principais de um motorista de táxi. Se forem bem-sucedidas, essas empresas acabarão vendendo seus produtos para outras empresas, muitas das quais podem demitir trabalhadores desnecessários como resultado. Esses tipos de substituições individuais são exatamente as perdas de emprego capturadas por economistas que usam a abordagem baseada em tarefas, e eu considero a estimativa de 38% da PwC como um palpite razoável para essa categoria.

Mas existe um tipo completamente diferente de startups de IA: aquelas que reimaginam uma indústria a partir do zero. Essas empresas não procuram substituir um trabalhador humano por um robô feito sob medida que possa lidar com as mesmas tarefas; em vez disso, procuram novas maneiras de satisfazer as necessidades humanas fundamentais que impulsionam o setor.

Startups como a Smart Finance (a financeira baseada em IA que não emprega nenhum funcionário na área de empréstimos), a loja sem vendedores F5 Future Store (uma startup chinesa que cria uma experiência de compra comparável ao supermercado Amazon Go), ou a Toutiao (o aplicativo de notícias algorítmicas que não emprega editores) são exemplos principais desse tipo de empresas. Algoritmos não estão substituindo trabalhadores humanos nessas empresas, simplesmente porque os humanos nunca estiveram lá, para começar. E à medida que os custos mais baixos e os serviços superiores dessas empresas aumentam os ganhos de participação de mercado, elas pressionam seus rivais mais fortes. Essas empresas serão forçadas a se adaptar do zero — reestruturar seus fluxos de trabalho para alavancar a inteligência artificial e reduzir os funcionários — ou correr o risco de falir. De qualquer forma, o resultado é o mesmo: haverá menos trabalhadores.

Esse tipo de perda de emprego induzida pela IA está ausente das estimativas baseadas em tarefas dos economistas. Se alguém aplicasse a abordagem baseada em tarefas para medir a automatibilidade de um editor em um aplicativo de notícias, encontraria dezenas de tarefas que não podem ser executadas por máquinas. Elas não podem ler e entender notícias e artigos, avaliar subjetivamente a adequação para o público de um determinado aplicativo ou se comunicar com repórteres e outros editores. Mas quando os fundadores da Toutiao criaram o aplicativo, não queriam um algoritmo que pudesse realizar todas as tarefas acima. Ao contrário, reinventaram como um aplicativo de notícias poderia executar sua função principal — organizar um feed de notícias que os usuários quisessem ler — e então fez isso usando um algoritmo de IA.

Estimo que esse tipo de destruição total afetará cerca de 10% da força de trabalho nos Estados Unidos. As indústrias mais atingidas serão aquelas que envolvem grandes volumes de trabalho de otimização de rotina em conjunto com marketing externo ou atendimento ao cliente: fast-food, serviços financeiros, segurança e até radiologia. Essas mudanças vão corroer o emprego no quadrante "Verniz Humano" do gráfico anterior, com as empresas consolidando as tarefas de interação com o cliente em um punhado de funcionários, enquanto os algoritmos fazem a maior parte do trabalho pesado nos bastidores. O resultado será reduções abruptas — embora não totais — de empregos nesses campos.

A conclusão

Juntando os percentuais para os dois tipos de automatibilidade — 38% de substituições um-a-um e cerca de 10% da destruição total —, somos confrontados com um desafio monumental. Daqui a dez ou vinte anos, estimo que seremos tecnicamente capazes de automatizar 40% a 50% dos empregos nos Estados Unidos. Para os funcionários que não são totalmente substituídos, a crescente automatização de sua carga de trabalho continuará a reduzir seu valor agregado para a empresa, reduzindo seu poder de barganha nos salários e, potencialmente, levando a demissões a longo prazo. Veremos um grupo maior de trabalhadores desempregados competindo por um conjunto ainda menor de empregos, reduzindo os salários e forçando muitos a trabalhar em meio expediente ou na "economia informal", que carece de benefícios.

Isso — e não é possível enfatizar o suficiente — *não* significa que o país enfrentará uma taxa de desemprego de 40% a 50%. Fricções sociais, restrições regulatórias e simples inércia retardarão muito a taxa real de perdas de emprego. Além disso, haverá também novos empregos criados ao longo do caminho, posições que podem compensar uma parte dessas perdas induzidas pela IA, algo que explorarei nos próximos capítulos. Isso poderia reduzir o número líquido de desemprego induzido pela IA pela metade, entre 20% e 25%, ou reduzi-lo para apenas 10% a 20%.

Essas estimativas estão alinhadas com as da pesquisa mais recente (até o momento em que este livro foi escrito) que tenta apresentar um número de *perdas reais de empregos*, um estudo de fevereiro de 2018 feito pela consultoria Bain and Company. Em vez de se aprofundar nas minúcias de tarefas e ocupações, o estudo da Bain adotou uma abordagem de nível macro, buscando compreender a interação de três forças principais que atuam na economia global: demografia, automatização e desigualdade. A análise da Bain produziu uma conclusão surpreendente: até 2030, os empregadores precisarão de 20% a 25% menos de funcionários, uma porcentagem que equivaleria a entre 30 milhões e 40 milhões de trabalhadores demitidos nos Estados Unidos.[21]

A Bain reconheceu que alguns desses trabalhadores serão reabsorvidos em novas profissões que ainda não existem hoje (como técnico de reparos de robôs), mas previu que essa reabsorção não conseguiria criar uma marca significativa na tendência massiva e crescente de desemprego. E o impacto da automatização será sentido muito mais do que até esses 20% a 25% dos trabalhadores demitidos. O estudo calculou que, se incluirmos tanto o desemprego quanto a supressão de salários, um total de *80%* de todos os trabalhadores serão afetados.

Isso constituiria um golpe devastador para as famílias trabalhadoras. Pior ainda, não seria um choque temporário, como a brisa passageira de 10% de desemprego que os Estados Unidos sofreram após a crise financeira de 2008. Em vez disso, se não for controlado, poderia constituir o novo patamar normal: uma era de pleno emprego para máquinas inteligentes e uma estagnação duradoura para o trabalhador médio.

Comparação Estados Unidos-China: a vingança de Moravec

Mas e a China? Como seus trabalhadores irão se sair nessa admirável economia nova? Poucos bons estudos foram realizados sobre os impactos da automatização aqui, mas a sabedoria convencional afirma que os chineses serão atingidos com muito mais força, com robôs inteligentes soletrando o fim de uma era dourada para os trabalhadores na "fábrica do mundo". Essa previsão é baseada na composição da força de trabalho da China, bem como em uma intuição visceral sobre quais tipos de trabalho serão automatizados.

Mais de um quarto dos trabalhadores chineses ainda estão em fazendas, com outro quarto envolvido na produção industrial. Isso se compara a menos de 2% dos norte-americanos na agricultura e cerca de 18% em empregos industriais. Especialistas como Martin Ford, autor de *Rise of the Robots: Technology and the Threat of a Jobless Future*, argumentaram que essa grande base de trabalho manual rotineiro poderia fazer da China "o ponto zero para a ruptura econômica e social provocada pela ascensão dos robôs".[22] O influente comentarista de tecnologia Vivek Wadhwa previu, de forma semelhante, que a inteligência robótica irá corroer a vantagem trabalhista da China e trazer a produção em massa de volta aos Estados Unidos, embora sem o acompanhamento de empregos para os humanos. "Os robôs norte-americanos trabalham tão duro quanto os robôs chineses", escreveu ele, "e também não se queixam nem se unem aos sindicatos."[23]

Essas previsões são compreensíveis, considerando o histórico recente de automatização. Olhando para os últimos cem anos de evolução econômica, os operários e os trabalhadores rurais enfrentaram as maiores perdas de emprego causadas pela automatização física. Ferramentas industriais e agrícolas (pense em empilhadeiras e tratores) aumentaram consideravelmente a produtividade de cada trabalhador manual, reduzindo a demanda por trabalhadores nesses setores. Projetando essa mesma transição para a era da IA, a sabedoria convencional considera os trabalhadores agrícolas e fabris chineses como alvos diretos da mira da automatização inteligente. Em contrapartida, a economia norte-americana, fortemente orientada a serviços e cargos altamente especializados, tem um maior amortecimento contra possíveis perdas de emprego, protegidos por diplomas universitários e rendimentos de seis dígitos.

Na minha opinião, a sabedoria convencional sobre isso é rudimentar. Enquanto a China enfrentará uma transição brusca no mercado de trabalho devido à automatização, grandes segmentos dessa transição podem chegar mais tarde ou se mover mais lentamente do que as perdas de empregos que afetam a economia norte-americana. Enquanto os trabalhos de fábrica mais simples e rotineiros — controle de qualidade e tarefas simples na linha de montagem — provavelmente serão automatizados nos próximos anos, será mais difícil que os robôs assumam o controle do restante dessas tarefas manuais. Isso acontece porque a automatização inteligente do século XXI opera de maneira diferente da automatização física do século XX. Simplificando, é muito mais fácil construir algoritmos de IA do que construir robôs inteligentes.

O núcleo dessa lógica é um princípio da inteligência artificial conhecido como Paradoxo de Moravec. Hans Moravec foi meu professor na Universidade Carnegie Mellon, e seu trabalho sobre inteligência artificial e robótica o levou a uma verdade fundamental sobre a combinação dos dois: ao contrário das suposições populares, é relativamente fácil para a IA imitar um alto nível intelectual ou habilidades computacionais de um adulto, mas é muito mais difícil dar a um robô a percepção e as habilidades sensório-motoras de uma criança. Algoritmos podem superar os humanos quando se trata de fazer previsões baseadas em dados, mas os robôs ainda não podem executar as tarefas de limpeza de uma camareira de hotel. Em essência, a IA é ótima pensando, mas os robôs são ruins movimentando os dedos.

O paradoxo de Moravec foi articulado na década de 1980, e algumas coisas mudaram desde então. A chegada do aprendizado profundo forneceu às máquinas capacidades perceptuais sobre-humanas quando se trata de fala ou reconhecimento visual. Essas mesmas inovações de aprendizado de máquina também turbinaram as habilidades intelectuais das máquinas, ou seja, o poder de detectar padrões nos dados e tomar decisões. Mas as habilidades motoras dos robôs — a capacidade de agarrar e manipular objetos — ainda estão muito atrás dos humanos. Enquanto a IA pode vencer os melhores seres humanos no Go e diagnosticar câncer com extrema precisão, ainda não pode apreciar uma boa piada.

A ascensão dos algoritmos e o advento dos robôs

Essa dura realidade sobre algoritmos e robôs terá efeitos profundos na *sequência* de perdas de emprego causadas pela IA. A automatização física do século passado prejudicou em grande parte os operários, mas as próximas décadas de automatização inteligente atingirão primeiro os executivos mais especializados. A verdade é que esses trabalhadores têm muito mais a temer dos algoritmos que existem hoje do que dos robôs que ainda precisam ser inventados.

Resumindo, os algoritmos de IA serão para muitos desses profissionais altamente qualificados o que tratores foram para agricultores: uma ferramenta que aumenta drasticamente a produtividade de cada trabalhador e, portanto, reduz o número total de empregados necessários. E, ao contrário dos tratores, os algoritmos podem ser enviados instantaneamente pelo mundo sem custo adicional para o produtor. Uma vez que o software tenha sido enviado para seus milhões de usuários — empresas de auditoria, laboratórios de pesquisa sobre mudança climática, escritórios de advocacia —, pode ser constantemente atualizado e aprimorado, sem a necessidade de criar um novo produto físico.

A robótica, no entanto, é muito mais difícil. Exige uma interação delicada de engenharia mecânica, IA de percepção e manipulação de motores sensíveis. Todos esses problemas são solucionáveis, mas não na velocidade em que o software puro está sendo construído para lidar com tarefas cognitivas de colarinhos-brancos. Quando o robô é construído, ele também precisa ser testado, vendido, enviado, instalado e mantido no local. Os ajustes nos algoritmos subjacentes do robô podem às vezes ser feitos remotamente, mas qualquer falha mecânica exige trabalho prático com a máquina. Todas essas fricções retardarão o ritmo da automatização robótica.

Isso não quer dizer que os trabalhadores manuais da China estejam seguros. Drones para aplicar pesticidas em fazendas, robôs em depósitos para descarregar caminhões e robôs habilitados com visão para controle de qualidade em fábricas reduzirão drasticamente os empregos nesses setores. E as empresas chinesas estão de fato investindo muito em todos os itens acima. O país já é o maior mercado mundial de robôs, comprando quase tanto quanto a Europa e as Américas juntas. Os CEOs chineses e líderes políticos estão unidos defendendo a automatização constante de muitas fábricas e fazendas chinesas.

Mas as consequentes perdas de empregos na China serão mais graduais e fragmentadas do que o impacto dos algoritmos sobre os profissionais especializados. Enquanto o algoritmo digital correto pode acertar como um míssil o trabalho cognitivo, o ataque robótico ao trabalho manual está mais próximo da guerra de trincheiras. No longo prazo, acredito que o número de empregos em risco de automatização será semelhante para a China e os Estados Unidos. A maior ênfase na criatividade e nas habilidades interpessoais da educação norte-americana pode dar uma vantagem em termos de emprego em uma escala de tempo longa o suficiente. No entanto, quando se trata de se adaptar a essas mudanças, a velocidade é importante, e a estrutura econômica particular da China vai ganhar algum tempo.

Os superpoderes da IA contra todo o resto

Quaisquer que sejam as distâncias existentes entre a China e os Estados Unidos, essas diferenças vão diminuir em comparação com as que existirão entre essas duas superpotências de IA e o resto do mundo. Os empreendedores do Vale do Silício adoram descrever seus produtos como "democratizando o acesso", "conectando pessoas" e, é claro, "tornando o mundo um lugar melhor". Essa visão da tecnologia como uma cura para a desigualdade global sempre foi uma espécie de miragem melancólica, mas na era da IA poderia se transformar em algo muito mais perigoso. Se não for controlada, a IA aumentará drasticamente a desigualdade internacional e nacionalmente. Vai criar uma divisão entre as superpotências de IA e o resto do mundo, e pode dividir a sociedade em linhas de classe como as da ficção científica distópica de Hao Jingfang.

Como tecnologia e indústria, a IA gravita naturalmente em direção aos monopólios. Sua dependência de dados para melhoria cria um ciclo de autoperpetuação: produtos melhores levam a mais usuários, esses usuários levam a mais dados e esses dados levam a produtos ainda melhores e, assim, a mais usuários e dados. Quando uma empresa dá o salto para a liderança, esse tipo de ciclo contínuo de repetição pode transformar essa liderança em uma barreira insuperável para a entrada de outras empresas.

As empresas chinesas e norte-americanas já deram o pontapé inicial nesse processo, ultrapassando o resto do mundo. O Canadá, o Reino

Unido, a França e alguns outros países abrigam talentos de ponta e laboratórios de pesquisa, mas muitas vezes não possuem os outros ingredientes necessários para se tornarem uma verdadeira superpotência de IA: uma grande base de usuários e um ecossistema empreendedor vibrante de capital de risco. Além da DeepMind de Londres, ainda não vimos nenhuma empresa inovadora de IA surgir nesses países. Todos os sete gigantes de IA e uma grande parte dos melhores engenheiros já estão concentrados nos Estados Unidos e na China. Estão construindo enormes quantidades de dados que alimentam uma grande variedade de produtos verticais diferentes, como carros autônomos, tradução de idiomas, drones autônomos, reconhecimento facial, processamento de linguagem natural e muito mais. Quanto mais dados essas empresas acumularem, mais difícil será para empresas de outros países competirem.

À medida que a IA espalhar seus tentáculos em todos os aspectos da vida econômica, os benefícios fluirão para esses bastiões de dados e talentos da IA. A PwC estima que os Estados Unidos e a China estão prontos para capturar 70% dos 15,7 trilhões de dólares que a IA irá adicionar à economia global até 2030, com a China sozinha levando para casa 7 trilhões.[24] Outros países só conseguirão recolher os restos, enquanto essas superpotências de IA aumentarão a produtividade em casa e colherão lucros de mercados no mundo todo. As empresas norte-americanas provavelmente reivindicarão muitos mercados desenvolvidos, e os gigantes de IA da China terão uma chance maior de conquistar o sudeste da Ásia, a África e o Oriente Médio.

Temo que esse processo exacerbará e aumentará significativamente a divisão entre os que têm e os que não têm. Enquanto os países ricos em IA acumulam lucros extraordinários, os países que não ultrapassaram certo limiar tecnológico e econômico ficarão para trás. Com a fabricação e os serviços cada vez mais feitos por máquinas inteligentes localizadas nas superpotências de IA, os países em desenvolvimento perderão a vantagem competitiva que seus antecessores usaram para dar início ao desenvolvimento: mão de obra fabril de baixa remuneração.

A existência de grandes populações de jovens costumava ser os pontos fortes desses países. Mas na era da IA, esse grupo será formado por trabalhadores incapazes de encontrar trabalho economicamente produtivo. Essa mudança radical vai transformá-los de um motor de crescimento em um passivo nas contas públicas — e potencialmente explosivo, se seus governos forem incapazes de satisfazer suas demandas por uma vida melhor.

Privados da chance de sair da pobreza, os países pobres vão estagnar enquanto as superpotências da IA decolarão. Temo que essa crescente divisão econômica force os países pobres a um estado de dependência e subserviência quase total. Seus governos podem tentar negociar com a superpotência que fornece sua tecnologia de IA, mercado comercial e acesso a dados para garantir a ajuda econômica para sua população. Seja qual for a barganha, não será baseada na influência ou na igualdade entre as nações.

A máquina da desigualdade da IA

O mesmo esforço para que a polarização se espalhe pela economia global também exacerbará a desigualdade dentro das superpotências da IA. A afinidade natural da IA por monopólios levará a uma economia do tipo "o vencedor leva tudo" a dezenas de outros setores, e os vieses de habilidade da tecnologia gerarão um mercado de trabalho bifurcado que pressionará a classe média. A "grande dissociação" de produtividade e salários já criou uma ruptura entre o 1% e o 99%. Sem nenhum controle, a inteligência artificial, essa é a minha preocupação, vai pegar essa ruptura e abri-la totalmente.

Já estamos vendo essa tendência de monopolização no mundo on-line. A internet deveria ser um lugar de livre competição e igualdade de condições, mas em poucos anos muitas funções centrais on-line se transformaram em impérios monopolísticos. Para grande parte do mundo desenvolvido, o Google domina os mecanismos de busca, o Facebook domina as redes sociais e a Amazon é dona do comércio eletrônico. As empresas de internet chinesas tendem a se preocupar menos em "permanecer em sua rota", então há mais escaramuças entre esses gigantes, mas a grande maioria das atividades on-line da China ainda é canalizada através de apenas um punhado de empresas.

A IA trará a mesma tendência monopolista a dezenas de indústrias, corroendo os mecanismos competitivos dos mercados no processo. Poderíamos ver o rápido surgimento de uma nova oligarquia corporativa, uma classe de campeões da indústria movida a IA, cujos dados sobre a concorrência se alimentam até se tornarem totalmente intocáveis. As leis antimonopólios norte-americanas são muitas vezes difíceis de aplicar nessa situação, devido à exigência na legislação dos Estados Unidos de que os autores da ação demonstrem que o monopólio está de fato prejudicando os consumidores. Os monopolistas da IA, ao contrário, provavelmente entregarão melhores serviços a preços mais baratos para os consumidores, um movimento possibilitado pelos incríveis ganhos de produtividade e eficiência da tecnologia.

Mas, enquanto esses monopólios da IA derrubam os preços, também aumentam a desigualdade. Os lucros corporativos vão explodir, inundando de riqueza os executivos e engenheiros de elite que tiveram a sorte de participar da ação. Apenas imagine: qual seria a lucratividade da Uber se a empresa não tivesse motoristas? Ou a da Apple, se não precisasse de trabalhadores de fábrica para fazer iPhones? Ou a do Walmart, se não pagasse caixas, funcionários de depósito e motoristas de caminhão?

O surgimento de um mercado de trabalho cada vez mais bifurcado aumentará a desigualdade de renda. Os empregos que seguirão existindo tenderão a ser trabalhos lucrativos para aqueles que tiverem melhor desempenho ou empregos de baixa remuneração em setores duros. O risco de substituição citado nas cifras anteriores reflete isso. Os trabalhos mais difíceis de automatizar — no canto superior direito da "Zona Segura"— incluem as duas extremidades do espectro de renda: CEOs e cuidadores, capitalistas de risco e massagistas.

Enquanto isso, muitas das profissões que formam a base da classe média — motoristas de caminhão, contadores, gerentes de escritório — serão esvaziadas. Claro, poderíamos tentar fazer a transição desses trabalhadores para algumas das ocupações altamente sociais e com necessidades de destreza que permanecerão seguras. Cuidadores em domicílio, os tecno-otimistas apontam, é a profissão que mais cresce nos Estados Unidos. Mas também é uma das mais mal pagas, com um salário anual de cerca de 22 mil dólares.

Uma onda de trabalhadores recém-demitidos que tentarem entrar no setor só exercerá mais pressão sobre esse número.

Empurrar mais pessoas para esses empregos, enquanto os ricos alavancam a IA com ganhos enormes, não cria apenas uma sociedade que é dramaticamente desigual. Temo que também se mostre insustentável e assustadoramente instável.

Uma imagem sombria

Quando analisamos o horizonte econômico, vemos que a inteligência artificial promete produzir riqueza em uma escala jamais vista na história da humanidade — algo que deveria ser motivo de comemoração. Mas se for deixada sem controle, a IA também produzirá uma distribuição global de riqueza que aumentará irremediavelmente a desigualdade. Os países pobres em IA serão incapazes de subir a escada do desenvolvimento econômico, relegados ao status de subserviência permanente. Os países ricos em IA acumularão grandes riquezas, mas também testemunharão a monopolização generalizada da economia e um mercado de trabalho dividido em castas econômicas.

Não se engane: esta não é apenas a agitação normal de destruição criativa do capitalismo, um processo que já ajudou a levar a um novo equilíbrio de mais empregos, salários mais altos e melhor qualidade de vida para todos. O mercado livre é supostamente autocorretivo, mas esses mecanismos de autocorreção não funcionam em uma economia impulsionada pela inteligência artificial. A mão de obra de baixo custo não oferece vantagem sobre as máquinas, e os monopólios orientados por dados são sempre autorreforçadores.

Essas forças estão se combinando para criar um fenômeno histórico único, que abalará as bases de nossos mercados de trabalho, economias e sociedades. Mesmo que as previsões mais terríveis de perda de emprego não se concretizem totalmente, o impacto social da desigualdade violenta pode ser igualmente traumático. Podemos não chegar a construir as cidades dobráveis da ficção científica de Hao Jingfang, mas corremos o risco de que a IA crie um sistema de castas do século XXI que divida a população entre a elite da IA e o que o historiador Yuval N. Harari chamou cruelmente de "classe inútil", pessoas que nunca conseguem gerar valor econômico suficiente para se sustentar.[25] Pior ainda, a história recente nos mostrou como podem ser frágeis nossas instituições políticas e nossa estrutura social diante da desigualdade insolúvel. Temo que as revoltas recentes sejam apenas um ensaio para as rupturas que acontecerão na era da IA.

Levando para o lado pessoal: a futura crise de significado

A turbulência resultante terá dimensões políticas, econômicas e sociais, mas também será intensamente pessoal. Nos séculos desde a Revolução Industrial, temos visto cada vez mais nosso trabalho não apenas como um meio de sobrevivência, mas como uma fonte de orgulho pessoal, identidade e significado da vida real. Quando nos apresentamos em um ambiente social, um emprego é muitas vezes a primeira coisa que mencionamos. Isso preenche nossos dias e fornece uma sensação de rotina e fonte de conexões humanas. Um salário regular tornou-se uma maneira não apenas de recompensar o trabalho, mas também de sinalizar para as pessoas que somos um membro valioso da sociedade, um colaborador de um projeto comum.

Cortar esses laços — ou forçar as pessoas a adotar carreiras móveis — vai nos prejudicar muito mais do que apenas nossa vida financeira. Constituirá um ataque direto ao nosso sentido de identidade e propósito. Falando ao *New York Times* em 2014, um eletricista demitido chamado Frank Walsh descreveu o custo psicológico do desemprego insuperável.

"Perdi meu sentido de valor, sabe o que eu quero dizer?", observou Walsh. "Alguém pergunta: 'O que você faz?', e eu diria: 'Sou eletricista'. Mas agora não digo nada. Não sou mais eletricista."[26]

Essa perda de significado e propósito tem consequências muito reais e sérias. As taxas de depressão triplicam entre os que estão desempregados por seis meses, e as pessoas que procuram trabalho têm duas vezes mais chances de cometer suicídio do que as bem empregadas.[27] O abuso de álcool e as overdoses de opiáceos aumentam junto com as taxas de desemprego, com alguns acadêmicos atribuindo as altas taxas de mortalidade entre brancos norte-americanos sem instrução ao declínio dos resultados econômicos, um fenômeno que eles chamam de "mortes de desespero".[28]

O dano psicológico do desemprego causado pela IA irá aumentar ainda mais. As pessoas enfrentarão a perspectiva de não estarem temporariamente desempregadas, mas de estarem permanentemente excluídas do funcionamento da economia. Elas observarão como os algoritmos e robôs os superam com facilidade em tarefas e habilidades que passaram a vida inteira para dominar. Isso levará a uma sensação esmagadora de futilidade, uma sensação de ter se tornado completamente obsoleto.

Os vencedores dessa economia da IA ficarão maravilhados com o incrível poder dessas máquinas. Mas o resto da humanidade terá que lidar com uma questão muito mais profunda: quando as máquinas podem fazer tudo que podemos, o que significa ser humano?

Essa é uma questão com a qual lutei nas profundezas da minha crise pessoal de mortalidade e significado. Essa crise me levou a um lugar muito escuro, empurrou meu corpo ao limite e desafiou minhas suposições mais profundas sobre o que importa na vida. Mas foi esse processo — e essa dor — que abriu meus olhos para um final alternativo para a história dos seres humanos e da inteligência artificial.

7. A sabedoria do câncer

As questões profundas levantadas pelo nosso futuro com a IA — perguntas sobre a relação entre trabalho, valor e o que significa ser humano — me afetaram de uma forma muito próxima.

Durante a maior parte da minha vida adulta, fui motivado por uma ética de trabalho quase fanática. Dediquei quase todo meu tempo e energia ao meu trabalho, deixando muito pouco para a família ou os amigos. Meu sentido de autoestima derivava das minhas conquistas no trabalho, de minha capacidade de criar valor econômico e de expandir minha própria influência no mundo.

Passei minha carreira de pesquisador trabalhando para construir algoritmos de inteligência artificial cada vez mais poderosos. Ao fazer isso, comecei a ver minha própria vida como uma espécie de algoritmo de otimização com objetivos claros: maximizar a influência pessoal e minimizar qualquer coisa que não contribuísse para essa meta. Procurei quantificar tudo na minha vida, equilibrando essas "entradas" e ajustando o algoritmo.

Não negligenciei inteiramente minha esposa ou minhas filhas, mas sempre procurei passar tempo *suficiente* com elas para que não se queixassem. Assim que sentia que havia chegado a esse limite, voltava ao trabalho, respondendo a e-mails, lançando produtos, financiando empresas e fazendo discursos. Mesmo nas profundezas do sono, meu corpo naturalmente acordava duas vezes toda noite — às duas e às cinco da manhã — para responder a e-mails dos Estados Unidos.

Essa dedicação obsessiva ao trabalho foi recompensada. Tornei-me um dos maiores pesquisadores de IA do mundo, fundei o melhor instituto de pesquisa em ciência da computação na Ásia, comecei o Google China, criei meu próprio fundo de capital de risco, escrevi vários livros que venderam bem em chinês e me tornei uma das personalidades mais seguidas em redes sociais na China. Por qualquer métrica objetiva, meu chamado algoritmo pessoal foi um grande sucesso.

Então as coisas chegaram a um impasse.

Em setembro de 2013, fui diagnosticado com linfoma estágio IV. Em um instante, meu mundo de algoritmos mentais e realizações pessoais desabou. Nenhuma dessas coisas poderia me salvar agora, ou me dar conforto e algum tipo de sentido. Como tantas pessoas forçadas a de súbito enfrentar sua própria mortalidade, fui tomado pelo medo por meu futuro e por um arrependimento profundo e doloroso pela maneira como tinha vivido minha vida.

Ano após ano, tinha ignorado a oportunidade de passar tempo e compartilhar amor com as pessoas mais próximas de mim. Minha família não me deu nada além de afeto e amor, e eu tinha respondido com cálculos frios. Na verdade, hipnotizado pela minha busca por criar máquinas que pensassem como seres humanos, tinha me tornado um homem que pensava como uma máquina.

Meu câncer entraria em remissão, poupando minha vida, mas as epifanias desencadeadas por esse confronto pessoal com a morte permaneceriam comigo. Elas me levaram a reorganizar minhas prioridades e a mudar totalmente minha vida. Passo muito mais tempo com minha esposa e minhas filhas, e me mudei para ficar mais perto da minha mãe idosa. Reduzi drasticamente minha presença nas redes sociais, dedicando esse tempo a encontrar e a tentar ajudar os jovens que me procuram. Pedi perdão àqueles que ofendi e procurei ser um colaborador mais gentil e empático. Acima de tudo, parei de ver minha vida como um algoritmo para otimizar minha influência. Em vez disso, tento gastar minha energia fazendo a única coisa que descobri que realmente traz sentido à vida de uma pessoa: compartilhar amor com aqueles que nos rodeiam.

Essa experiência de proximidade com a morte também me deu uma nova visão de como os humanos podem coexistir com a inteligência artificial. Sim, essa tecnologia criará um enorme valor econômico e destruirá um número impressionante de empregos. Se permanecermos presos em uma mentalidade que iguala nosso valor econômico ao nosso valor como seres humanos, essa transição para a era da IA devastará nossas sociedades e causará estragos em nosso equilíbrio emocional.

Mas há outro caminho, uma oportunidade de usar a inteligência artificial para redobrar o que nos torna realmente humanos. Esse caminho não será fácil, mas acredito que representa nossa maior esperança de não apenas sobreviver na era da IA, mas de fato prosperar. É uma jornada que tomei em minha própria vida, que mudou meu foco das máquinas de volta para as pessoas, e da inteligência de volta para o amor.

16 DE DEZEMBRO DE 1991

O caos rotineiro de um parto girava ao meu redor. Enfermeiros e médicos com as roupas apropriadas entravam e saíam da sala, verificando as medições e trocando o soro. Minha esposa, Shen-Ling, estava deitada no leito do hospital, lutando contra o ato físico e o mental mais exaustivo que um ser humano pode realizar: trazer outro ser humano ao mundo. Era 16 de dezembro de 1991 e eu ia me tornar pai pela primeira vez.

Nosso médico me disse que seria um parto complexo porque o bebê estava ao contrário, com a cabeça voltada para a barriga, em vez de para baixo. Isso significava que Shen-Ling poderia precisar de uma cesariana. Eu caminhava de um lado para outro, ansioso, ainda mais no limite do que a maioria dos outros pais esperando o grande dia. Eu estava preocupado com Shen-Ling e com a saúde do bebê, mas minha mente não estava inteiramente naquela sala de parto.

Isso porque era o dia em que eu deveria fazer uma apresentação para John Sculley, meu CEO na Apple e um dos homens mais poderosos do mundo da tecnologia. Um ano antes, eu tinha entrado na Apple como cientista-chefe de reconhecimento de fala, e essa apresentação era minha chance de ganhar o endosso de Sculley para nossa proposta de incluir a síntese de fala em todos os computadores Macintosh e o reconhecimento de fala em todos os novos tipos de Mac.

O parto da minha esposa continuava, e eu ficava olhando para o relógio. Esperava desesperadamente que ela tivesse o bebê logo para que eu estivesse lá na hora do nascimento e voltasse a tempo para a reunião. Enquanto caminhava pela sala, meus colegas de trabalho telefonaram e perguntaram se devíamos cancelar a reunião ou, talvez, que meu braço direito fizesse a apresentação para Sculley.

"Não", disse a eles. "Acho que consigo."

Mas à medida que o parto se arrastava, parecia cada vez mais improvável que isso acontecesse, e eu estava genuinamente dividido sobre o que deveria fazer: ficar ao lado de minha esposa ou correr para uma reunião importante. Diante de um "problema" como esse, minha mente bem treinada de engenheiro girava em alta velocidade. Eu pesava todas as opções em termos de entradas e saídas, maximizando meu impacto em resultados mensuráveis.

Testemunhar o nascimento da minha primeira filha seria ótimo, mas ela nasceria se eu estivesse lá ou não. Por outro lado, se eu faltasse à apresentação para Sculley, isso poderia ter um impacto substancial e quantificável. Talvez o software não respondesse bem à voz do meu substituto — eu tinha um jeito para conseguir um melhor desempenho que ele —, e Sculley poderia arquivar indefinidamente a pesquisa de reconhecimento de fala. Ou talvez ele pudesse dar luz verde ao projeto, mas depois pôr outra pessoa a cargo. Imaginei que o destino da pesquisa de inteligência artificial estivesse em jogo, e maximizar as chances de sucesso significava simplesmente que eu deveria estar naquela sala para a apresentação.

Eu estava no meio desses cálculos mentais quando o médico me informou que iriam realizar uma cesariana imediatamente. Acompanhei minha esposa até uma sala de cirurgia e, em uma hora, estávamos segurando nossa filhinha. Passamos alguns momentos juntos, e com pouco tempo sobrando, fui para a apresentação.

Tudo terminou muito bem. Sculley deu luz verde ao projeto e exigiu uma campanha publicitária completa em torno do que eu havia criado. Essa campanha levou a uma bem-sucedida palestra TED, artigos publicados no *Wall Street Journal* e uma aparição no *Good Morning America* em 1992, onde demonstrei, com John Sculley, a tecnologia para milhões de telespectadores.

No programa, usamos comandos de voz para marcar uma consulta, escrever um cheque e programar um videocassete, mostrando os primeiros exemplos de funções futuristas que demorariam vinte anos para ficar populares, como a Siri da Apple e a Alexa da Amazon. Esses triunfos me encheram de grande orgulho pessoal e turbinaram minha carreira.

Mas olhando para trás, não são os sucessos da carreira que me vêm à mente. É a cena naquele quarto de hospital. Se eu tivesse sido forçado a escolher entre o nascimento da minha primeira filha e aquela reunião da Apple, provavelmente teria escolhido a reunião.

Hoje devo confessar que acho isso profundamente embaraçoso, mas não totalmente desconcertante. Porque não tinha a ver com apenas uma reunião. Era uma manifestação da mentalidade de máquina que dominou minha vida por décadas.

O Homem de Ferro

Quando era jovem, a ciência da computação e a inteligência artificial me atraíam porque a lógica cristalina dos algoritmos espelhava minha maneira de pensar. Na época, processava tudo à minha vida — amizades, trabalho e tempo para a família — como variáveis ou entradas no meu próprio algoritmo mental. Eram coisas a serem quantificadas e medidas nas quantias precisas e necessárias para alcançar um resultado específico.

Como qualquer bom algoritmo, é claro que tinha que equilibrar vários objetivos. Os carros autônomos não são otimizados apenas para levá-lo para casa o mais rápido possível; devem fazer isso sem infringir nenhuma lei e ao mesmo tempo minimizando o risco de acidentes. Da mesma forma, tive que estabelecer alguns compromissos entre minha vida pessoal e profissional. Não fui um pai completamente ausente, marido negligente (apesar do episódio do nascimento da minha filha) ou filho ingrato. Meus algoritmos sociais eram bons o suficiente para que eu fizesse questão de lembrar de aniversários, dar presentes atenciosos e passar algum tempo com as pessoas da minha família.

Mas via tudo isso como funções de minimização, procurando maneiras de alcançar o resultado desejado investindo o menor tempo possível. Sempre ponderei o algoritmo mestre pesadamente em favor dos objetivos da minha carreira para maximizar o tempo no trabalho, a influência pessoal e o status dentro da minha profissão.

Quando me davam férias de quatro semanas, eu passava uma ou duas semanas com minha mãe em Taiwan ou com minha família em Pequim, e depois voltava para o trabalho. Mesmo quando uma cirurgia me forçou a permanecer deitado na cama por duas semanas, não pude deixar meu trabalho. Mandei fazer um guindaste de metal que segurava um monitor de computador acima do meu travesseiro e o conectava com um teclado e um mouse que eu podia acomodar no colo. Eu estava respondendo e-mails poucas horas depois da cirurgia.

Queria que meus funcionários, chefes e fãs me vissem como uma máquina de produtividade turbinada, alguém que fazia duas vezes o trabalho e precisava de metade do tempo de um ser humano normal para descansar. Também dava à minha equipe sugestões não tão sutis de que esperava um esforço similar deles. Meus colegas de trabalho me apelidaram de "Homem de Ferro" e eu adorei.

Essa ética de trabalho impulsionava um estilo de vida estimulante. Tive a chance de estar na fronteira da ciência, no alto dos negócios globais e no centro das atenções de celebridade nacional. Em 2013, fui homenageado como um dos *Time* 100, a lista das pessoas mais influentes do mundo feita pela revista.

O que você quer em sua lápide?

Cada uma dessas conquistas apenas adicionou mais combustível ao meu fogo interno. Elas me incentivaram a trabalhar mais e a pregar esse estilo de vida a milhões de jovens chineses. Escrevi best-sellers com títulos como *Be Your Personal Best*[1] e *Making a World of Difference*.[2] Viajei para universidades em todo o país para realizar discursos inspiradores. A China estava ressurgindo como uma potência global depois de séculos de pobreza, e eu exortava os estudantes chineses a aproveitarem o momento e deixarem sua própria marca na história.

Ironicamente, concluía essas palestras com uma imagem impressionante: uma foto da minha própria lápide. Dizia a eles que a melhor maneira de encontrar a vocação de cada um era imaginar sua própria sepultura e pensar no que queria escrever nela. Disse que minha missão era clara e minha lápide estava pronta:

Aqui jaz Kai-Fu Lee, cientista e executivo.
Através de seu trabalho em empresas de tecnologia de ponta ele transformou avanços técnicos complexos em produtos que todos pudessem usar e dos quais pudessem se beneficiar.

Era uma fantástica conclusão para as palestras, um chamado à ação que combinava com a ambição que pulsava pela China na época. O país estava evoluindo e crescendo mais depressa do que qualquer outro na história, e a empolgação era palpável. Eu me sentia perfeitamente à vontade e no auge da minha capacidade.

Depois de deixar o Google e fundar a Sinovation Ventures, comecei a passar mais tempo orientando jovens. Usava a enorme quantidade de seguidores no Weibo, plataforma parecida com o Twitter, para interagir diretamente com estudantes chineses, oferecendo-lhes orientação e escrevendo cartas abertas que foram publicadas em livros. Apesar de ter continuado à frente de um dos mais prestigiados fundos de capital de risco do país, os estudantes começaram a me chamar de "professor Kai-Fu", um honorífico que, na China, combina grande respeito e certa proximidade.

Eu adorava esse papel como mentor para milhões de estudantes. Acreditava que essa virada para "ensinar" provava minha própria falta de egoísmo e genuíno desejo de ajudar os outros. Em meus discursos nas universidades chinesas, mantive a parte da lápide, mas mudei o epitáfio:

Aqui jaz Kai-Fu Lee, que amava a educação durante o tempo de ascensão da China.
Através de seus escritos, da internet e das palestras, ajudou muitos jovens estudantes, que carinhosamente o chamavam de "professor Kai-Fu".

Proferir esse discurso que deixava o público extasiado me dava muito prazer. O novo epitáfio era um final ainda melhor, pensei, falando sobre minha influência substancial e sobre certa sabedoria que veio com a idade. Eu tinha passado de cientista a engenheiro e de executivo a professor. No caminho, consegui maximizar meu impacto no mundo enquanto dava aos meus fãs uma sensação de afeição e empatia. O algoritmo da minha mente, dizia a mim mesmo, estava sintonizado com a perfeição.

Seria preciso um encontro com a realidade que estava por trás dessa lápide — minha própria mortalidade — para entender como os meus cálculos eram tolos e desorientados.

Diagnóstico

O técnico encarregado da tomografia PET era muito eficiente. Depois que entramos na sala, ele logo começou a inserir minhas informações e programar o dispositivo de imagens. Todos os anos, minha esposa e eu viajávamos de volta a Taiwan para nossos exames médicos. No início de 2013, um de nossos parentes próximos havia sido diagnosticado com câncer, e minha esposa decidiu que nesse ano iríamos fazer ressonância magnética e tomografia computadorizada. Após a revisão, meu médico disse que havia encontrado algo durante os exames preliminares e que eu deveria voltar para uma tomografia PET.

Enquanto a ressonância magnética e a tomografia computadorizada exigem um olhar perito para serem decifradas, os resultados de uma tomografia PET são relativamente fáceis para qualquer um entender. Os pacientes são injetados com um marcador radioativo, uma dose de glicose que contém uma pequena quantidade de um radioisótopo. As células cancerígenas tendem a absorver o açúcar mais intensamente do que outras partes do corpo, então esses radioisótopos em geral se agrupam em torno de crescimentos potencialmente cancerígenos. As imagens de computador geradas pelas tomografias mostram esses agrupamentos em vermelho vivo. Antes de começarmos, perguntei ao técnico se podia ver a tomografias assim que terminasse.

"Não sou radiologista", disse ele. "Mas, sim, posso mostrar as imagens."

Com isso, deitei-me na máquina e desapareci dentro do tubo circular. Quando saí, 45 minutos depois, o técnico ainda estava debruçado sobre o computador, olhando fixamente para a tela e clicando em seu mouse várias vezes.

"Posso ver as imagens agora?", pedi.

"Você realmente deveria ir ver o seu radiologista primeiro", ele respondeu sem olhar para mim.

"Mas você me disse que eu podia ver", protestei. "Está bem aí na tela, não está?"

Cedendo à minha insistência, ele girou o monitor do computador para mim. Um calafrio tomou meu peito, transformando-se em um arrepio gelado que se espalhou pela minha pele. A digitalização escura do meu corpo estava pontilhada com numerosas manchas vermelhas no meu estômago e abdômen.

"O que são todas essas coisas vermelhas?", perguntei, meu maxilar começando a tremer.

O técnico não me olhava nos olhos. Senti o frio inicial se transformar em um pânico quente.

"São tumores?", exigi saber.

"Há uma probabilidade de que sejam tumores", respondeu, ainda sem fazer contato visual. "Mas você deve ficar calmo e ir ver seu radiologista."

Minha mente estava a mil, mas meu corpo continuava no piloto automático. Pedi ao técnico que imprimisse o exame para mim, e segui pelo corredor até o consultório do radiologista. Ainda não tinha consulta com ele, e era contra as regras examinar minhas impressões casualmente, mas pedi e implorei até que alguém concordasse em abrir uma exceção. Depois de verificar os exames, o radiologista me disse que o padrão desses grupos significava que eu tinha um linfoma. Quando perguntei em que estágio estava, ele tentou desviar a questão.

"Bem, é complexo. Temos que descobrir que tipo..."

Eu o interrompi: "Mas em que estágio está?".

"Provavelmente estágio quatro."

Saí da sala e do hospital segurando o papel com as duas mãos, perto do meu peito para que ninguém que passasse ao meu lado pudesse vislumbrar o que crescia dentro de mim. Decidi que tinha que ir para casa e escrever meu testamento.

O testamento

Aquela lágrima na página ia me custar uma hora de trabalho árduo. Tentei enxugá-la com um lenço de papel quando pesou no meu cílio, mas cheguei um segundo atrasado e ela caiu no papel que estava embaixo, aterrissando diretamente sobre o caractere chinês para "Lee". Quando a lágrima salgada se misturou com a tinta da página, formou uma minúscula poça negra que lentamente se infiltrou no papel. Tive que começar de novo.

Para um testamento entrar em vigor imediatamente em Taiwan, deve ser manuscrito, sem defeitos ou rasuras. É um requisito simples, apesar de um pouco datado. Para conseguir isso, peguei minha melhor caneta-tinteiro, a mesma que tinha usado para assinar centenas de cópias dos livros que eu havia escrito: uma autobiografia best-seller e vários volumes incentivando jovens chineses a assumirem o controle de suas carreiras por meio do trabalho duro. Aquela caneta estava falhando agora. Minha mão tremia de ansiedade e minha mente não conseguia afastar a imagem daquele exame de tomografia PET. Tentei manter o foco nas instruções do advogado para o testamento, mas quando minha mente se distraía, a caneta escorregava, estragando um caractere chinês e me forçando a começar do zero.

Não era apenas a lembrança daquelas manchas vermelhas que tornava a escrita tão difícil. Meu testamento devia ser escrito nos caracteres chineses tradicionais usados em Taiwan — combinações complexas de traços, ganchos e floreios muito mais intricados e elegantes do que os caracteres simplificados usados na China continental. Esses caracteres constituem uma das mais antigas linguagens escritas ainda em uso hoje, e eu cresci imerso nela. Devorei romances épicos de kung-fu quando era criança e até escrevi um quando estava na escola primária.

Aos onze anos, mudei-me de Taiwan para o Tennessee, um movimento inspirado pelo meu irmão mais velho, que trabalhava nos Estados Unidos e disse à minha mãe que o sistema educacional de Taiwan era muito rígido e orientado a exames para uma criança como eu. Foi difícil para minha mãe a mudança de seu bebê para o outro lado do mundo, e quando nos despedimos, ela me fez prometer uma coisa: que eu escreveria uma carta para ela em chinês a cada semana. Em suas cartas de resposta, ela incluía uma cópia da última que eu tinha lhe enviado, com correções nos caracteres que eu tinha escrito errado. Essa correspondência manteve o chinês escrito vivo para mim enquanto eu cursava o ensino médio, a faculdade e a pós-graduação nos Estados Unidos.

Quando consegui um emprego de prestígio na Apple, no início dos anos 1990, nossa correspondência manuscrita tornou-se menos frequente. Quando me mudei para Pequim e comecei a trabalhar com a Microsoft, os computadores reduziam cada vez mais o tempo que teria usado para os caracteres tradicionais à mão. Escrever chinês em um computador era mais fácil; era necessário digitar a ortografia romanizada de uma palavra chinesa (por exemplo, *nihao*) e depois selecionar os caracteres correspondentes de uma lista. A inteligência artificial simplificou ainda mais o processo, prevendo e selecionando automaticamente os caracteres com base no contexto. Essa tecnologia tornou a digitação chinesa quase tão eficiente quanto os idiomas alfabéticos como o inglês.

Mas ganhos de eficiência se transformaram em perdas de memória. Enquanto me sentava curvado sobre o papel, esforçava-me para invocar a forma dos caracteres depois de décadas de negligência. Ficava esquecendo um ponto ou adicionando um traço horizontal onde não deveria ter nenhum. Cada vez que eu errava um caractere, amassava o papel e recomeçava.

Meu testamento tinha apenas uma página e deixava tudo para minha esposa, Shen-Ling. Mas meu advogado insistiu que eu devia escrever quatro cópias daquela página, cada uma para explicar uma possível contingência diferente. E se Shen-Ling morresse antes de mim? Então eu deixaria tudo para minhas duas filhas. E se uma delas morresse? E se Shen-Ling e as duas morressem? É um conjunto absurdo de hipóteses para impingir sobre alguém lidando com sua própria mortalidade, mas a lei não estabelece exceções para o sofrimento interno de uma pessoa.

Essas hipóteses, no entanto, me ajudaram a me concentrar no que importava. Não na gestão dos meus ativos financeiros, mas nas pessoas da minha vida. Desde que vi a tomografia PET, o mundo parecia se dissolver em um redemoinho de desespero, comigo no centro. Por que isso aconteceu comigo? Nunca tinha magoado intencionalmente ninguém. Sempre tentei fazer do mundo um lugar melhor, criar tecnologias que facilitassem a vida das pessoas. Tinha usado minha fama na China para educar e inspirar os jovens. Não fiz nada para merecer morrer aos cinquenta e três anos.

Cada um desses pensamentos começava com "eu" e concentrava-se em afirmações arrogantes sobre meu próprio valor "objetivo". Só quando escrevi os nomes de minha esposa e filhas, caractere por caractere em tinta preta, é que parei de chafurdar nesse egocentrismo cheio de autopiedade. A verdadeira tragédia não era que eu não poderia viver muito mais tempo. Era que eu tinha vivido tanto tempo sem compartilhar generosamente o amor com as pessoas mais próximas de mim.

Ver meu ponto-final colocou minha vida em foco e mostrou todo meu egocentrismo. Parei de perguntar por que o mundo tinha feito isso comigo, ou de lamentar que todas as minhas conquistas não pudessem me salvar agora. Comecei a fazer novas perguntas: por que queria tão desesperadamente me transformar em uma máquina de produtividade? Por que não tivera tempo para compartilhar amor com os outros? Por que ignorei a própria essência que me fazia humano?

Vivendo para a morte

Quando o sol se pôs em Taipei, sentei-me sozinho na mesa, olhando para as quatro cópias do meu testamento, que me levaram quatro horas para escrever. Minha esposa estava em Pequim com nossa filha mais nova e eu estava sentado sozinho na sala de estar da casa de minha mãe. No quarto ao lado, minha mãe estava deitada. Durante anos ela estava sofrendo de demência e, embora ainda pudesse reconhecer o filho, tinha pouca capacidade de compreender o mundo ao seu redor.

Por um momento, senti-me grato pela doença que nublava sua mente — se ela pudesse entender o diagnóstico que acabara de ser dado, provavelmente teria sofrido muito. Ela me dera à luz quando tinha quarenta e quatro anos, uma idade na qual os médicos insistiam para que não continuasse com a gravidez. Ela se recusou a considerar essa ideia, mantendo a gravidez e depois cuidando de mim com uma afeição infinita. Eu era seu bebê, e ela adorava me alimentar com seus bolinhos de Sichuan apimentados feitos à mão, embrulhando com delicadeza a carne de porco que praticamente derretia na boca.

Quando me mudei para o Tennessee, apesar de não falar uma palavra de inglês, minha mãe veio e ficou comigo nos meus primeiros seis meses nos Estados Unidos, só para ter certeza de que estava tudo bem. Preparando-se para voltar para casa em Taiwan, só pediu que eu continuasse a escrever para ela aquelas cartas em chinês a cada semana, uma maneira de me manter perto de seu coração e conservar a cultura de meus ancestrais.

Ela era alguém que tinha passado toda a vida compartilhando o amor com os filhos. Sentado em sua mesa de jantar enquanto ela estava deitada no quarto ao lado, eu estava atormentado pelas ondas de remorso. Como fui criado por uma mulher emocionalmente tão generosa e, no entanto, vivi minha vida tão focado em mim mesmo? Por que nunca disse ao meu pai que o amava? Ou realmente mostrei a profundidade do carinho que sentia pela minha mãe antes que a demência se instalasse?

A coisa mais difícil quando enfrentamos a morte não são as experiências que você não terá. São aquelas que você não terá de novo. A enfermeira de cuidados paliativos e escritora Bronnie Ware escreveu extensamente sobre os arrependimentos mais comuns que seus pacientes terminais expressaram em suas últimas semanas de vida. Diante do final, esses pacientes puderam olhar para trás com uma clareza que escapa das pessoas absorvidas na rotina diária. Eles falaram sobre a dor de não ter vivido uma vida verdadeira para si mesmos, o arrependimento de ter se focado tão obsessivamente no trabalho, e a percepção de que são as pessoas em sua vida que dão um verdadeiro significado. Nenhuma dessas pessoas olhava para trás desejando ter trabalhado mais, mas muitas delas desejavam ter passado mais tempo com aqueles que amavam.

"Tudo se resume a amor e relacionamentos no final", escreveu Ware no post do blog que lançou seu livro. "Isso é tudo o que resta nas últimas semanas: amor e relacionamentos."[3]

Sentado à mesa da minha mãe, essa simples verdade agora queimava dentro de mim. Minha mente voltava no tempo, com lembranças de minhas filhas, minha esposa e meus pais. Eu não tinha ignorado os relacionamentos da minha vida; pelo contrário, tinha contabilizado com muita precisão cada um deles. Havia quantificado todos eles e calculado a alocação ideal de tempo necessária para alcançar meus objetivos. Agora eu era tomado por uma sensação de vazio, de perda irrecuperável, como tinha sido pouco o tempo que meu algoritmo mental havia considerado "ideal" às pessoas que amava. Esse modo algorítmico de pensar não era apenas "subideal" no tempo alocado. Estava roubando minha própria humanidade.

O mestre na montanha

Como qualquer epifania que valha a pena, esses pensamentos demoraram a ser absorvidos. Senti algo mudando dentro de mim, mas seria preciso paciência e um autoexame brutalmente honesto para transformar essas dores de arrependimento em uma nova maneira de me envolver com o mundo ao meu redor.

Logo após o meu diagnóstico, um amigo recomendou que eu visitasse o mosteiro budista Fo Guang Shan, no sul de Taiwan. O Venerável Mestre Hsing Yun, um rotundo monge com um sorriso suave, fundou Fo Guang Shan em 1967 e permanece no mosteiro até hoje. Sua ordem monástica pratica o que é chamado de "budismo humanista", uma abordagem moderna da fé que busca integrar práticas e preceitos essenciais em nossa vida diária. Seus monges evitam o severo mistério do budismo tradicional, abraçando a vida com uma alegria inconfessada. O mosteiro acolhe visitantes de todas as origens, compartilhando com eles práticas simples e sabedoria gentil. Ao redor do mosteiro, você vê casais se casando, monges rindo e turistas tirando um momento de sua vida ocupada para se deliciar com a calma que emana das pessoas de lá.

Eu pratiquei o cristianismo nos Estados Unidos, e embora não possua mais uma fé religiosa, mantenho a crença em um criador deste mundo e num poder maior do que o nosso. Ao visitar o mosteiro, não tinha nenhuma ambição particular — apenas um desejo de passar alguns dias meditando sobre o que estava experimentando e refletindo sobre a vida que tinha vivido.

Um dia depois das aulas da manhã, me convidaram para me juntar ao mestre Hsing Yun para um café da manhã vegetariano. O sol ainda não havia subido enquanto comíamos pão integral, tofu e mingau. Mestre Hsing Yun agora usa uma cadeira de rodas para se locomover, mas sua mente permanece clara e afiada. No meio da refeição, ele se virou para mim com uma pergunta brusca.

"Kai-Fu, você já pensou sobre qual é o seu objetivo na vida?"

Sem pensar, por reflexo, dei a resposta que repeti para mim e para outros durante décadas: "Maximizar meu impacto e mudar o mundo".

Falando essas palavras, senti o embaraço que surge quando expomos nossas ambições nuas para os outros. A sensação foi ampliada pelo silêncio que emanava do monge do outro lado da mesa. Mas minha resposta foi honesta. Essa busca por maximizar meu impacto era como um tumor que sempre viveu dentro de mim, sempre tenaz e sempre crescendo. Eu havia lido muitos textos filosóficos e religiosos, mas por décadas nunca tinha examinado ou duvidado criticamente dessa crença motivadora central dentro de mim.

Por um momento, Mestre Hsing Yun não disse nada, usando um pedaço de pão para limpar os últimos restos de café da manhã de sua tigela de madeira. Eu me mexi desconfortavelmente no meu lugar.

"O que significa realmente 'maximizar o impacto'?", ele começou. "Quando as pessoas falam dessa maneira, muitas vezes não passa de um disfarce para o ego, para a vaidade. Se você realmente olha para dentro de si mesmo, pode dizer com certeza que o que o motiva não é o ego? É uma pergunta que você deve fazer ao seu próprio coração, e faça o que fizer, não tente mentir para si mesmo."

Minha mente percorreu todas as refutações. Procurei pela lógica inquestionável que redimiria minhas ações. Os dias desde meu diagnóstico tinham sido um exercício agonizante de arrependimento pela maneira como me envolvi com minha família e amigos. Eu estava lentamente me acostumando com o vazio da minha vida emocional. Mas, como descrito na teoria de Elisabeth Kübler-Ross sobre os cinco estágios do luto, antes da aceitação vem a barganha.[4]

Internamente, eu estava tentando usar meu impacto em milhões de jovens chineses como moeda de barganha, como uma forma de equilibrar a falta de amor compartilhada com a família e os amigos. Eu tinha mais de 50 milhões de seguidores no Weibo, e maximizado implacavelmente o meu impacto nesse grupo. Cheguei mesmo a construir um algoritmo de IA para descobrir e determinar que outras mensagens do Weibo eu deveria repostar, sempre buscando maximizar o impacto. Sim, eu posso ter trocado o tempo da família para fazer palestras, mas pense em todas as pessoas que eu tinha inspirado. Influenciei milhões de jovens estudantes e tentei ajudar um país outrora grande a sair da pobreza. Se você adicionar tudo, não diria que o lado bom supera o ruim? Os presentes que dei a tantos estranhos através do meu trabalho não compensavam a falta de amor que eu compartilhava com as pessoas mais próximas? A equação não se equilibrava no final?

Agora o mestre Hsing Yun chutou a proverbial última perna do banco debaixo de mim. Tentei me explicar e apresentar minhas ações sob a melhor luz, com base no que elas conseguiram. Mas ele não estava interessado nos resultados que meu algoritmo pessoal bem projetado mostrava. Ele pacientemente descascou minhas camadas de desculpas e ofuscação. Sempre dirigia a conversa para dentro, pedindo que me confrontasse com uma honestidade inabalável.

"Kai-Fu, os humanos não são feitos para pensar assim. Esse cálculo constante, essa quantificação de tudo, corrói o que está realmente dentro de nós e o que existe entre nós. Sufoca a única coisa que nos dá a verdadeira vida: amor."

"Estou apenas começando a entender isso, mestre Hsing Yun", disse, abaixando a cabeça, olhando para o chão entre os meus dois pés.

"Muitas pessoas entendem isso", continuou ele, "mas é muito mais difícil vivê-lo. Para isso devemos nos humilhar. Devemos sentir em nossos ossos como somos pequenos, e devemos reconhecer que não há nada maior ou mais valioso neste mundo do que um simples ato de compartilhar o amor com os outros. Se iniciarmos daí, o resto começará a se encaixar. É a única maneira de realmente nos tornarmos nós mesmos."

Com isso, ele se despediu e virou a cadeira de rodas. Fiquei com suas palavras ecoando na minha mente e afundando na minha pele. O tempo desde o meu diagnóstico tinha sido um turbilhão de dor, arrependimento, revelação e dúvida. Cheguei a entender como eram destrutivas minhas antigas formas de pensar, e lutei para substituí-las por uma nova maneira de ser humano no mundo que não imitava algum aspecto desse pensamento algorítmico.

Na presença do mestre Hsing Yun, senti algo novo. Não era tanto a resposta a um enigma ou a solução para um problema. Em vez disso, era uma disposição, uma maneira de entender a si mesmo e encontrar o mundo que não se resumia a entradas, saídas e otimizações.

Durante meu tempo como pesquisador, estive na fronteira absoluta do conhecimento humano sobre inteligência artificial, mas nunca estive mais longe de um entendimento genuíno de outros seres humanos ou de mim mesmo. Esse tipo de entendimento não poderia ser extraído de um algoritmo construído de forma inteligente. Pelo contrário, exigia um olhar inflexível para o espelho da morte e um abraço daquilo que me separava das máquinas que construí: a possibilidade do amor.

Segunda opinião e segunda chance

Enquanto lutava com essas percepções difíceis, o tratamento para o meu câncer prosseguia. Meu primeiro médico classificou a doença como estágio IV, o estágio mais avançado do câncer. Em média, os pacientes com linfoma estágio IV, o do meu tipo, têm cerca de 50% de chance de sobreviver nos próximos cinco anos. Eu queria uma segunda opinião antes de começar o tratamento, e um amigo conseguiu que eu consultasse seu médico de família, o melhor hematologista em Taiwan.

Demoraria uma semana para que pudesse ver aquele médico e, enquanto isso, continuava a conduzir minha própria pesquisa sobre a doença. Na minha vida emocional, eu estava me afastando da busca incessante por quantificação e otimização. Mas, como um cientista treinado cuja vida estava em risco, não pude deixar de tentar entender melhor a doença e quantificar minhas chances de sobrevivência. Vasculhando a internet, devorei toda a informação que pude encontrar sobre o linfoma: causas possíveis, tratamentos de ponta e taxas de sobrevivência em longo prazo. Através da minha leitura, passei a entender como os médicos classificam os vários estágios do linfoma.

Os livros de medicina usam o conceito de "estágios" para descrever como os tumores cancerígenos avançados estão, com estágios posteriores geralmente correspondendo a menores taxas de sobrevivência. No linfoma, o estágio foi tradicionalmente atribuído com base em algumas características diretas: O câncer afetou mais de um linfonodo? Os linfonodos cancerosos estão acima e abaixo do diafragma (parte inferior da caixa torácica)? O câncer é encontrado em órgãos fora do sistema linfático ou na medula óssea do paciente? Tradicionalmente, cada resposta "sim" a uma das perguntas acima faz com que o diagnóstico suba um estágio. O fato de meu linfoma ter afetado mais de vinte locais, que havia se espalhado acima e abaixo do meu diafragma e entrado em um órgão fora do sistema linfático significava que eu era automaticamente categorizado como um paciente no estágio IV.

Mas o que eu não sabia na época do diagnóstico era que esse método cru de criação de estágios é mais relacionado com o que os estudantes de medicina conseguem memorizar do que com o que a medicina moderna pode curar.

A classificação de estágios com base em características tão simples de uma doença complexa é um exemplo clássico da necessidade humana de basear as decisões em "características fortes". Os seres humanos são extremamente limitados em sua capacidade de discernir correlações entre variáveis, então procuramos orientação em alguns dos significantes mais óbvios. Ao fazer empréstimos bancários, por exemplo, essas "características fortes" incluem a renda do tomador, o valor da casa e a pontuação de crédito. Nos estágios do linfoma, eles simplesmente incluem o número e a localização dos tumores.

Essas chamadas características fortes na verdade não representam as ferramentas mais precisas para fazer um prognóstico diferenciado, mas são simples o bastante para um sistema médico no qual o conhecimento deve ser passado, armazenado e recuperado nos cérebros dos médicos humanos. Pesquisas médicas, desde então, identificaram dezenas de outras características dos casos de linfoma que contribuem para prever de forma melhor a chance de sobrevida de cinco anos dos pacientes. Mas memorizar as correlações complexas e as probabilidades precisas de todas essas previsões é algo que nem os melhores estudantes de medicina podem manipular. Como resultado, a maioria dos médicos geralmente não incorpora esses outros indicadores em suas próprias decisões.

Nas profundezas de minha própria pesquisa, encontrei um trabalho que quantificava o poder preditivo dessas métricas alternativas. O trabalho é de uma equipe de pesquisadores da Universidade de Modena e Reggio Emilia, na Itália, e analisou quinze variáveis diferentes, identificando as cinco características que, consideradas em conjunto, se correlacionavam mais fortemente com a sobrevida em cinco anos.[5] Essas características incluíam algumas medidas tradicionais (como o envolvimento da medula óssea), mas também medidas menos intuitivas (existem tumores com mais de seis centímetros de diâmetro? Os níveis de hemoglobina são inferiores a doze gramas por decilitro? O paciente tem mais de sessenta anos?). O artigo então fornece taxas médias de sobrevivência com base em quantas dessas características um paciente exibia.

Para alguém treinado em inteligência artificial — onde até algoritmos simples baseiam suas decisões em centenas, senão em milhares de características diferentes — essa nova forma de decisão ainda parecia longe de ser rigorosa. Procurava reduzir um sistema complexo a apenas algumas características que os humanos poderiam processar. Mas também mostrava que as métricas de avaliação de estágios padrão eram indicadores de prognósticos muito fracos e tinham sido criadas em grande parte para dar aos estudantes de medicina algo que pudessem facilmente memorizar e regurgitar nas provas. A nova rubrica era muito mais orientada a dados, e aproveitei a chance de quantificar minha própria doença com isso.

Vasculhando pilhas de relatórios médicos e resultados de testes do hospital, busquei as informações para cada métrica: minha idade, diâmetro do maior linfonodo envolvido, envolvimento da medula óssea, status da β2-microglobulina e níveis de hemoglobina. Das cinco características mais fortemente correlacionadas à morte prematura, parecia que eu exibia apenas uma. Meus olhos examinaram freneticamente a página, analisando gráficos e traçando linhas entre meus fatores de risco e a taxa de sobrevivência.

E lá estava: enquanto o diagnóstico do estágio IV do hospital significava uma taxa de sobrevivência de apenas 50% em cinco anos, a rubrica mais detalhada e científica do artigo de pesquisa elevava esse número para 89%.

Revisei várias vezes os números, e com cada confirmação fui ficando mais aliviado. Nada dentro do meu corpo havia mudado, mas senti que tinha me afastado do abismo. Mais tarde naquela semana, visitaria o principal especialista em linfoma em Taiwan. Ele confirmaria o que o estudo havia indicado: que a designação do meu linfoma como estágio IV era enganosa, e minha doença continuava altamente tratável. Não havia nada certo — eu sabia disso agora mais do que nunca —, mas existia uma boa chance de que eu continuasse vivo. Eu me senti renascer.

Alívio e renascimento

Há certa sensação que a maioria das pessoas experimenta logo após evitar desastres. É aquela sensação de formigamento que rasteja sobre a pele e através do couro cabeludo alguns segundos depois que seu carro desliza até parar na estrada, a poucos metros de um acidente. À medida que a adrenalina se dissipa e os músculos relaxam, a maioria de nós faz uma promessa silenciosa de nunca mais fazer o que estava fazendo. É uma promessa que podemos manter por alguns dias ou mesmo semanas antes de voltarmos aos velhos hábitos.

Enquanto fazia quimioterapia e meu câncer entrava em remissão, eu também prometi guardar as revelações que o câncer tinha me dado. Deitado acordado à noite nas semanas após meu diagnóstico, repassei minha vida várias vezes, imaginando como tinha sido tão cego. Disse a mim mesmo que, pelo tempo que sobrasse na minha vida, não seria mais um autômato. Não viveria pelos algoritmos internos ou procuraria otimizar variáveis. Tentaria compartilhar amor com aqueles que tinham dado tanto para mim, não para atingir certo objetivo, apenas porque isso era bom e verdadeiro. Não procuraria ser uma máquina de produtividade. Um ser humano amoroso seria o suficiente.

O amor da minha família durante esse tempo serviu como um lembrete constante dessa promessa e uma fonte permanente de força durante o meu tratamento contra o câncer. Apesar de anos dando pouco do meu tempo para eles, quando adoeci, minha esposa, minhas irmãs e filhas entraram em ação para cuidar de mim. Shen-Ling estava sempre ao meu lado durante as exaustivas e aparentemente intermináveis sessões de quimioterapia, cuidando de todas as minhas necessidades e doando algumas horas de sono ao lado da minha cama. A quimioterapia pode interromper a digestão, com cheiros e sabores normais causando náuseas ou vômitos. Quando minhas irmãs me traziam comida, tomavam nota da minha reação a cada cheiro ou gosto, ajustando constantemente receitas e aprimorando ingredientes para que eu pudesse desfrutar da comida caseira delas durante o tratamento. Seu amor desinteressado e cuidado constante durante esse tempo simplesmente me deixaram espantados. Pegaram todas as ideias que eu tinha e as transformaram em emoções que me inundaram e passaram a viver dentro de mim.

Desde a minha recuperação, passei a estimar o tempo com as pessoas mais próximas. Antes, quando minhas duas filhas vinham de férias da faculdade, eu tirava apenas alguns dias de folga para estar com elas. Agora, quando me visitam, deixando seus trabalhos, tiro algumas semanas. Seja em viagens de negócios ou férias, vou com minha esposa. Passo mais tempo em casa cuidando da minha mãe e tento manter meus finais de semana livres para ver velhos amigos.

Pedi desculpas e tentei consertar amizades que magoei ou negligenciei no passado. Eu me encontro com muitos jovens que me procuram, não mais me comunicando apenas através de mensagens impessoais em minhas contas de rede social. Tento evitar priorizar somente as reuniões com aqueles que "mostram potencial", fazendo o máximo para me envolver com todas as pessoas igualmente, independentemente de seu status ou talento.

Não penso mais no que será escrito na minha lápide. Não é porque evito pensar na morte. Agora estou mais consciente do que nunca de que todos vivemos em relação direta e constante com nossa própria mortalidade. É porque sei que minha lápide é apenas um pedaço de pedra, uma rocha sem vida que não se compara com as pessoas e as memórias que compõem a rica tapeçaria de uma vida humana. Reconheço que estou apenas começando a aprender o que tantas pessoas ao meu redor entenderam intuitivamente por toda a vida. Mas por mais simples que sejam essas percepções, transformaram minha vida.

Também transformaram a maneira como vejo a relação entre pessoas e máquinas, entre corações humanos e mentes artificiais. Essa transformação surgiu em mim enquanto refletia sobre o processo da minha doença: a tomografia PET, o diagnóstico, minha própria angústia e a cura física e emocional que se seguiu. Percebi que minha cura aconteceu em duas partes, uma tecnológica e outra emocional, cada uma das quais formará um pilar do nosso futuro com a IA, como explicarei no próximo capítulo.

Tenho grande respeito e profunda gratidão pelos profissionais médicos que realizaram meu tratamento. Eles colocaram anos de experiência e tecnologia médica de ponta na tarefa de combater o linfoma que crescia dentro de mim. O conhecimento deles sobre essa doença e a capacidade de criar um regime de tratamento personalizado provavelmente salvaram minha vida.

E, no entanto, isso foi apenas metade da cura para o que me afligia. Eu não estaria aqui hoje se não fosse pela tecnologia médica e pelos profissionais que usam essa tecnologia baseada em dados para salvar vidas. Mas eu não estaria compartilhando essa história com você se não fosse por Shen-Ling, minhas irmãs e minha própria mãe, que, por meio de seus exemplos silenciosos, me mostraram o que significa levar uma vida de amor altruisticamente compartilhado.

Ou pessoas como Bronnie Ware, cujo livro sincero sobre os arrependimentos dos moribundos me deu vida no meu momento mais difícil. Ou o mestre Hsing Yun, cuja sabedoria sacudiu de mim as ilusões de minha carreira e me forçou a realmente confrontar meu próprio ego. Sem essas conexões inquantificáveis, não otimizáveis, com outras pessoas, eu nunca teria aprendido o que realmente significa ser humano. Sem elas, nunca teria reordenado minhas prioridades e reorientado minha própria vida. Logo comecei a trabalhar menos e a passar mais tempo com as pessoas da minha vida. Parei de tentar quantificar o impacto de cada ação — com quem me reuni, a quem respondi, com quem passei tempo — e, em vez disso, queria tratar igualmente todos os que me cercam. Essa mudança na maneira como tratava os outros não era apenas benéfica para eles; me enchia de uma sensação de plenitude, satisfação e calma que as realizações vazias de minha carreira nunca conseguiram.

A realidade é que não demorará muito até que os algoritmos de IA possam realizar muitas das funções de diagnóstico dos profissionais da área médica. Esses algoritmos identificarão doenças e prescreverão tratamentos com mais eficácia do que qualquer ser humano. Em alguns casos, os médicos usarão essas equações como uma ferramenta. Em outros, os algoritmos podem substituir totalmente o médico.

Mas a verdade é que não existe algoritmo que possa substituir o papel da minha família no meu processo de cura. O que ela compartilha comigo é muito mais simples — e ainda assim muito mais profundo — do que qualquer coisa que a IA venha a produzir.

Para todas as capacidades surpreendentes da IA, a única coisa que apenas humanos podem fornecer acaba sendo exatamente o que é mais necessário em nossas vidas: o amor. É aquele momento em que vemos nossos filhos recém-nascidos, o sentimento de amor à primeira vista, o sentimento afetivo de amigos que nos ouvem com empatia ou o sentimento de autorrealização quando ajudamos alguém que precisa. Estamos longe de entender o coração humano, muito menos copiá-lo. Mas sabemos que os humanos são os únicos capazes de amar e ser amados, que os humanos querem amar e ser amados, e que amar e ser amado é o que faz nossa vida valer a pena.

Esta é a síntese sobre a qual acredito que devemos construir nosso futuro compartilhado: sobre a capacidade da IA de pensar, mas aliada à capacidade de amar dos seres humanos. Se pudermos criar essa sinergia, ela nos permitirá aproveitar o inegável poder da inteligência artificial para gerar prosperidade e, ao mesmo tempo, abraçar nossa humanidade essencial.

Isso não é algo que virá naturalmente. Construir esse futuro para nós mesmos — como pessoas, países e uma comunidade global — exigirá que reimaginemos e reorganizemos nossas sociedades a partir do zero. Será preciso unidade social, políticas criativas e empatia humana, mas se conseguirmos, será possível transformar um momento de crise absoluta em uma oportunidade inigualável.

Nunca o potencial para o crescimento humano foi maior — e as apostas em um fracasso, maiores ainda.

8. Um projeto para a coexistência entre os humanos e a IA

Enquanto eu estava passando pela quimioterapia para tratar meu câncer em Taiwan, um velho amigo que é um empreendedor em série me procurou com um problema em sua última startup. Ele tinha fundado e vendido várias empresas bem-sucedidas de tecnologia, mas, à medida que envelhecia, queria fazer algo mais significativo, ou seja, queria criar um produto que servisse às pessoas, o que as startups de tecnologia muitas vezes ignoravam. Tanto meu amigo quanto eu estávamos entrando na idade em que nossos pais precisavam de mais ajuda para cuidar de suas rotinas diárias, e ele decidiu criar um produto que tornasse a vida mais fácil para os idosos.

O que ele inventou foi uma grande tela sensível ao toque montada em um suporte que poderia ser instalada ao lado da cama de uma pessoa idosa. Na tela, havia alguns aplicativos simples e práticos conectados a serviços que os idosos poderiam usar: pedir comida, passar suas novelas favoritas na TV, ligar para o médico e muito mais. As pessoas mais velhas muitas vezes lutam para navegar pelas complexidades da internet ou para manipular os pequenos botões de um smartphone, então meu amigo fez tudo o mais simples possível. Todos os aplicativos exigiam apenas alguns cliques, e ele até incluía um botão que permitia que os usuários idosos ligassem diretamente para um agente de atendimento ao cliente para orientá-los no uso do dispositivo.

Parecia um produto maravilhoso com um mercado real no momento. Infelizmente, há muitos filhos adultos na China e em outros lugares que estão ocupados demais com o trabalho para se dedicar ao cuidado dos pais idosos. Eles podem sentir culpa pela importância da piedade filial, mas, mesmo assim, simplesmente não conseguem encontrar tempo para cuidar dos pais da maneira adequada. A tela sensível ao toque seria um ótimo substituto.

Porém, depois de implementar uma versão de teste de seu produto, meu amigo descobriu que ele tinha um problema. De todas as funções disponíveis no aparelho, a que, de longe, foi mais usada não foi a entrega de comida, os controles de TV ou as consultas médicas. Foi o botão de atendimento ao cliente. Os representantes de atendimento ao cliente da empresa se viram sobrecarregados por uma enxurrada de chamadas de idosos. O que estava acontecendo? Meu amigo fez o dispositivo o mais simples possível e seus usuários ainda assim não conseguiam navegar pelos processos com apenas um clique na tela?

Não era esse o problema. Depois de consultar os representantes do atendimento ao cliente, ele descobriu que as pessoas não estavam ligando porque não conseguiam navegar pelo dispositivo. Estavam ligando simplesmente porque se sentiam sozinhas e queriam alguém para conversar. Muitos dos usuários idosos tinham filhos que trabalhavam para garantir que todas as suas necessidades materiais fossem atendidas: as refeições eram entregues, as consultas médicas eram marcadas e as receitas eram aviadas. Mas quando essas necessidades materiais eram atendidas, o que essas pessoas queriam mais do que qualquer coisa era um contato humano verdadeiro, outra pessoa para contar histórias e se relacionar com elas.

Meu amigo me transmitiu esse "problema" bem quando eu estava acordando para minhas próprias descobertas sobre o protagonismo do amor para a experiência humana. Se ele tivesse me procurado apenas alguns anos antes, eu provavelmente teria recomendado alguma correção técnica, talvez algo como um robô de bate-papo dotado de IA que pudesse simular uma conversa básica o suficiente para enganar o humano do outro lado. Mas enquanto me recuperava da minha doença e despertava para as iminentes crises de trabalho e significado geradas pela IA, estava começando a ver as coisas de maneira diferente.

Naquele dispositivo *touch screen* e naquele desejo insatisfeito de contato humano, vi os primeiros esboços de um projeto de coexistência entre pessoas e inteligência artificial. Sim, máquinas inteligentes serão cada vez mais capazes de fazer nosso trabalho e atender às nossas necessidades materiais, destruindo indústrias e demitindo trabalhadores. Mas resta uma coisa que só os seres humanos são capazes de criar e compartilhar uns com os outros: o amor.

Com todos os avanços no aprendizado das máquinas, a verdade é que ainda estamos longe de criar dispositivos de IA que sintam qualquer emoção. Consegue imaginar a alegria de vencer um campeão mundial no jogo que você dedicou toda a sua vida para dominar? O AlphaGo fez exatamente isso, mas não sentiu nenhum prazer em seu sucesso, não sentiu a felicidade de vencer e não desejou abraçar um ente querido após sua vitória. Apesar do que os filmes de ficção científica como *Ela* — no qual um homem e seu sistema operacional de computador artificialmente inteligente se apaixonam — retratam, a IA não tem capacidade ou desejo de amar ou ser amada. A atriz Scarlett Johansson pode ter conseguido convencê-lo do contrário nesse filme, mas apenas porque ela é um ser humano que usou sua experiência de amor para criar e comunicar esses sentimentos a você.

Imagine uma situação em que você informasse a uma máquina inteligente que ia desligá-la, mas depois mudou de ideia e decidiu lhe dar uma segunda chance. A máquina não mudaria sua perspectiva de vida nem prometeria passar mais tempo com suas amigas máquinas. Não iria crescer emocionalmente ou descobrir o valor de amar e servir aos outros.

É nesse potencial exclusivamente humano para crescer, sentir compaixão e amor que vejo esperança. Acredito firmemente que devemos forjar uma nova sinergia entre a inteligência artificial e o coração humano, e procurar formas de usar a abundância material futura, gerada pela inteligência artificial, para fomentar o amor e a compaixão em nossas sociedades.

Se pudermos fazer essas coisas, acredito que haja um caminho em direção ao futuro tanto da prosperidade econômica quanto do crescimento espiritual. Navegar nesse caminho será complicado, mas se formos capazes de nos unir por trás dessa meta comum, acredito que os humanos não apenas sobreviverão na era da IA. Vamos prosperar como nunca antes.

Um teste difícil e o novo contrato social

Os desafios à nossa frente continuam imensos. Como descrevi no capítulo 6, dentro de quinze anos prevejo que tecnicamente poderemos automatizar de 40% a 50% de todos os postos de trabalho nos Estados Unidos. Isso não significa que todos esses empregos desaparecerão da noite para o dia, mas se os mercados forem deixados à própria sorte, começaremos a ver uma forte pressão sobre os trabalhadores. A China e outros países em desenvolvimento podem ter diferenças quando esses impactos chegarem, com as perdas de empregos acontecendo primeiro ou depois, dependendo das estruturas de suas economias. Mas a tendência geral continua a mesma: aumento do desemprego e da desigualdade.

Os tecno-otimistas apontarão para a história, citando a Revolução Industrial e a indústria têxtil do século XIX como "prova" de que as coisas sempre terminam da melhor maneira possível. Mas, como vimos, esse argumento está sobre um terreno cada vez mais instável. A futura escala, ritmo e viés de habilidade da revolução da IA significam que enfrentamos um desafio novo e historicamente único. Mesmo que as previsões mais terríveis de desemprego não se materializem, a IA aumentará a crescente desigualdade de riqueza criada na era da internet e de forma cada vez mais acelerada.

Já estamos testemunhando a maneira como os salários estagnados e a crescente desigualdade podem levar à instabilidade política e até à violência. À medida que a IA se desenvolve em nossas economias e sociedades, corremos o risco de agravar e acelerar essas tendências. Os mercados de trabalho têm uma maneira de se equilibrar a longo prazo, mas chegar ao prometido longo prazo exige que primeiro passemos por um teste de perdas de emprego e crescente desigualdade que ameaçam descarrilar o processo.

Enfrentar esses desafios significa que não podemos nos dar o luxo de reagir passivamente. Devemos aproveitar proativamente a oportunidade que a riqueza material da IA nos concederá e usá-la para reconstruir nossas economias e reescrever nossos contratos sociais. As epifanias que surgiram da minha experiência com o câncer foram profundamente pessoais, mas acredito que também me deram uma nova clareza e visão de como podemos abordar esses problemas juntos.

Construir sociedades que prosperem na era da IA exigirá mudanças substanciais em nossa economia, mas também uma mudança na cultura e nos valores. Séculos de vida dentro da economia industrial condicionaram muitos a acreditar que nosso papel primordial na sociedade (e até mesmo nossa identidade) está no trabalho produtivo e assalariado. Tire isso e quebramos um dos laços mais fortes entre uma pessoa e sua comunidade. À medida que passarmos da era industrial para a era da IA, precisaremos nos afastar de uma mentalidade que iguala o trabalho à vida ou trata os humanos como variáveis em um grande algoritmo de otimização de produtividade. Em vez disso, devemos nos mover em direção a uma nova cultura, que valorize o amor humano, o serviço e a compaixão mais do que nunca.

Nenhuma política econômica ou social pode "forçar" uma mudança em nossos corações. Mas, ao escolher políticas diferentes, podemos recompensar comportamentos distintos e começar a empurrar nossa cultura para inúmeras direções. Podemos escolher uma abordagem puramente tecnocrática — uma que vê cada um de nós como um conjunto de necessidades financeiras e materiais a serem satisfeitas — e simplesmente transfira dinheiro suficiente para todas as pessoas, para que elas não passem fome ou fiquem sem lar. Na verdade, essa noção de renda básica universal parece estar se tornando cada vez mais popular nos dias de hoje.

Porém, ao fazer essa escolha, acredito que iríamos desvalorizar nossa própria humanidade e perder uma oportunidade incomparável. Em vez disso, quero apresentar propostas de como podemos usar a recompensa econômica criada pela IA para aumentar o que nos torna humanos. Fazer isso exigirá reescrever nossos contratos sociais fundamentais e reestruturar os incentivos econômicos para recompensar as atividades socialmente produtivas da mesma forma que a economia industrial recompensou as atividades economicamente produtivas.

Isso não será fácil. Vai precisar de uma abordagem multifacetada, envolvendo todo mundo, para a transformação econômica e social. Essa abordagem contará com informações de todos os cantos da sociedade e deve se basear em exploração constante e experimentação ousada. Mesmo com nossos melhores esforços, não há nenhuma garantia de que teremos uma transição suave. Mas tanto o custo do fracasso quanto as possíveis recompensas do sucesso são grandes demais para não tentarmos.

Vamos começar esse processo.

Primeiro, quero examinar três das sugestões políticas mais populares para se adaptar à economia da IA, muitas delas emanadas do Vale do Silício. As três são, em grande parte, "correções técnicas", ajustes em políticas e modelos de negócios que buscam suavizar a transição, mas que na verdade não mudam a cultura. Depois de examinar os usos e as fraquezas dessas correções técnicas, proponho três mudanças análogas que, acredito, aliviarão as questões de emprego e, ao mesmo tempo, nos levarão a uma evolução social mais profunda.

Em vez de apenas implementar meras correções técnicas, elas constituem novas abordagens para a criação de empregos no setor privado, afetando o investimento e a política do governo. Essas abordagens têm como meta não apenas manter os humanos um passo à frente da automatização da IA, mas abrir novos caminhos para o aumento da prosperidade e do crescimento humanos. Juntas, acredito que elas estabelecem as bases para um novo contrato social que usa a IA para construir um mundo mais humanista.

A perspectiva chinesa sobre a IA e o emprego

Antes de mergulhar nas correções técnicas propostas pelo Vale do Silício, vamos, primeiro, ver como essa conversa está acontecendo na China. Até o momento, a elite tecnológica chinesa disse muito pouco sobre o possível impacto negativo da IA nos empregos. Pessoalmente, não acredito que esse silêncio seja devido a qualquer desejo de esconder essa verdade obscura das massas — acho que eles realmente acreditam que o avanço da IA não causará nenhum impacto nos empregos. Nesse sentido, as elites tecnológicas da China estão alinhadas com os economistas norte-americanos tecno-otimistas na crença de que, a longo prazo, a tecnologia sempre leva a mais empregos e maior prosperidade para todos.

Por que um empreendedor chinês acredita nisso com tanta convicção? Nos últimos quarenta anos, os chineses observaram como o progresso tecnológico de seu país atuou como a maré alta que eleva todos os barcos. O governo chinês há muito tempo enfatiza os avanços tecnológicos como fundamentais para o desenvolvimento econômico da China, e esse modelo provou ser muito bem-sucedido nas últimas décadas, levando a China a passar de uma sociedade predominantemente agrícola a um gigante industrial e agora a uma potência inovadora. A desigualdade por certo aumentou nesse mesmo período, mas essas desvantagens perderam importância em comparação com a ampla melhoria nos níveis de vida. Isso representa um forte contraste com a estagnação e o declínio sentidos em muitos segmentos da sociedade norte-americana, parte da "grande dissociação" entre produtividade e salários que exploramos nos capítulos anteriores. Também ajuda a explicar por que os tecnólogos chineses não parecem preocupados com o impacto potencial de suas inovações nos empregos.

Mesmo entre os empreendedores chineses que preveem um impacto negativo da IA, há uma sensação generalizada de que o governo chinês cuidará de todos os trabalhadores demitidos. Essa ideia tem uma base na realidade. Durante a década de 1990, a China realizou uma série de reformas dolorosas em suas companhias estatais inchadas, tirando milhões de trabalhadores das folhas de pagamento do governo. Apesar das enormes modificações no mercado de trabalho, a força da economia nacional e um esforço governamental de longo alcance para ajudar os trabalhadores a administrar a transição se combinaram para transformar com sucesso a economia sem um desemprego generalizado. Olhando para o futuro da IA, muitos profissionais de tecnologia e políticos compartilham uma crença não declarada de que esses mesmos mecanismos ajudarão a China a evitar uma crise de emprego causada pela inteligência artificial.

Pessoalmente, acredito que essas previsões são otimistas demais, por isso estou trabalhando para aumentar a consciência, tanto na China quanto nos Estados Unidos, em relação aos relevantes desafios ao emprego que nos esperam na era da IA. É importante que os empreendedores, tecnólogos e políticos chineses enfrentem com seriedade esses desafios e comecem a estabelecer as bases para chegar a soluções criativas. Mas a mentalidade cultural descrita acima — que é reforçada por quatro décadas de crescente prosperidade — faz com que haja pouca discussão sobre a crise na China e ainda menos propostas de soluções. Para discutir isso, devemos nos voltar, novamente, para o Vale do Silício.

Os três Rs: Reduzir, restringir e redistribuir

Muitas das soluções técnicas propostas para a perda de emprego causada pela IA que saem do Vale do Silício se dividem em três grupos: reciclagem de trabalhadores, redução de horas de trabalho ou redistribuição de renda. Cada uma dessas abordagens visa aumentar uma variável diferente dentro dos mercados de trabalho (habilidades, tempo, remuneração) e incorpora diferentes hipóteses sobre a velocidade e a severidade das perdas de emprego.

Aqueles que advogam a *reciclagem* dos trabalhadores tendem a acreditar que a IA irá lentamente mudar as competências que estão em demanda, mas se os trabalhadores puderem adaptar suas habilidades e treinamento, então não haverá diminuição na necessidade de trabalho. Os defensores da *redução da jornada de trabalho* acreditam que a IA reduzirá a demanda por mão de obra humana, e esse impacto pode ser absorvido com uma semana de trabalho de três ou quatro dias, espalhando os empregos que permanecem entre mais trabalhadores. O campo da *redistribuição* tende a ser o pior em suas previsões de perda de emprego causada pela IA. Muitos deles preveem que, à medida que a IA avançar, deslocará ou desalojará tanto os trabalhadores que nenhuma quantidade de horas de treinamento ou ajustes será suficiente. Em vez disso, teremos que adotar esquemas de redistribuição mais radicais para apoiar os trabalhadores desempregados e distribuir a riqueza criada pela IA. A seguir, vou dar uma olhada mais de perto no valor e nas armadilhas de cada uma dessas abordagens.

Defensores da reciclagem profissional com frequência apontam duas tendências relacionadas vistas como cruciais para a criação de uma força de trabalho pronta para a IA: educação on-line e "aprendizagem ao longo da vida". Eles acreditam que com a proliferação de plataformas de educação on-line — gratuitas e pagas — os trabalhadores demitidos terão acesso sem precedentes a materiais de treinamento e instrução para novos empregos. Essas plataformas — sites de streaming de vídeo, academias de programação on-line e assim por diante — darão aos trabalhadores as ferramentas que precisam para se tornarem aprendizes por toda a vida, atualizando constantemente suas habilidades e mudando para novas profissões que ainda não estão sujeitas à automatização. Nesse mundo imaginado de reciclagem fluída, corretores de seguros desempregados podem usar plataformas de educação on-line como a Coursera para se tornarem programadores de software. E quando esse trabalho se tornar automatizado, podem usar essas mesmas ferramentas para se preparar para uma nova posição que permanece fora do alcance da IA, talvez como um engenheiro de algoritmos ou psicólogo.

Aprendizagem ao longo da vida através de plataformas on-line é uma boa ideia, e acredito que a reciclagem de trabalhadores será uma peça importante do quebra-cabeça. Pode ajudar especialmente aqueles indivíduos no quadrante inferior direito de nossos gráficos de risco de substituição do capítulo 6 (a zona do "Lento Rastejar"), para que fiquem à frente da capacidade da IA de pensar criativamente ou trabalhar em ambientes não estruturados. Também gosto porque esse método pode dar a esses trabalhadores uma sensação de realização pessoal e controle de suas próprias vidas.

Mas dada a profundidade e amplitude do impacto da IA nos empregos, temo que essa abordagem esteja longe de ser suficiente para resolver o problema. À medida que a IA conquistar novas profissões, os trabalhadores serão forçados a mudar de ocupação a cada poucos anos, tentando adquirir depressa habilidades que os outros levaram uma vida inteira para conseguir. A incerteza sobre o ritmo e o caminho da automatização torna as coisas ainda mais difíceis. Mesmo os especialistas em IA têm dificuldade em prever exatamente quais trabalhos serão submetidos à automatização nos próximos anos. Podemos de fato esperar que um trabalhador típico escolha um programa de reciclagem para prever com precisão quais trabalhos serão seguros daqui a alguns anos?

Temo que os trabalhadores se encontrem em um estado de constante fuga, como os animais que fogem implacavelmente das águas das enchentes, pulando ansiosamente de uma rocha a outra em busca de um lugar mais alto. A reciclagem ajudará muitas pessoas a encontrar seu lugar na economia da IA, e devemos experimentar maneiras de ampliá-la e torná-la cada vez mais disponível. Mas acredito que não podemos contar com essa abordagem desordenada para lidar com as perturbações de nível macro que varrerão os mercados de trabalho.

Para ser claro, acredito que a educação é a melhor solução de longo prazo para os problemas de emprego relacionados à IA que enfrentaremos. Os milênios anteriores de progresso demonstraram a incrível capacidade dos seres humanos de inovar tecnicamente e de se adaptar a essas inovações, treinando-se para novos tipos de trabalho. Mas a escala e a velocidade das mudanças que virão com a IA não nos darão o luxo de simplesmente confiar em melhorias educacionais para nos ajudar a acompanhar as novas exigências de nossas próprias invenções.

O reconhecimento da escala dessas rupturas levou pessoas como o cofundador do Google, Larry Page, a defender uma proposta mais radical: vamos passar para uma semana de trabalho de quatro dias ou ter várias pessoas "compartilhando" o mesmo trabalho.[1] Em uma versão dessa proposta, um único emprego em tempo integral poderia ser dividido em vários empregos de meio período, compartilhando o recurso cada vez mais escasso de empregos em um grupo maior de trabalhadores. Essas abordagens provavelmente significariam redução do salário líquido para a maioria dos trabalhadores, mas essas mudanças poderiam pelo menos ajudar as pessoas a evitar o desemprego imediato.

Algumas abordagens criativas para o compartilhamento de trabalho já foram implementadas.[2] Após a crise financeira de 2008, vários estados norte-americanos implementaram acordos de compartilhamento de trabalho para evitar demissões em massa em empresas cujo negócio de repente secou. Em vez de demitir uma parte dos trabalhadores, as empresas reduziram as horas de vários trabalhadores entre 20% e 40%. O governo local compensou então esses trabalhadores com certa porcentagem de seus salários perdidos, geralmente 50%. Essa abordagem funcionou bem em alguns lugares, evitando para funcionários e empresas o trauma da demissão e recontratação ao capricho do ciclo de negócios. Também economizava potencialmente o dinheiro dos governos locais, que teriam que pagar os benefícios totais de desemprego.

Os acordos de compartilhamento de trabalho poderiam diminuir as perdas de emprego, especialmente para profissões no quadrante "Verniz Humano" de nossos gráficos de risco de substituição, em que a IA realiza a tarefa principal, mas apenas um número menor de funcionários é necessário para interagir com os clientes. Se bem executados, esses acordos poderiam funcionar como subsídios ou incentivos do governo para manter mais trabalhadores na folha de pagamento da empresa.

Embora essa abordagem funcione bem para crises de curto prazo, pode perder a força diante da persistente e ininterrupta dizimação de empregos realizada pela IA. Os programas existentes de compartilhamento de trabalho complementam apenas uma parte dos salários perdidos, o que significa que os trabalhadores ainda têm um declínio líquido na renda. Os trabalhadores podem aceitar esse golpe em sua renda durante uma crise econômica temporária, mas ninguém deseja a estagnação ou a mobilidade descendente a longo prazo. Dizer a um trabalhador que ganha 20 mil dólares por ano que ele pode trabalhar quatro dias por semana e ganhar 16 mil é algo realmente inimaginável. Versões mais criativas desses programas poderiam corrigir isso, e encorajo empresas e governos a continuar experimentando-as. Mas temo que esse tipo de abordagem esteja longe de ser suficiente para lidar com as pressões de longo prazo que a IA trará para o mercado de trabalho. Para isso, talvez tenhamos que adotar medidas redistributivas mais radicais.

O BÁSICO DA RENDA BÁSICA UNIVERSAL

Atualmente, o mais popular desses métodos de redistribuição é, como mencionado anteriormente, a renda básica universal (RBU). No fundo, a ideia é simples: todos os cidadãos (ou todos os adultos) de um país recebem uma remuneração regular do governo — sem condições. Uma RBU diferiria dos benefícios tradicionais de assistência social ou desemprego, já que seria dada a todos e não estaria sujeita a limites de tempo, exigências de procura de emprego ou quaisquer restrições em como poderia ser gasta. Uma proposta alternativa, muitas vezes chamada de renda mínima garantida (RMG), defende que o salário seja pago somente aos pobres, transformando-o em um "piso de renda" abaixo do qual ninguém poderia cair, mas sem a universalidade de uma RBU.

O financiamento para esses programas viria de impostos sobre os vencedores da revolução da IA: grandes empresas de tecnologia; corporações preexistentes que se adaptaram para alavancar a inteligência artificial; e os milionários, bilionários e talvez até trilionários, que lucrariam com o sucesso dessas empresas. O tamanho da renda dada é uma questão de debate entre os proponentes. Algumas pessoas argumentam que deve ser mantido um valor baixo — talvez apenas 10 mil dólares por ano — para que os trabalhadores ainda tenham um forte incentivo para encontrar um emprego de verdade. Outros veem o valor como um substituto completo para a renda perdida de um emprego regular. Nessa visão, uma RBU poderia se tornar um passo crucial para a criação de uma "sociedade de lazer", na qual as pessoas estariam totalmente liberadas da necessidade de trabalhar e livres para perseguir suas próprias paixões na vida.

A discussão sobre uma RBU ou RMG nos Estados Unidos remonta à década de 1960, quando ganhou o apoio de pessoas tão variadas quanto Martin Luther King Jr. e Richard Nixon. Na época, os defensores viam uma RMG como uma maneira simples de acabar com a pobreza, e em 1970, o presidente Nixon chegou perto de aprovar uma lei que daria a cada família dinheiro suficiente para ficar acima da linha da pobreza. Mas após o fracasso de Nixon, a discussão de uma RBU ou RMG foi abandonada.

Isto é, até o Vale do Silício se empolgar com a proposta. Recentemente, a ideia capturou a imaginação da elite do Vale do Silício, com gigantes do setor como o prestigiado presidente da Y Combinator, uma aceleradora de startups, Sam Altman,[3] e o cofundador do Facebook, Chris Hughes, patrocinando pesquisas e financiando um programa piloto de renda básica.[4] Enquanto a RMG foi criada inicialmente como uma cura para a pobreza em tempos econômicos normais, o Vale do Silício está interessado nesses programas porque os vê como soluções para o amplo desemprego tecnológico devido à IA.

As sombrias previsões de amplo desemprego e inquietação levaram muitos membros da elite do Vale do Silício até o limite. As pessoas que passaram suas carreiras pregando o evangelho da destruição criativa parecem ter subitamente acordado para o fato de que, quando você destrói uma indústria, também ataca e desloca seres humanos reais dentro dela. Tendo fundado e financiado empresas transformadoras de internet que também contribuíram para o aumento da desigualdade, esse quadro de milionários e bilionários parece determinado a amenizar o golpe na era da IA.

Para esses proponentes, esquemas maciços de redistribuição são potencialmente tudo o que se coloca entre uma economia impulsionada pela IA e a generalizada falta de emprego e destituição. A reciclagem profissional e o agendamento inteligente são inúteis diante da automatização generalizada, argumentam eles. Apenas uma renda garantida nos permitirá evitar um desastre durante a crise de empregos que se avizinha.

Como exatamente uma RBU seria implementada é algo que ainda deve ser pensado. Uma organização de pesquisa associada à Y Combinator está atualmente executando um programa piloto em Oakland, Califórnia, que dá a mil famílias uma bolsa de mil dólares por mês durante três a cinco anos.[5] O grupo de pesquisa acompanhará o bem-estar e as atividades dessas famílias por meio de questionários regulares, comparando-os com um grupo de controle que recebe apenas cinquenta dólares por mês.

Muitos no Vale do Silício veem o programa através da lente de sua própria experiência como empreendedores. Imaginam o dinheiro não apenas como uma espécie de ampla rede de segurança, mas como um "investimento na sua startup", ou como um escritor de tecnologia disse: "capital de risco para as pessoas".[6] Nessa visão de mundo, uma RBU daria aos desempregados um pequeno "investimento-anjo pessoal" com o qual poderiam começar um novo negócio ou aprender uma nova habilidade. Em seu discurso de paraninfo em Harvard em 2017, Mark Zuckerberg se alinhou com essa visão da RBU, argumentando que deveríamos explorar uma RBU para que "todos tenham uma reserva para tentar novas ideias".[7]

Do meu ponto de vista, posso entender por que a elite do Vale do Silício se apaixonou pela ideia de uma RBU: é uma solução simples e técnica para um enorme e complexo problema social criado por eles mesmos. Mas adotar uma RBU constituiria uma grande mudança em nosso contrato social, e deveríamos pensar nisso com muito cuidado e mais criticamente.

Embora apoie certas garantias de que as necessidades básicas serão atendidas, também acredito que adotar uma RBU como uma solução única para a crise que enfrentamos é um erro e uma enorme oportunidade perdida. Para entender o porquê, devemos realmente entender quais as motivações para tanto interesse na RBU e pensar muito sobre que tipo de sociedade ela pode criar.

A mentalidade "varinha mágica" do Vale do Silício

Ao observar a onda de interesse do Vale do Silício em torno da RBU, acredito que parte dessa defesa surge de uma verdadeira e genuína preocupação com aqueles que serão substituídos por novas tecnologias. Mas eu me preocupo com um componente mais autointeressado: Os empreendedores do Vale do Silício sabem que seus bilhões em riquezas e seu papel na instigação dessas rupturas fazem deles um alvo óbvio da raiva da multidão se as coisas saírem do controle. Pensando nesse medo, eu me pergunto se esse grupo começou a procurar uma solução rápida para os problemas futuros.

As motivações dessas pessoas não devem nos levar a descartar completamente as soluções apresentadas. Esse grupo, afinal de contas, inclui algumas das mentes de negócios e engenharia mais criativas do mundo atualmente. A tendência do Vale do Silício de sonhar grande, experimentar e iterar será útil à medida que estivermos navegando nessas águas inexploradas.

Mas uma consciência dessas motivações deve aguçar nosso engajamento crítico com propostas como a RBU. Devemos estar conscientes dos vieses culturais que engenheiros e investidores trazem consigo ao enfrentar um novo problema, especialmente os que possuem profundas dimensões sociais e humanas. Acima de tudo, ao avaliar essas soluções propostas, devemos perguntar o que exatamente elas estão tentando alcançar. Estão procurando garantir que essa tecnologia beneficie de fato todas as pessoas na sociedade? Ou estão procurando apenas evitar um cenário terrível de agitação social? Estão dispostos a fazer o trabalho necessário para construir novas instituições ou procurando apenas uma solução rápida que amenize suas próprias consciências e os absolva da responsabilidade pelos impactos psicológicos mais profundos da automatização?

Temo que muitos dos que estão no Vale do Silício estejam no segundo campo. Eles veem a RBU como uma "varinha mágica" que pode desaparecer com as inúmeras desvantagens econômicas, sociais e psicológicas de suas explorações na era da IA. A RBU é o epítome da abordagem "leve" para solução de problemas, tão popular no vale: manter-se na esfera puramente digital e evitar os detalhes confusos da atuação no mundo real. Eles tendem a prever que todos os problemas podem ser resolvidos por meio de ajustes de incentivos ou de uma troca de dinheiro entre contas bancárias digitais.

O melhor de tudo é que não obriga os pesquisadores a pensar criticamente nos impactos sociais das tecnologias que desenvolvem; se todos receberem essa dose mensal de RBU, tudo estará bem. A elite tecnológica pode continuar fazendo exatamente o que planejou fazer: construir empresas inovadoras e conseguir enormes recompensas financeiras. É claro que os impostos mais altos necessários para financiar uma RBU reduzirão esses lucros até certo ponto, mas a grande maioria dos benefícios financeiros da IA ainda será concedida a esse grupo de elite.

Vista dessa maneira, a RBU não é uma solução construtiva que aproveita a IA para conseguir um mundo melhor. É um analgésico, algo para anestesiar e sedar as pessoas que foram feridas pela adoção da IA. E esse efeito entorpecedor funciona nos dois sentidos: não apenas alivia a dor daqueles demitidos pela tecnologia, como também atenua a consciência daqueles que demitiram.

Como eu disse antes, alguma forma de renda garantida pode ser necessária para colocar um piso econômico sob todos na sociedade. Mas se permitirmos que seja apenas isso, perdemos a grande oportunidade que nos é oferecida por essa tecnologia. Em vez de simplesmente recorrer a um analgésico como uma RBU, devemos procurar e encontrar, de maneira proativa, maneiras de utilizar a inteligência artificial para duplicar o que nos separa das máquinas: o amor.

Isso não será fácil. Vai exigir abordagens criativas e diferentes. A execução dessas abordagens demandará muito trabalho e soluções "pesadas", indo além da esfera digital e entrando nos detalhes não tão puros do mundo real. Mas se nos comprometermos a fazer o trabalho duro agora, acredito que temos uma chance não apenas de evitar o desastre, mas de cultivar os mesmos valores humanistas que redescobri durante meu encontro com a mortalidade.

Simbiose no mercado: tarefas de otimização e toque humano

O setor privado está liderando a revolução da IA e, a meu ver, também deve liderar a criação de novos empregos, mais humanistas, que a potencializem. Alguns deles surgirão pelo funcionamento natural do livre mercado, enquanto outros exigirão esforços conscientes de pessoas motivadas a fazer a diferença.

Muitos dos empregos criados pelo mercado livre surgirão de uma simbiose natural entre humanos e máquinas. Enquanto a IA lida com as tarefas rotineiras de otimização, os seres humanos trarão o toque pessoal, criativo e compassivo. Isso envolverá a redefinição de ocupações existentes ou a criação de profissões inteiramente novas, nas quais as pessoas se juntam a máquinas para fornecer serviços altamente eficientes e eminentemente humanos. Nos gráficos de risco de substituição do capítulo 6, esperamos ver o quadrante superior esquerdo ("Verniz Humano") oferecer as maiores oportunidades para a simbiose entre humanos e IA: a inteligência artificial fará o pensamento analítico, enquanto os humanos envolverão essa análise com afeto e compaixão. Na mesma tabela, os dois quadrantes do lado direito do gráfico ("Lento Rastejar" e "Zona Segura") também fornecem oportunidades para que as ferramentas de IA aumentem a criatividade ou a tomada de decisões, embora, com o tempo, os dois círculos centrados em IA do lado esquerdo crescerão para a direita à medida que a IA melhore.

Coexistência humanos-IA no mercado de trabalho

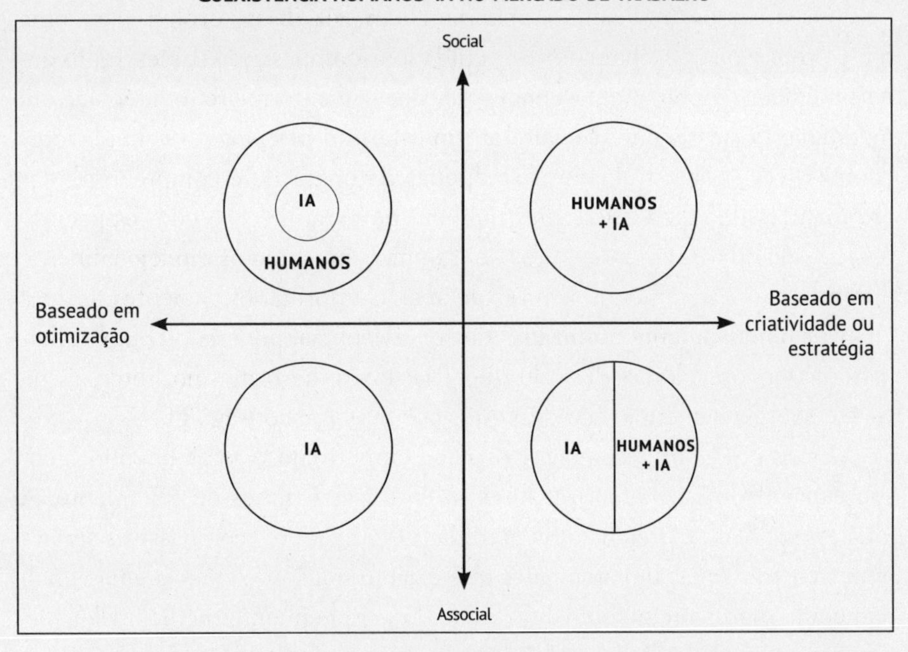

Um exemplo claro da simbiose humanos-IA para o quadrante superior esquerdo pode ser encontrado no campo da medicina. Tenho poucas dúvidas de que os algoritmos de IA acabarão por superar os médicos humanos em sua capacidade de diagnosticar doenças e recomendar tratamentos. Instituições preexistentes — faculdades de medicina, associações profissionais e hospitais — podem retardar a adoção dessas ferramentas de diagnóstico, usando-as apenas em campos restritos ou estritamente como ferramentas de referência. Mas em questão de algumas décadas, estou confiante de que os ganhos em precisão e eficiência serão tão grandes que os diagnósticos baseados em inteligência artificial acabarão assumindo o controle.

Uma resposta para isso seria eliminar completamente os médicos, substituindo-os por máquinas que sejam alimentadas com os sintomas e forneçam diagnósticos. Mas os pacientes não querem ser tratados por uma máquina, uma caixa-preta de conhecimento médico que fornece um pronunciamento frio: "Você tem um linfoma estágio IV e 70% de probabilidade de morrer dentro de cinco anos". Em vez disso, os pacientes desejarão — e acredito que o mercado vai criar — uma abordagem mais humanista da medicina.

Os médicos tradicionais poderiam, em vez disso, evoluir para uma nova profissão, que chamarei de "cuidadora compassiva". Esses profissionais médicos combinariam as habilidades de um enfermeiro, um técnico em medicina, um assistente social e até mesmo um psicólogo. Os cuidadores compassivos seriam treinados não apenas na operação e compreensão das ferramentas de diagnóstico, mas também na comunicação com os pacientes, consolando-os em momentos de trauma e apoiando-os emocionalmente durante todo o tratamento. Em vez de apenas informar os pacientes de suas chances objetivamente otimizadas de sobrevivência, poderiam compartilhar histórias encorajadoras, dizendo que "Kai-Fu tinha o mesmo linfoma que você e sobreviveu, então acredito que você também conseguirá".

Esses cuidadores compassivos não competiriam com as máquinas em sua capacidade de memorizar fatos ou otimizar regimes de tratamento. A longo prazo, essa é uma batalha perdida. Os cuidadores compassivos seriam bem treinados, mas em atividades que exigem mais inteligência emocional, não como meros recipientes do cânone do conhecimento médico. Eles formariam um complemento perfeito para a máquina, dando aos pacientes uma precisão incomparável em seus diagnósticos, bem como o toque humano que muitas vezes falta em nossos hospitais hoje em dia. Nessa simbiose homem-máquina criada pelo livre mercado, colocaríamos nossa sociedade no caminho de ser um pouco mais gentil e um pouco mais amorosa.

O melhor de tudo é que o surgimento de cuidadores compassivos aumentaria drasticamente tanto o número de empregos quanto a quantidade total de cuidados médicos concedidos. Hoje, a escassez de médicos treinados eleva o custo dos cuidados de saúde e reduz a quantidade de atendimento de qualidade oferecido no mundo. Nas condições atuais de oferta e demanda, simplesmente não é possível aumentar o número de médicos. Como resultado, racionamos estritamente os cuidados que eles prestam. Ninguém quer ficar na fila por horas só para ter alguns minutos com um médico, o que significa que a maioria das pessoas só vai aos hospitais quando sente que é absolutamente necessário. Os cuidadores compassivos serão bem treinados, mas poderão ser formados a partir de um grupo maior de trabalhadores, além dos médicos, e não precisarão passar pelos anos de memorização mecânica que é exigido dos médicos hoje em dia. Como resultado, a sociedade será capaz de sustentar economicamente muito mais cuidadores compassivos do que médicos, e receberíamos mais e melhores cuidados.

Sinergias semelhantes surgirão em muitos outros campos: ensino, direito, planejamento de eventos e varejo de alto nível. Assistentes jurídicos em escritórios de advocacia poderiam deixar suas tarefas rotineiras de pesquisa em algoritmos e se concentrar na comunicação com os clientes, para que se sintam mais bem tratados. Supermercados movidos a IA, como a loja Amazon Go, podem não precisar mais de caixas, mas podem melhorar muito a experiência do cliente, contratando funcionários amigáveis, como descrevi no capítulo 5.

Para aqueles em setores profissionais, será imperativo que adotem e aprendam a aproveitar as ferramentas de IA à medida que elas forem sendo criadas. Como em toda revolução tecnológica, muitos trabalhadores acharão as novas ferramentas imperfeitas em seus usos e potencialmente ameaçadoras em suas implicações. Mas essas ferramentas só melhorarão com o tempo, e aqueles que tentarem competir com a IA em seus próprios termos perderão. A longo prazo, a resistência pode ser inútil, mas a simbiose será recompensada.

Finalmente, a economia compartilhada pela internet contribuirá significativamente para aliviar as perdas de emprego e redefinir o trabalho para a era da IA. Veremos mais pessoas saindo das carreiras tradicionais que estão sendo dominadas por algoritmos e usando novas plataformas que aplicam o "modelo Uber" a uma variedade de serviços. Já vemos isso na Care.com, uma plataforma on-line para conectar cuidadores e clientes, e acredito que veremos um florescimento de modelos análogos na educação e em outros campos. Muitos bens e serviços do mercado de massa serão capturados por dados e otimizados por algoritmos, mas alguns dos trabalhos mais fragmentados ou personalizados na economia compartilhada permanecerão no domínio exclusivo dos seres humanos.

No passado, esse tipo de trabalho era limitado pelos custos burocráticos de administrar uma empresa vertical que atraía clientes, despachava trabalhadores e mantinha todos na folha de pagamento, mesmo quando não havia trabalho a ser feito. A plataformatização dessas indústrias aumenta drasticamente sua eficiência, aumentando a demanda total e o salário líquido dos próprios trabalhadores. Adicionar IA à equação — a exemplo de empresas de transporte, como a Didi e a Uber — só aumentará a eficiência e atrairá mais trabalhadores.

Além dos papéis estabelecidos na economia compartilhada, estou confiante de que veremos empregos no setor de serviço inteiramente novos que dificilmente podemos imaginar hoje. Explique a alguém na década de 1950 o que era um "*coach* de vida" e eles provavelmente pensariam que você era louco. Da mesma forma, à medida que a IA libera nosso tempo, empreendedores criativos e pessoas comuns alavancarão essas plataformas para criar novos tipos de empregos. Talvez as pessoas contratem "trocadores de estação" que renovem seus armários a cada poucos meses, usando estampas e cores que combinem com o clima. Ou famílias ambientalmente conscientes contratem "consultores de sustentabilidade doméstica" para explorar maneiras criativas e divertidas para que o lar reduza sua pegada ambiental.

Apesar de todas essas novas possibilidades criadas por empresas que buscam lucros, receio que as operações do mercado livre por si só não serão suficientes para compensar o enorme crescimento das taxas de desemprego e a enorme desigualdade no horizonte. Empresas privadas já criam muitos empregos de serviços centrados no ser humano — elas simplesmente não pagam bem. Incentivos econômicos, políticas públicas e disposições culturais fizeram com que muitas das profissões mais compassivas existentes hoje muitas vezes não apresentem estabilidade ou dignidade mínimas.

O Bureau de Estatísticas do Trabalho dos Estados Unidos descobriu que os auxiliares de saúde domiciliar e os auxiliares de cuidados pessoais são as duas profissões que mais crescem no país, com um crescimento esperado de 1,2 milhão de empregos até 2026.[8] Mas a renda anual nessas profissões é de pouco mais de 20 mil dólares.[9] Outros trabalhos humanistas movidos pelo amor — pais que cuidam dos filhos, aqueles que cuidam de parentes idosos ou incapacitados — nem sequer são considerados "empregos" e não recebem nenhuma compensação formal.

Esses são exatamente os tipos de atividades amorosas e compassivas que devemos adotar na economia da IA, mas o setor privado tem se mostrado inadequado até o momento em estimulá-las. Pode chegar um dia em que desfrutemos de tal abundância material que incentivos econômicos não sejam mais necessários. Mas em nosso presente momento econômico e cultural, o dinheiro ainda é importante. Orquestrar uma verdadeira mudança na cultura exigirá não apenas criar esses empregos, mas transformá-los em verdadeiras carreiras com remuneração respeitável e maior dignidade.

Incentivar e recompensar essas atividades pró-sociais significa ir além da simbiose de mercado do setor privado. Teremos que reenergizar essas indústrias por meio do investimento de impacto no setor de serviços e das políticas governamentais que impulsionam uma mudança mais ampla nos valores culturais.

A carta de Fink e o novo investimento de impacto

Quando um homem que supervisiona 5,7 *trilhões* de dólares fala, a comunidade empresarial global tende a ouvir. Então, quando o fundador da BlackRock, Larry Fink, diretor da maior empresa de gerenciamento de ativos do mundo, postou uma carta para os CEOs exigindo maior atenção ao impacto social, ele enviou ondas de choque às corporações ao redor do mundo. Na carta intitulada "Um sentido de propósito", Fink escreveu:

> *Nós [...] vemos muitos governos que não se preparam para o futuro, em questões que vão de aposentadorias e infraestrutura até automatização e treinamento de trabalhadores. Como resultado, a sociedade está se voltando cada vez mais para o setor privado e pedindo que as empresas respondam a desafios sociais mais amplos [...]. A sociedade está exigindo que as empresas, públicas e privadas, tenham um propósito social [...]. As empresas devem beneficiar todas as partes interessadas, incluindo acionistas, funcionários, clientes e as comunidades em que operam.*[10]

A carta de Fink foi publicada dias antes do Fórum Econômico Mundial de 2018, uma reunião anual da elite financeira global realizada em Davos, na Suíça. Eu estava participando do fórum e vi como os CEOs discutiam ansiosamente a severa advertência de um homem cuja empresa controlava importantes participações em suas empresas. Muitos demonstraram publicamente simpatia pela mensagem de Fink, mas declaravam, em privado, que sua ênfase no bem-estar social mais amplo seria um anátema para a lógica da iniciativa privada.

Considerados de forma bastante restrita, eles estão certos: empresas de capital aberto existem para vencer, obrigadas por deveres fiduciários a maximizar os lucros. Mas na era da IA essa lógica fria de dólares e centavos simplesmente não pode se sustentar. Perseguir cegamente os lucros sem pensar no impacto social não será apenas moralmente duvidoso; será absolutamente perigoso.

Fink fez várias referências à automatização e à reciclagem profissional em sua carta. Como investidor com interesses que abrangem toda a amplitude da economia global, ele vê que lidar com as demissões causadas pela IA não é algo que pode ser deixado inteiramente à mercê dos mercados livres. Em vez disso, é imperativo que reimaginemos e revigoremos a responsabilidade social corporativa, o investimento de impacto e o empreendedorismo social.

No passado, esses eram os tipos de coisas que os empresários só exploravam quando tinham tempo e dinheiro de sobra. Claro, eles pensam: por que não investir algum dinheiro em uma startup de microfinanças ou comprar algumas compensações corporativas de carbono para que possamos divulgar um feliz comunicado de imprensa mostrando isso? Mas na era da IA, precisaremos aumentar seriamente nosso compromisso com — e ampliar nossa definição de — essas atividades. Embora elas tenham focado anteriormente em questões filantrópicas de bem-estar, como proteção ambiental e alívio à pobreza, o impacto social na era da IA também deve assumir nova dimensão: a criação de um grande número de empregos de serviço para trabalhadores demitidos.

Como investidor de capital de risco, vejo um papel especialmente forte para um novo tipo de investimento de impacto. Prevejo o crescimento de um ecossistema de risco que vise à criação de empregos humanistas no setor de serviços como um bem em si mesmo. Isso direcionará o dinheiro para projetos de serviços com foco em seres humanos que poderá aumentar e contratar um grande número de pessoas: consultores de lactação para cuidados pós-parto, treinadores para atletas juvenis, coletores de histórias familiares orais, guias de natureza em parques nacionais ou parceiros de conversação com idosos. Empregos como esses podem ser significativos em nível social e pessoal, e muitos deles têm o potencial de gerar receita real — não os 10.000% de retorno resultantes dos investimentos em uma startup unicórnio de tecnologia.

Iniciar esse ecossistema exigirá uma mudança de mentalidade para os capitalistas de investimento que participarem. A própria ideia de capital de risco foi construída em torno de altos riscos e retornos exponenciais. Quando um investidor investe dinheiro em dez startups, sabe muito bem que nove delas provavelmente vão fracassar. Mas se essa história de sucesso se transformar em uma empresa de bilhões de dólares, os retornos exponenciais desse investimento significarão um enorme sucesso para o fundo. Conduzir esses retornos exponenciais é a economia única da internet. Os produtos digitais podem ser ampliados infinitamente com custos marginais próximos de zero, o que significa que as empresas mais bem-sucedidas obtêm lucros astronômicos.

O investimento de impacto com foco em serviço, no entanto, precisará ser diferente. Precisará aceitar *retornos lineares* quando associado a uma criação de trabalho significativa. É porque empregos de serviço orientados a humanos simplesmente não podem alcançar esses retornos exponenciais de investimento. Quando alguém constrói uma grande empresa em torno do trabalho de cuidado humano, não pode replicar digitalmente esses serviços e espalhá-los pelo mundo. Em vez disso, o negócio deve ser construído peça por peça, trabalhador por trabalhador. A verdade é que os capitalistas de risco tradicionais não se importariam com esses tipos de empresas lineares, mas essas empresas serão um pilar fundamental na construção de uma economia de IA que crie empregos e fomente conexões humanas.

Naturalmente, haverá fracassos e os retornos nunca serão iguais aos fundos de capital de risco de tecnologia pura. Mas os envolvidos devem entender isso. O ecossistema provavelmente será composto por executivos mais antigos de capital de risco que procuram fazer a diferença, ou possivelmente por jovens que estão fazendo um trabalho "sabático" ou "pro bono". Trarão consigo seus instintos para escolher empreendedores e empresas em construção, e os colocarão para trabalhar nessas empresas de serviços lineares. O dinheiro por trás dos fundos provavelmente virá de governos que buscam gerar novos empregos de forma eficiente, bem como de empresas com responsabilidade social corporativa.

Juntos, esses atores criarão um ecossistema único, que será muito mais focado em empregos do que em pura filantropia, muito mais focado no impacto do que no capital de risco puro. Se conseguirmos reunir essas diferentes linhas de negócios socialmente conscientes, acredito que seremos capazes de tecer um novo tipo de rede de segurança no trabalho, ao mesmo tempo que construiremos comunidades que promovem o amor e a compaixão.

Grandes mudanças e grande governo

E, no entanto, apesar de todo o poder do mercado privado e das boas intenções dos empreendedores sociais, muitas pessoas ainda vão cair pelas rachaduras. Não precisamos procurar além da enorme desigualdade e pobreza indigentes em grande parte do mundo de hoje para reconhecer que os mercados e os imperativos morais não são suficientes. Orquestrar uma mudança fundamental nas estruturas econômicas geralmente exige a força máxima do poder governamental. Se quisermos escrever um novo contrato social para a era da IA, precisaremos puxar as alavancas da política pública.

Há alguns no Vale do Silício que veem isso como o ponto em que a RBU entra em cena. Diante do crescimento inadequado do emprego, o governo deve fornecer uma garantia geral de segurança econômica, uma transferência de renda que possa salvar os trabalhadores demitidos da privação e que também evite que a elite tecnológica tenha que tomar mais atitudes a esse respeito.

A natureza incondicional da transferência se encaixa no libertarismo altamente individualista do "viva e deixe viver" que sustenta boa parte do Vale do Silício. Quem é o governo, dizem os proponentes da RBU, para dizer às pessoas como gastar seu tempo? Basta dar o dinheiro e eles que descubram por conta própria. É uma abordagem que combina com a forma como a elite tecnológica tende a ver a sociedade como um todo. Olhando para fora do

Vale do Silício, eles costumam ver o mundo em termos de "usuários" em vez de cidadãos, clientes em vez de membros de uma comunidade.

Eu tenho uma visão diferente. Não quero viver em uma sociedade dividida em castas tecnológicas, onde a elite da IA vive em um mundo enclausurado de riqueza quase inimaginável, contando com doações mínimas para manter as massas desempregadas sedadas em seu lugar. Quero criar um sistema que sustente *todos* os membros da sociedade, mas que também use a riqueza gerada pela IA para construir uma sociedade que seja mais compassiva, amorosa e, em última instância, humana.

Atingir esse resultado exigirá definitivamente o pensamento criativo e a formulação de políticas complexas, mas a inspiração que impulsiona esse processo em geral vem de lugares improváveis. Para mim, começou em Fo Guang Shan, o mosteiro em Taiwan que citei no capítulo anterior.

O CEO CHOFER

O sol ainda não havia surgido no horizonte quando eu atravessava os enormes terrenos do mosteiro para ver o mestre Hsing Yun. Era a manhã em que me dariam a chance de fazer a primeira refeição do dia com o monge-chefe, e eu estava subindo apressado a colina quando um carrinho de golfe parou ao meu lado.

"Bom dia", o homem atrás do volante me disse. "Posso te dar uma carona?"

Não querendo que o mestre Hsing Yun ficasse esperando, aceitei e subi no carrinho, dizendo ao motorista para onde estava indo. Ele estava vestido de jeans e uma simples camisa de mangas compridas com um colete laranja por cima. Parecia ter uns cinquenta anos como eu, com mechas grisalhas no cabelo. Andamos em silêncio por alguns minutos, absorvendo a quietude da paisagem e a brisa suave do ar fresco da manhã. Ao nos aproximarmos da encosta, cortei o silêncio com um pouco de conversa fiada:

"Você trabalha com isso?"

"Não", ele respondeu. "Apenas sou voluntário aqui quando tenho algum tempo livre."

Notei que costurada no peito esquerdo de seu colete laranja havia a palavra "Voluntário" em caracteres chineses.

"Bem, com o que você trabalha?", perguntei.

"Tenho uma empresa de fabricação de eletrônicos e trabalho como CEO. Mas ultimamente tenho passado menos tempo trabalhando e mais tempo fazendo voluntariado. É realmente especial ver o mestre Hsing Yun compartilhando a sabedoria com as pessoas daqui. Traz uma sensação de serenidade ajudar da maneira que posso."

Aquelas palavras e o comportamento calmo com o qual ele falou me impressionaram. A fabricação de eletrônicos pode ser uma indústria brutalmente competitiva, com margens de lucro muito pequenas e pressão incessante para inovar, atualizar e otimizar as operações. O sucesso muitas vezes vem à custa da saúde, com longas horas na fábrica e longas noites bebendo, fumando e entretendo os clientes.

Mas o homem que conduzia o carro parecia saudável e totalmente em paz enquanto dirigia o carrinho de golfe pelo caminho sinuoso. Ele me contou como os fins de semana de voluntariado em Fo Guang Shan se tornaram uma maneira de limpar a carga e o estresse de sua semana de trabalho. Ainda não estava pronto para se aposentar, mas o ato de servir àqueles que visitavam Fo Guang Shan permitia que explorasse algo mais simples e mais profundo do que as maquinações de sua empresa.

Quando chegamos aos aposentos do mestre Hsing Yun, agradeci ao motorista e ele respondeu com um aceno de cabeça e um sorriso. Durante o café da manhã que se seguiu, a sabedoria compartilhada pelo mestre Hsing Yun teria um profundo impacto em como eu pensava meu trabalho e minha vida. Mas a conversa com o voluntário que dirigiu o carrinho de golfe também ficou comigo.

No começo, achei que sua devoção para servir humildemente aos que o rodeavam era algo único do mosteiro, uma função do poder da fé religiosa de nos unir e inspirar. Mas quando voltei a Taipei para meu tratamento médico, comecei a notar pessoas usando esses coletes laranja de voluntários por toda a cidade: na biblioteca, em cruzamentos movimentados, escritórios do governo e parques nacionais. Elas seguravam placas de trânsito para que as crianças atravessassem a rua, mostravam aos visitantes do parque a flora nativa de Taiwan e orientavam as pessoas durante o processo de solicitação de seguro-saúde. Muitos dos voluntários eram idosos ou aposentados recentemente. Seus planos de pensão cuidavam das necessidades básicas e, assim, eles podiam dedicar seu tempo a ajudar os outros e manter laços sólidos com a comunidade.

Enquanto passava pela quimioterapia e começava a contemplar as próximas crises da era da IA, muitas vezes eu pensava nos voluntários. Enquanto muitos indivíduos hoje pontificam o uso da RBU como um sedativo social para todos os propósitos, via certa sabedoria nas atividades humildes desses voluntários e na cultura comunal mais ampla que eles estavam criando. A cidade poderia, é claro, continuar funcionando sem esse exército de voluntários de cabelos grisalhos e roupas cor de laranja, mas seria um pouco menos gentil e um pouco menos humana. Nessa transformação sutil, passei a ver um caminho a seguir.

A bolsa de investimento social: cuidados, serviços e educação

Assim como esses voluntários dedicavam seu tempo e energia para tornar suas comunidades um pouco mais amorosas, acredito que cabe a cada um de nós usarmos a abundância econômica da era da IA para promover esses mesmos valores e encorajar esse mesmo tipo de atividade. Para fazer isso, proponho que exploremos a criação não de uma RBU, mas do que chamo de *bolsa de investimento social*. Essa bolsa seria um salário decente do governo dado àqueles que investem seu tempo e energia naquelas atividades que promovem uma sociedade amável, compassiva e criativa. Estas incluiriam três grandes categorias: trabalho de assistência, serviço comunitário e educação.

Elas formariam os pilares de um novo contrato social que valorizasse e recompensasse as atividades *socialmente benéficas* da mesma maneira que hoje recompensamos as atividades *economicamente produtivas*. A bolsa não substituiria uma rede de segurança social — os benefícios tradicionais de bem-estar, saúde ou desemprego para atender às necessidades básicas —, mas ofereceria uma renda respeitável para aqueles que optam por investir sua energia nessas atividades socialmente produtivas. Hoje, o status social ainda está muito ligado à renda e à progressão na carreira. Dotar essas profissões de respeito exigirá pagar um salário respeitável e oferecer a oportunidade de progredir como em uma carreira normal. Se bem executada, a bolsa de investimento social levaria nossa cultura para uma direção mais compassiva. Colocaria a generosidade econômica da IA para trabalhar na construção de uma sociedade melhor em vez de apenas entorpecer a dor das perdas de empregos causada pela IA.

Cada uma das três categorias reconhecidas — cuidados, serviços e educação — abrangeria uma ampla gama de atividades, com diferentes níveis de remuneração para participação em tempo integral e parcial. O trabalho de assistência pode incluir criar filhos pequenos, cuidar de um pai que está envelhecendo, ajudar um amigo ou membro da família que esteja lidando com uma doença ou garantir que alguém com deficiências mentais ou físicas viva a vida ao máximo. Essa categoria criaria um verdadeiro exército de pessoas — entes queridos, amigos ou até estranhos — que poderia ajudar os necessitados, oferecendo-lhes o que o dispositivo de tela sensível ao toque do meu amigo empreendedor para os idosos nunca poderia dar: calor humano.

O trabalho de serviço também seria igualmente definido de forma ampla, abrangendo muito do trabalho atual feito por grupos sem fins lucrativos, bem como os tipos de voluntários que vi em Taiwan. As tarefas podem incluir a realização de remediação ambiental, liderar programas após a escola, orientar passeios em parques nacionais ou coletar histórias orais de pessoas idosas em nossas comunidades. Os participantes desses programas se registrariam em um grupo estabelecido e se comprometeriam com um determinado número de horas de serviço para atender às exigências da bolsa.

Finalmente, a educação pode variar de treinamento profissional para os empregos da era da IA até aulas que poderiam transformar um hobby em uma carreira. Alguns beneficiários da bolsa podem usar essa liberdade financeira para obter um diploma em aprendizado de máquina e usá-lo para encontrar um emprego bem remunerado. Outros podem utilizar a mesma liberdade para fazer aulas de teatro ou estudar marketing digital.

Tenha em mente que exigir participação em uma dessas atividades não é algo planejado para ditar as atividades diárias de cada pessoa que recebe a bolsa. Ou seja, a beleza dos seres humanos reside na nossa diversidade, na forma como cada um possui diferentes origens, habilidades, interesses e excentricidades. Não pretendo abafar essa diversidade com um sistema de redistribuição de comando e controle que recompense apenas uma faixa restrita de atividades socialmente aprovadas.

Mas exigir alguma contribuição social para receber a bolsa fomentaria uma ideologia muito diferente do individualismo *laissez-faire* de uma RBU. A concessão de uma bolsa em troca de participação em atividades pró-sociais reforça uma mensagem clara: foram necessários esforços de pessoas de toda a sociedade para nos ajudar a alcançar esse ponto de abundância econômica. Estamos agora coletivamente usando essa abundância para nos comprometer uns com os outros, reforçando os laços de compaixão e amor que nos tornam humanos.

Analisando todas as atividades, acredito que haverá uma ampla gama de opções para oferecer algo adequado a todos os trabalhadores que foram demitidos pela IA. Aqueles que forem mais orientados a pessoas podem optar pelo trabalho de assistência, os mais ambiciosos podem se inscrever em programas de treinamento profissional, e aqueles inspirados por uma causa social podem assumir funções de serviço ou defesa de causas.

Em uma época em que as máquinas inteligentes nos suplantaram como engrenagens e peças do motor de nossa economia, espero que valorizemos *todas* essas atividades — assistência, serviço e cultivo pessoal — como parte de nosso projeto social coletivo de construir uma sociedade mais humana.

Perguntas abertas e sérias complicações

A implementação de uma bolsa de investimento social irá evidentemente levantar novas questões e atritos: de quanto deveria ser a bolsa? Devemos recompensar as pessoas de forma diferente com base no seu desempenho nessas atividades? Como sabemos se alguém está cumprindo direito seu trabalho de "assistência"? E que tipos de atividades devem contar como trabalho de "serviço"? São questões reconhecidamente difíceis, para as quais não há respostas claras. A administração de uma bolsa de investimento social em países com centenas de milhões de pessoas envolverá muita burocracia e trabalho duro dos governos e das organizações que criarem essas novas funções.

Mas esses desafios estão longe de serem intransponíveis. Os governos nas sociedades desenvolvidas já atendem a um conjunto estonteante de tarefas burocráticas apenas para manter os serviços públicos, os sistemas educacionais e as redes de segurança social. Nossos governos já fazem o trabalho de inspecionar prédios, credenciar escolas, oferecer subsídios de desemprego, monitorar condições sanitárias em centenas de milhares de restaurantes e oferecer seguro-saúde a dezenas de milhões de pessoas. Operar uma bolsa de investimento social aumentaria essa carga de trabalho, mas acredito que seria bastante fácil de administrar. Levando em conta a enorme vantagem que significará fornecer essa bolsa, acredito que os desafios organizacionais adicionais valerão a pena pelas recompensas para as nossas comunidades.

Mas e quanto à viabilidade? Oferecer um salário vital às pessoas que realizam todas as tarefas acima exigiria muita receita, totais que hoje parecem impraticáveis em muitos países altamente endividados. A IA por certo aumentará a produtividade em toda a sociedade, mas será que ela pode realmente gerar as enormes somas necessárias para financiar essa expansão dramática nos gastos do governo?

Essa também permanece uma questão em aberto, que só será resolvida quando as próprias tecnologias da IA proliferarem em nossas economias. Se a IA cumprir ou exceder as previsões de ganhos de produtividade e criação de riqueza, acredito que poderíamos financiar esse tipo de programa por meio de superimpostos sobre superlucros. Sim, isso reduziria um pouco os incentivos econômicos para o avanço da IA, mas considerando os lucros estonteantes que se acumularão para os vencedores da era da IA, não vejo isso como um impedimento substancial à inovação.

No entanto levará anos para chegar a esse ponto de lucros astronômicos, anos durante os quais os trabalhadores sofrerão. Para suavizar a transição, proponho uma aceleração lenta da assistência. Embora pular direto para a bolsa de investimento social completa, descrita acima, provavelmente não funcione, acho que podemos ser capazes de implementar políticas incrementais ao longo do caminho. Essas políticas fragmentadas podem, ao mesmo tempo, contrabalançar a destruição de empregos quando isso acontecer e nos levar a um novo contrato social.

Poderíamos começar aumentando consideravelmente o apoio do governo a novos pais, para que eles tenham a opção de permanecer em casa ou enviar os filhos para a creche em tempo integral. Para os pais que escolherem ensinar os filhos em casa, o governo poderia oferecer subsídios equivalentes ao salário de um professor para aqueles que obtiverem certas certificações. Nos sistemas de escolas públicas, o número de professores também pode aumentar bastante — potencialmente multiplicar por dez —, com cada professor encarregado de um número menor de alunos que poderá ensinar em conjunto com programas de educação em IA. Os subsídios do governo e as bolsas também podem ser destinados a trabalhadores submetidos a treinamento profissional e às pessoas que cuidam de pais idosos. Esses programas simples permitiriam que colocássemos em prática os primeiros blocos de construção de uma bolsa, começando o trabalho de mudar a cultura e estabelecendo as bases para uma expansão maior.

Como a IA continuará a gerar tanto valor econômico quanto a demissão de trabalhadores, podemos expandir lentamente o alcance desses subsídios para atividades além do trabalho de assistência ou treinamento profissional. E quando o impacto total da IA — muito bom para a produtividade, muito ruim para o emprego — se tornar claro, devemos ser capazes de reunir os recursos e a vontade pública de implementar programas semelhantes aos da bolsa de investimento social.

Quando fizermos isso, espero que não apenas possamos aliviar o sofrimento econômico, social e psicológico da era da IA, mas também que estejamos capacitados ainda mais para viver de uma maneira que honre nossa humanidade e nos capacite a fazer o que nenhuma máquina poderá: compartilhar nosso amor com aqueles que nos rodeiam.

Olhando para a frente e ao redor

As ideias apresentadas neste capítulo são uma tentativa inicial de lidar com as enormes rupturas no horizonte do nosso futuro com a IA. Analisamos as correções técnicas que buscam suavizar a transição para uma economia de IA: reciclar os trabalhadores, reduzir as horas de trabalho e redistribuir a renda por meio de uma RBU. Embora todas essas correções técnicas tenham um papel a desempenhar, acredito que seja necessário algo mais. Imagino o setor privado fomentando criativamente a simbiose homem-máquina, uma nova onda de investimentos de impacto financiando empregos de serviços centrados no ser humano, e o governo preenchendo as lacunas com uma bolsa de investimento social que recompense a assistência, o serviço e a educação. Tomados em conjunto, essas funções constituiriam um realinhamento de nossa economia e uma reescrita de nosso contrato social para recompensar atividades socialmente produtivas.

Não se trata de uma lista exaustiva ou de um julgamento autoritário sobre as maneiras pelas quais podemos nos adaptar à automatização generalizada. Mas espero que forneçam pelo menos uma estrutura e um conjunto de valores para nos guiar nesse processo. Grande parte dessa estrutura vem da minha compreensão sobre a inteligência artificial e a indústria global de tecnologia.

Os valores que guiam essas recomendações, no entanto, estão enraizados em algo muito mais íntimo: a experiência do meu diagnóstico de câncer e a transformação pessoal inspirada por pessoas como minha esposa, o mestre Hsing Yun e tantos outros que compartilharam comigo amor e sabedoria de uma forma abnegada.

Se eu nunca tivesse passado por essa experiência aterrorizante, mas em última análise iluminadora, talvez nunca tivesse despertado para a centralidade do amor na experiência humana. Em vez de procurar formas de promover um mundo mais amoroso e compassivo, provavelmente veria as crises iminentes com a mesma lente das pessoas que estão profundamente dentro da IA hoje — como um simples problema de alocação de recursos a ser tratado do modo mais eficiente possível, provavelmente por meio de uma RUB. Foi só depois de passar pela minha prova pessoal que vejo agora o vazio dessa abordagem.

Minha experiência com o câncer também me ensinou a apreciar a sabedoria que se esconde nas ações humildes das pessoas em todos os lugares. Depois de tantos anos como um "Homem de Ferro" de conquistas profissionais, eu precisava ser derrubado do meu pedestal e enfrentar minha própria mortalidade antes de apreciar o que muitas pessoas supostamente menos bem-sucedidas estavam me oferecendo.

Acredito que logo veremos o mesmo processo em escala internacional. As superpotências de IA, Estados Unidos e China, podem ser os países com o conhecimento para construir essas tecnologias, mas os caminhos para o verdadeiro crescimento humano na era da IA surgirão de pessoas em todas as esferas da vida e de todos os cantos do mundo.

À medida que olhamos para o futuro, devemos também ter tempo para olhar ao nosso redor.

9. Nossa história global com a IA

Em 12 de junho de 2005, Steve Jobs se aproximou de um microfone no Stanford Stadium e fez um dos mais memoráveis discursos de formatura já proferidos. Na conversa, ele repassou sua carreira cheia de zigue-zagues, do abandono da faculdade à cofundação da Apple, de sua saída pouco amigável daquela empresa à fundação da Pixar e, finalmente, seu triunfante retorno à Apple uma década mais tarde. Falando para uma multidão de estudantes ambiciosos de Stanford, muitos dos quais estavam ansiosamente planejando sua própria ascensão aos picos do Vale do Silício, Jobs advertiu contra a tentativa de traçar a vida e a carreira com antecedência.

"Você não pode conectar os pontos olhando para a frente", disse Jobs aos alunos. "Você só pode conectá-los olhando para trás. Então você tem que confiar que os pontos de alguma forma se conectarão no seu futuro."[1]

A sabedoria de Jobs ecoou em mim desde que a ouvi pela primeira vez, mas nunca tanto quanto hoje. Ao escrever este livro, tive a oportunidade de conectar os pontos de quatro décadas de trabalho, crescimento e evolução. Essa jornada abrangeu empresas e culturas, de pesquisador de IA e executivo de negócios a capitalista de risco, autor e sobrevivente de câncer. Incluiu questões globais e profundamente pessoais: a ascensão da inteligência artificial, os destinos entrelaçados dos lugares que chamei de lar e minha própria evolução de um workaholic a pai, marido e ser humano mais amoroso.

Todas essas experiências se juntaram para moldar minha visão do nosso futuro global com a IA, conectar os pontos olhando para trás e usar essas constelações como orientação daqui para a frente. Minha experiência em tecnologia e experiência em negócios tem cristalizado como essas tecnologias estão se desenvolvendo na China e nos Estados Unidos. Meu súbito confronto com o câncer me levou a entender por que devemos usar essas tecnologias para promover uma sociedade mais amorosa. Finalmente, minha experiência de mudança e transição entre duas culturas diferentes imprimiu em mim o valor do progresso compartilhado e a necessidade de entendimento mútuo além das fronteiras nacionais.

Um futuro da IA sem uma corrida da IA

Ao escrever sobre o desenvolvimento global da inteligência artificial, é fácil cair em metáforas militares e em uma mentalidade de soma zero. Muitos comparam a "corrida da IA" de hoje com a corrida espacial dos anos 1960[2] ou, pior ainda, à corrida armamentista da Guerra Fria que criou armas cada vez mais poderosas de destruição em massa.[3] Até hoje, a palavra "superpotências" ainda é muito utilizada, uma expressão que muitos associam à rivalidade geopolítica. Eu uso esse termo, no entanto, especificamente para refletir o equilíbrio tecnológico das capacidades da IA, não para sugerir uma guerra até as últimas consequências pela supremacia militar. Mas essas distinções são facilmente borradas por aqueles mais interessados em posturas políticas do que no desenvolvimento humano.

Se não formos cuidadosos, essa retórica unilateral em torno de uma "corrida da IA" nos enfraquecerá no planejamento e na modelagem de nosso futuro junto com a IA. Uma corrida tem apenas um vencedor: a vitória da China é a derrota dos Estados Unidos e vice-versa. Não existe a noção de progresso compartilhado ou prosperidade mútua — apenas um desejo de ficar à frente do outro país, independentemente dos custos. Essa mentalidade levou muitos comentaristas nos Estados Unidos a usarem o progresso em IA da China como um chicote retórico para estimular os líderes norte-americanos a agir. Argumentam que os Estados Unidos estão em risco de perder sua vantagem na tecnologia que irá alimentar a competição militar do século XXI.

Mas isso não é uma nova Guerra Fria. Hoje, a IA tem inúmeras aplicações militares em potencial, mas seu verdadeiro valor não está na destruição, mas na criação. Se entendida e aproveitada adequadamente, pode na verdade nos ajudar a gerar valor econômico e prosperidade em uma escala nunca vista na história da humanidade.

Nesse sentido, nosso atual boom de IA tem muito mais a ver com o surgimento da Revolução Industrial ou com a invenção da eletricidade do que com a corrida armamentista da Guerra Fria. Sim, empresas chinesas e norte-americanas competirão entre si para aproveitar melhor essa tecnologia e conseguir ganhos de produtividade. Mas não estão buscando a conquista de outra nação. Quando o Google promove sua tecnologia TensorFlow no exterior, ou o Alibaba implementa o City Brain em Kuala Lumpur, essas ações são mais parecidas com as primeiras exportações de motores a vapor e lâmpadas do que com início de uma nova corrida armamentista global.

Uma visão clara do impacto de longo prazo da tecnologia revelou uma verdade preocupante: nas próximas décadas, o maior potencial da IA para romper e destruir não reside nas disputas militares internacionais, mas naquilo que fará com nossos mercados de trabalho e sistemas sociais. Visualizar a turbulência econômica e social relevante que está em nosso horizonte deveria fazer com que ficássemos mais humildes. Também deveria transformar nossos instintos competitivos em uma busca por soluções cooperativas para os desafios comuns que todos enfrentamos como seres humanos, pessoas cujos destinos estão inextricavelmente interligados em todas as classes econômicas e fronteiras nacionais.

Sabedoria global para a era da IA

Quando a força criativa e destruidora da IA está sendo sentida ao mesmo tempo no mundo todo, precisamos olhar uns para os outros em busca de apoio e inspiração. Os Estados Unidos e a China liderarão o caminho em aplicações economicamente produtivas de IA, mas outros países e culturas certamente continuarão a fazer contribuições inestimáveis para a nossa evolução social mais ampla. Nenhum país sozinho terá todas as respostas para a emaranhada teia de questões que enfrentamos, mas se recorrermos a diversas fontes de sabedoria, acredito que não há problema que não possamos resolver juntos. Essa sabedoria incluirá reformas pragmáticas em nossos sistemas educacionais, nuances sutis nos valores culturais e profundas mudanças na forma como concebemos o desenvolvimento, a privacidade e a governança.

Ao renovar nossos sistemas educacionais, podemos aprender muito com a adoção da educação inteligente e talentosa da Coreia do Sul. Esses programas buscam identificar e perceber o potencial das principais mentes técnicas do país, uma abordagem adequada para criar a prosperidade material que pode ser amplamente compartilhada por toda a sociedade. Escolas no mundo todo também podem tirar lições de experiências norte-americanas em educação social e emocional, promovendo habilidades que serão inestimáveis para a força de trabalho centrada no ser humano do futuro.

Para adaptações em como nos aproximamos do trabalho, seria sensato olhar para a cultura do trabalho artesanal na Suíça e no Japão, lugares onde a busca pela perfeição elevou as atividades de trabalho rotineiras ao campo da expressão humana e da arte. Enquanto isso, culturas vibrantes e significativas de voluntariado em países como o Canadá e a Holanda devem nos inspirar a diversificar nossas noções tradicionais de "trabalho". A cultura chinesa também pode ser uma fonte de sabedoria quando se trata de cuidar dos idosos e de promover famílias intergeracionais. À medida que a política pública e os valores pessoais se misturam, devemos realmente dedicar um tempo a estudar novas experiências na definição e medida do progresso, como a decisão do Butão de buscar a "Felicidade Nacional Bruta" como um indicador-chave de desenvolvimento.

Por fim, nossos governos precisarão olhar um para o outro na avaliação de novas compensações espinhosas em termos de privacidade de dados, monopólios digitais, segurança on-line e tendências algorítmicas. Ao abordar essas questões, podemos aprender muito comparando as diferentes abordagens adotadas pelos reguladores na Europa, nos Estados Unidos e na China. Enquanto a Europa optou por uma abordagem mais pesada (multando o

Google, por exemplo, com regras antimonopólio e tentando tirar o controle dos dados das empresas de tecnologia), a China e os Estados Unidos deram mais liberdade a essas empresas, deixando que a tecnologia e os mercados se desenvolvam antes de intervir nas margens.

Todas essas abordagens apresentam dois lados, com alguns favorecendo a privacidade em relação ao progresso tecnológico, e outros fazendo o inverso. Alavancar a tecnologia para construir o tipo de sociedades que desejamos significará acompanhar o impacto dessas políticas no mundo real e manter a mente aberta sobre diferentes abordagens para a governança da IA.

Escrevendo nossa história com a IA

Mas acessar e adotar essas diversas fontes de conhecimento primeiro exige manter um senso de controle em relação a essa tecnologia que está em rápida aceleração. Com a enxurrada diária de manchetes sobre IA, é fácil sentir como se os seres humanos estivessem perdendo o controle sobre o próprio destino. Profecias tanto de senhores-robôs quanto de uma "classe inútil" de trabalhadores desempregados tendem a se misturar em nossas mentes, evocando uma sensação avassaladora de desamparo humano diante de todas essas tecnologias poderosas. Esses cenários apocalípticos contêm um núcleo de verdade sobre o potencial da IA, mas os sentimentos de desamparo que eles geram obscurecem o ponto-chave: quando se trata de moldar o futuro da inteligência artificial, o fator mais importante será como agirão os seres humanos.

Não somos espectadores passivos na história da IA — somos os autores dela. Isso significa que os valores que sustentam nossas visões de um futuro com a IA podem se tornar profecias autorrealizáveis. Se dissermos a nós mesmos que o valor dos seres humanos reside unicamente em sua contribuição econômica, então agiremos de acordo. As máquinas vão substituir os seres humanos no local de trabalho, e poderemos acabar em um mundo distorcido como o que Hao Jingfang imaginou em *Folding Beijing*, uma sociedade baseada em castas que divide e separa as chamadas pessoas úteis das massas "inúteis".

Mas isso não é de forma alguma uma conclusão fechada. A ideologia por trás dessa visão distópica — dos seres humanos como nada mais do que a soma de suas partes economicamente produtivas — revela até que ponto nos desencaminhamos. Não fomos colocados na Terra somente para trabalhar em tarefas repetitivas. Não precisamos passar nossa vida acumulando riqueza apenas para morrermos e passá-la para nossos filhos — a última "iteração" do algoritmo humano —, que irão refinar e repetir esse processo.

Se acreditarmos que a vida tem um significado além dessa corrida desenfreada material, então a IA pode vir a ser a ferramenta que nos ajudará a descobrir esse significado mais profundo.

Corações e mentes

Quando comecei minha carreira em IA em 1983, fiz isso passando um verniz filosófico na minha inscrição ao programa de doutorado na Carnegie Mellon. Descrevi a IA como "a quantificação do processo de pensamento humano, a explicação do comportamento humano" e o nosso "passo final" para nos compreendermos. Foi uma destilação sucinta das noções românticas no campo naquela época e que me inspirava enquanto tentava ampliar os limites das capacidades de IA e do conhecimento humano.

Hoje, 35 anos mais velho e, espero, um pouco mais sensato, vejo as coisas de maneira diferente. Os programas de IA que criamos provaram ser capazes de imitar e superar os cérebros humanos em muitas tarefas. Como pesquisador e cientista, tenho orgulho dessas conquistas. Mas se o objetivo original era realmente entender a mim e aos outros seres humanos, então essas décadas de "progresso" não me levaram a lugar nenhum. Na verdade, meu sentido de anatomia estava errado. Em vez de procurar superar o cérebro humano, eu deveria ter procurado entender o coração humano.

É uma lição que demorei muito tempo para aprender. Passei grande parte da minha vida adulta trabalhando obsessivamente para otimizar meu impacto, para transformar meu cérebro em um algoritmo afinado que maximizasse minha própria influência. Morei em vários países e trabalhei em diferentes fusos horários para esse fim, nunca percebendo que algo muito mais significativo e muito mais humano estava nos corações dos membros da minha família, dos amigos e entes queridos que me cercavam. Foram necessários um diagnóstico de câncer e o amor altruísta da minha família para finalmente eu ligar todos esses pontos a uma imagem mais clara do que nos separa das máquinas que construímos.

Esse processo mudou minha vida e, de uma maneira indireta, me levou de volta ao meu objetivo original de usar a inteligência artificial para revelar nossa natureza como seres humanos. Se a IA nos permitir em algum momento realmente nos compreender, não será porque esses algoritmos capturaram a essência mecânica da mente humana. Será porque nos libertaram para esquecer as otimizações e, em vez disso, focar no que de fato nos torna humanos: amar e ser amado.

Alcançar esse ponto exigirá trabalho duro e escolhas conscientes de todos. Felizmente, como seres humanos, possuímos o livre-arbítrio para escolher nossos próprios objetivos, algo que a IA ainda não possui. Podemos escolher nos unir, trabalhando além dos limites das classes e das fronteiras nacionais para escrever nosso próprio final para a história da IA.

Vamos escolher deixar que as máquinas sejam máquinas e deixar que os humanos sejam humanos. Vamos escolher simplesmente usar nossas máquinas e, mais importante, amar uns aos outros.

Agradecimentos

ANTES DE TUDO, GOSTARIA DE AGRADECER ao meu colaborador, Matt Sheehan, que trabalhou bastante neste livro com um prazo muito curto. Se você acha que este livro é divertido e fácil de ler, ou talvez o tenha achado rico em informações, Matt merece muito do crédito. Tive a sorte de encontrar um colaborador como Matt, alguém com uma compreensão profunda da China, dos Estados Unidos, da tecnologia e de como escrever.

Fui convencido a fazer este livro pelo meu amigo e agente John Brockman e sua equipe. Sua crença na urgência do assunto e minha capacidade de contribuir para esse diálogo me convenceram a considerar a realização deste projeto. Em retrospectiva, acho que ele estava absolutamente certo.

Gostaria de agradecer a Rick Wolff, que decidiu apostar em um tópico não testado com base apenas em minha própria convicção. Ele é um excelente editor e fez maravilhas para levar este livro para o mercado. Foi muito divertido trabalhar com Rick — e conseguir o melhor de cada um.

Também quero agradecer a Erik Brynjolfsson, James Manyika, Jonathan Woetzel, Paul Triolo, Shaolan Hsueh, Chen Xu, Ma Xiaohong, Lin Qiling, Wu Zhuohao, Michael Chui, Yuan Li, Cathy Yang, Anita Huang, Maggie Tsai e Laurie Erlam pela ajuda na leitura dos rascunhos iniciais e pelo valioso feedback.

Meus agradecimentos finais à minha família, que tolerou minha desatenção durante os últimos seis meses. Não vejo a hora de voltar ao abraço de vocês, algo que me sustenta e me ensinou muito.

Este deve ser meu último livro. Mas já falei isso sete vezes antes — espero que ainda acreditem.

Notas

1. O momento Sputnik da China

1. “Go and Mathematics”, em Wikipedia, seção “Legal Positions”. Disponível em: <https://en.wikipedia.org/wiki/Go_and_mathematics#Legal_positions>.

2. Cade Metz, “What the AI Behind AlphaGo Can Teach Us About Being Human”, *Wired*, 19 maio 2016. Disponível em: <https://www.wired.com/2016/05/google-alpha-go-ai/>.

3. Paul Mozur, “Beijing Wants A.I. to Be Made in China by 2030”, *New York Times*, 20 jul. 2017. Disponível em: <https://www.nytimes.com/2017/07/20/business/china-artificial-intelligence.html>.

4. James Vincent, “China Overtakes US in AI Startup Funding with a Focus on Facial Recognition and Chips”, *The Verge*, 2 fev. 2018. Disponível em: <https://www.theverge.com/2018/2/22/17039696/china-us-ai-funding-startup-comparison>.

5. Kai-Fu Lee e Sanjoy Mahajan, “The Development of a World Class Othello Program”, *Artificial Intelligence*, v. 43, n. 1, pp. 21-36, abr. 1990.

6. Kai-Fu Lee, “On Large-Vocabulary Speaker-Independent Continuous Speech Recognition”, *Speech Communication*, v. 7, n. 4, pp. 375-9, dez. 1988.

7. John Markoff, “Talking to Machines: Progress Is Speeded”, *New York Times*, 6 jul. 1988. Disponível em: <https://www.nytimes.com/1988/07/06/business/business-technology-talking-to-machines-progress-is-speeded.html?mcubz=1>.

8. ImageNet Large Scale Visual Recognition Challenge 2012, resultados completos. Disponível em: <http://image-net.org/challenges/LSVRC/2012/results.html>.

9. Catherine Shu, “Google Acquires Artificial Intelligence Startup for Over $500 Million”, *TechCrunch*, 26 jan. 2014. Disponível em: <https://tech-crunch.com/2014/01/26/google-deepmind/>.

10. Shana Lynch, “Andrew Ng: Why AI Is the New Electricity”, The Dish (blog), *Stanford News*, 14 mar. 2017. Disponível em: <https://news.stanford.edu/thedish/2017/03/14/andrew-ng-why-ai-is-the-new-electricity/>.

11. Dr. Anand S. Rao e Gerard Verweij, "Sizing the Prize", PwC, 27 jun. 2017. Disponível em: <https://www.pwc.com/gx/en/issues/analytics/assets/pwc-ai-analysis-sizing-the-prize-report.pdf>.

2. Imitadores no coliseu

1. Gady Epstein, "The Cloner", *Forbes*, 28 abr. 2011. Disponível em: <https://www.forbes.com/global/2011/0509/companies-wang-xing-china-groupon-friendster-cloner.html#1272f84055a6>.

2. 孙进, 李静颖孙进 e 刘佳, "社交媒体冲向互联网巅峰",第一财经日报, 21 abr. 2011. Disponível em: <yicai.com/news/739256.html>.

3. "To Each According to His Abilities", *Economist*, 31 maio 2001. Disponível em: <https://www.economist.com/node/639652>.

4. Gabrielle H. Sanchez, "China's Counterfeit Disneyland Is Actually Super Creepy", BuzzFeed, 11 dez. 2014. Disponível em: <https://www.buzzfeed.com/gabrielsanchez/chinas-eerie-counterfeit-disneyland>.

5. Xueping Du, "Internet Adoption and Usage in China", 27ª Conferência Anual de Pesquisa e Políticas de Telecomunicações, Alexandria, Virgínia, 25-27 set. 1999. Disponível em: <https://pdfs.semantic-scholar.org/4881/088c67ad919da32487c567341f8a0af7e47e.pdf>.

6. "Ebay Lectures Taobao That Free Is Not a Business Model", *South China Morning Post*, 21 out. 2005. Disponível em: <http://www.scmp.com/node/521384>.

7. 周鸿祎, "颠覆者" (北京: 北京联合出版公司, 2017).

8. Dr. Andrew Ng, dr. Sebastian Thrun e dr. Kai-Fu Lee, "The Future of AI", moderado por John Markoff, Sinovation Ventures, Menlo Park, CA, 10 jun. 2017. Disponível em: <http://us.sinovationventures.com/blog/the-future-of-ai>.

9. Eric Ries, *The Lean Startup: How Today's Entrepreneurs Use Continuous Innovation to Create Radically Successful Businesses*. Nova York: Crown Business, 2011. [Ed. bras.: *A startup enxuta: Como os empreendedores atuais utilizam a inovação contínua para criar empresas extremamente bem-sucedidas*. São Paulo: Leya, 2012.]

3. O universo alternativo da internet na China

1. Francis Tan, "Tencent Launches Kik-Like Messaging App", The Next Web, 21 jan. 2011. Disponível em: <https://thenextweb.com/asia/2011/01/21/tencent-launches-kik-like-messaging-app-in-china/>.

2. Connie Chan, "A Whirlwind Tour Through China Tech Trends", Andreesen Horowitz (blog), 6 fev. 2017. Disponível em: <https://a16z.com/2017/02/06/china-trends-2016-2017/>.

3. Josh Horwitz, "Chinese WeChat Users Sent Out 20 Million Cash-Filled Red Envelopes to Friends and Family Within Two Days", TechinAsia, 4 fev. 2014. Disponível em: <https://www.techinasia.com/wechats-money-gifting-scheme-lures-5-million-chinese-users-alibabas-jack-ma-calls-pearl-harbor-attack-company>.

4. "Premier Li's Speech at Summer Davos Opening Ceremony", *Xinhua*, 10 set. 2014. Disponível em: <http://english.gov.cn/premier/speeches/2014/09/22/content_281474988575784.htm>.

5. Zero2IPO Research, "清科观察：《2016政府引导基金报告》发布，管理办法支持四大领域、明确负面清单,"清科研究中心, 30 mar. 2016. Disponível em: <http://free.pedata.cn/1440998436840710.html>.

6. "Venture Pulse Q4 2017", KPMG *Enterprise*, 16 jan. 2018. Disponível em: <https://assets.kpmg.com/content/dam/kpmg/xx/pdf/2018/01/venture-pulse-report-q4-17.pdf>.

7. Thomas Laffont e Daniel Senft, "East Meets West 2017 Keynote", Conferência O Oriente encontra o Ocidente 2017, Pebble Beach, Califórnia, EUA, 26-29 jun. 2017.

8. Joshua Brustein, "GrubHub Buys Yelp's Eat24 for $288 Million", *Bloomberg*, 3 ago. 2017. Disponívelem: <https://www.bloomberg.com/news/articles/2017-08-03/grubhub-buys-yelp-s-eat24-for-288-million>.

9. Kevin Wei Wang, Alan Lau e Fang Gong, "How Savvy, Social Shoppers Are Transforming Chinese E-Commerce", McKinsey and Company, abr. 2017. Disponível em: <https://www.mckinsey.com/industries/retail/our-insights/how-savvy-social-shoppers-are-transforming-chinese-e-commerce>.

10. 第41次"中国互联网络发展状况统计报告",中国互联网络信息中心, 18 jan. 2018. Disponível em: <http://www.cac.gov.cn/2018=01/31/c_1122346138.htm>.

11. "你的城市还用现金吗？杭州的劫匪已经抢不到钱了",吴晓波频道, 3 abr. 2017. Disponível em: <http://www.sohu.com/a/131836799_565426>.

12. "China's Third-Party Mobile Payments Report", iResearch, 28 jun. 2017. Disponível em: <http://www.iresearchchina.com/content/details8_34116.html>.

13. Analysis 易观, "中国第三方支付移动支付市场季度监测报告2017年第4季度". Disponível em: <http://www.analysis.cn/analysis/trade/detail/1001257/>.

14. Cate Cadell, "China's Meituan Dianping Acquires Bike-Sharing Firm Mobike for $2.7 Billion", Reuters, 3 abr. 2018. Disponível em: <https://www.reuters.com/article/us-mobike-m-a-meituan/chinas-meituan-dianping-acquires-bike-sharing-firm-mobike-for-2-7-billion-idUSKCNIHBODU>.

15. Laffont e Senft, "East Meets West 2017 Keynote".

4. Um conto de dois países

1. Sarah Zhang, "China's Artificial Intelligence Boom", *Atlantic*, 16 fev. 2017. Disponível em: <https://www.theatlantic.com/technology/archive/2017/02/china-artificial-intelligence/516615/>.

2. Dr. Kai-Fu Lee e Paul Triolo, "China Embraces AI: A Close Look and a Long View", apresentação no Eurasia Group, 6 dez. 2017. Disponível em: <https://www.eurasiagroup.net/live-post/ai-in-china-cutting-through-the-hype>.

3. Shigenori Arai, "China's AI Ambitions Revealed by List of Most Cited Research Papers", *Nikkei Asian Review*, 2 nov. 2017. Disponível em: <https://asia.nikkei.com/Tech-Science/Tech/China-s-AI-ambitions-revealed-by-list-of-most-cited-research-papers>.

4. Same Shead, "Eric Schmidt on AI: 'Trust Me, These Chinese People Are Good'", *Business Insider*, 1 nov. 2017. Disponível em: <http://www.businessinsider.com/eric-schmidt-on-artificial-intelligence-china-2017-11>.

5. Gregory Allen e Elsa B. Kania, "China Is Using America's Own Plan to Dominate the Future of Artificial Intelligence", *Foreign Policy*, 8 set. 2017. Disponível em: <http://foreignpolicy.com/2017/09/08/china-is-using-americas-own-plan-to-dominate-the-future-of-artificial-intelligence/>.

6. Allison Linn, "Historic Achievement: Microsoft Researchers Reach Human Parity in Conversational Speech Recognition," The AI Blog, Microsoft, 18 out. 2016. Disponível em:

<https://blogs.microsoft.com/ai/historic-achievement-microsoft-researchers-reach-human--parity-conversational-speech-recognition/>.

7. Andrew Ng, “Opening a New Chapter of My Work in AI”, Medium, 21 mar. 2017. Disponível em: <https://medium.com/@andrewng/opening-a-new-chapter-of-my-work-in-ai-c6a4d1595d7b>.

8. Paul Mozur e John Markoff, “Is China Outsmarting America in A.I.?”, *New York Times*, 27 maio 2017. Disponível em: <https://www.nytimes.com/2017/05/27/technology/china-us-ai--artificial-intelligence.html?_r=0>.

9. “Capitalizing on ‘Venture Socialism’”, *Washington Post*, 18 set. 2011. Disponível em: <https://www.washingtonpost.com/opinions/capitalizing-on-venture-socialism/2011/09/16/gIQA-Q7sYdK_story.html?utm_term=.5f0e532fcb86>.

10. “Scale of Traffic Deaths and Injuries Constitutes ‘a Public Health Crisis’—Safe Roads Contribute to Sustainable Development”, World Health Organization, Western Pacific Region, press release, 24 maio 2016. Disponível em: <http://www.wpro.who.int/china/mediacentre/releases/2016/20160524/en/>.

5. As quatro ondas da IA

1. Frederick Jelinek, “Some of My Best Friends Are Linguists”, apresentação na International Conference on Language Resources and Evaluation, 28 maio 2004. Disponível em: <http://www.lrec-conf.org/lrec2004/doc/jelinek.pdf>.

2. “Toutiao, a Chinese News App That’s Making Headlines”, *Economist*, 18 nov. 2017. Disponível em: <https://www.economist.com/news/business/21731416-remarkable-success-smartphone-app-claims-figure-users-out-within-24>.

3. Conversa com o autor, out. 2017.

4. 朱晓颖, “江苏”案管机器人”很忙：辅助办案还考核检察官”, 中国新闻网, 2 mar. 2018. Disponível em: <http://www.chinanews.com/sh/2018/03-02/8457963.shtml>.

5. Sarah Dai, “China’s Baidu, Xiaomi in AI Pact to Create Smart Connected Devices”, *South China Morning Post*, 28 nov. 2017. Disponível em: <http://www.scmp.com/tech/china-tech/article/2121928/chinas-baidu-xiaomi-ai-pact-create-smart-connected-devices>.

6. Shona Gosh, “Xiaomi Is Picking Up Underwriters for an IPO Worth Up to $100 Billion”, *Business Insider*, 15 jan. 2018. Disponível em: <http://www.businessinsider.com/xiaomi-goldman-sachs-ipo-100-billion-2018-1>.

7. April Glaser, “DJI Is Running away with the Drone Market”, Recode, 14 abr. 2017. Disponível em: <https://www.recode.net/2017/4/14/14690576/drone-market-share-growth-charts-dji-forecast>.

8. Fred Lambert, “Google’s Self-Driving Car vs Tesla Autopilot: 1.5M Miles in 6 Years vs 47M Miles in 6 Months”, *Electrek*, 11 abr. 2016. Disponível em: <https://electrek.co/2016/04/11/google-self-driving-car-tesla-autopilot/>.

9. “Xiong’an New Area: China’s Latest Special Economic Zone?”, CKGSB Knowledge, 8 nov. 2017. Disponível em: <http://knowledge.ckgsb.edu.cn/2017/11/08/all-articles/xiongan-china-special-economic-zone/>.

6. Utopia, distopia e a verdadeira crise da IA

1. Dom Galeon e Christianna Reedy, "Kurzweil Claims That the Singularity Will Happen by 2045", *Futurism*, 5 out. 2017. Disponível em: <https://futurism.com/kurzweil-claims-that-the-singularity-will-happen-by-2045/>.

2. James Titcomb, "AI Is the Biggest Risk We Face as a Civilisation, Elon Musk Says", *Telegraph*, 17 jul. 2017. Disponível em: <https://www.telegraph.co.uk/technology/2017/07/17/ai-biggest-risk-face-civilisation-elon-musk-says/>.

3. Greg Kumparak, "Elon Musk Compares Building Artificial Intelligence to 'Summoning the Demon'", TechCrunch, 26 out. 2014. Disponível em: <https://techcrunch.com/2014/10/26/elon-musk-compares-building-artificial-intelligence-to-summoning-the-demon/>.

4. Nick Bostrom, *Superintelligence: Paths, Dangers, Strategies*. Oxford: Oxford University Press, 2014, p. 19.

5. Geoffrey Hinton, Simon Osindero e Yee-Whye The, "A Fast Learning Algorithm for Deep Belief Nets", *Neural Computation*, v. 18, n. 7, pp. 1527-54, 2006.

6. Hao Jingfang, *Folding Beijing*, trad. Ken Liu, *Uncanny Magazine*. Disponível em: <https://uncannymagazine.com/article/folding-beijing-2/>.

7. Robert Allen, "Engel's Pause: A Pessimist's Guide to the British Industrial Revolution", University of Oxford Department of Economics Working Papers, abr. 2007. Disponível em: <https://www.economics.ox.ac.uk/department-of-economics-discussion-paper-series/engel-s-pause-a-pessimist-s-guide-to-the-british-industrial-revolution>.

8. Erik Brynjolfsson e Andrew McAfee, *The Second Machine Age: Work, Progress, and Prosperity in a Time of Brilliant Technologies*. Nova York: Norton, 2014, pp. 75-7.

9. Erik Brynjolfsson e Andrew McAfee, "Jobs, Productivity and the Great Decoupling", *New York Times*, 11 dez. 2012. Disponível em: <http://www.nytimes.com/2012/12/12/opinion/global/jobs-productivity-and-the-great-decoupling.html>.

10. Eduardo Porter e Karl Russell, "It's an Unequal World. It Doesn't Have to Be", *New York Times*, 14 dez. 2017. Disponível em: <https://www.ny-times.com/interactive/2017/12/14/business/world-inequality.html>.

11. Matt Egan, "Record Inequality: The Top 1% Controls 38.6% of America's Wealth", CNN, 17 set. 2017. Disponível em: <http://money.cnn.com/2017/09/27/news/economy/inequality-record-top-1-percent-wealth/index.html>.

12. Lawrence Mishel, Elise Gould e Josh Bivens, "Wage Stagnation in Nine Charts", Economic Policy Institute, 6 jan. 2015. Disponível em: <http://www.epi.org/publication/charting-wage-stagnation/>.

13. Claire Cain Miller, "As Robots Grow Smarter, American Workers Struggle to Keep Up", The Upshot (blog), *New York Times*, 15 dez. 2014. Disponível em: <https://www.nytimes.com/2014/12/16/upshot/as-robots-grow-smarter-american-workers-struggle-to-keep-up.html>.

14. Ibid.

15. Dana Olsen, "A Record-Setting Year: 2017 VC Activity in 3 Charts", Pitchbook, 15 dez. 2017. Disponível em: <https://pitchbook.com/news/articles/a-record-setting-year-2017-vc-activity-in-3-charts>.

16. "Top AI Trends to Watch in 2018", CB *Insights*, fev. 2018. Disponível em: <https://www.cbinsights.com/research/report/artificial-intelligence-trends-2018/>.

17. Carl Benedikt Frey e Michael A. Osborne, "The Future of Employment: How Susceptible Are Jobs to Automation", Oxford Martin Programme on Technology and Employment, 17 set. 2013. Disponível em: <https://www.oxfordmartin.ox.ac.uk/downloads/academic/future-of-employment.pdf>.

18. Melanie Arntz, Terry Gregory e Ulrich Zierahn, "The Risk of Automation for Jobs in OECD Countries: A Comparative Analysis", OECD *Social, Employment, and Migration Working Papers*, n. 189, 14 maio 2016. Disponível em: <http://dx.doi.org/10.1787/5jlz9h56dvq7-en>.

19. Richard Berriman e John Hawksworth, "Will Robots Steal Our Jobs? The Potential Impact of Automation on the UK and Other Major Economies", PwC, mar. 2017. Disponível em: <https://www.pwc.co.uk/economic-services/ukeo/pwcukeo-section-4-automation-march-2017-v2.pdf>.

20. James Manyika et al., "What the Future of Work Will Mean for Jobs, Skills, and Wages", McKinsey Global Institute, nov. 2017. Disponível em: <https://www.mckinsey.com/global-themes/future-of-organizations-and-work/what-the-future-of-work-will-mean-for-jobs-skills-and-wages>.

21. Karen Harris, Austin Kimson e Andrew Schwedel, "Labor 2030: The Collision of Demographics, Automation and Inequality", Bain and Company, 7 fev. 2018. Disponível em: <http://www.bain.com/publications/articles/labor-2030-the-collision-of-demographics-automation-and-inequality.aspx>.

22. Martin Ford, "China's Troubling Robot Revolution", *New York Times*, 10 jun. 2015. Disponível em: <https://www.nytimes.com/2015/06/11/opinion/chinas-troubling-robot-revolution.html>.

23. Vivek Wadhwa, "Sorry China, the Future of Next-Generation Manufacturing Is in the US", *Quartz*, 30 ago. 2016. Disponível em: <https://qz.com/769897/sorry-china-the-future-of-next-generation-manufacturing-is-in-the-us/>.

24. Rao e Verweij, "Sizing the Prize".

25. Yuval N. Harari, "The Rise of the Useless Class", TED Ideas, 24 fev. 2017. Disponível em: <https://ideas.ted.com/the-rise-of-the-useless-class/>.

26. Binyamin Appelbaum, "The Vanishing Male Worker: How America Fell Behind", *New York Times*, 11 dez. 2014. Disponível em: <https://www.nytimes.com/2014/12/12/upshot/unemployment-the-vanishing-male-worker-how-america-fell-behind.html>.

27. Rebecca J. Rosen, "The Mental-Health Consequences of Unemployment", *Atlantic*, 9 jun. 2014. Disponível em: <https://www.theatlantic.com/business/archive/2014/06/the-mental-health-consequences-of-unemployment/372449/>.

28. Anne Case e Angus Deaton, "Mortality and Morbidity in the 21st Century", Brookings Papers on Economic Activity, primavera de 2017. Disponível em: <https://www.brookings.edu/wp-content/uploads/2017/08/casetextsp17bpea.pdf>.

7. A sabedoria do câncer

1. 李开复, 做最好的自己 (北京: 人民出版社, 2005). Disponível em: <https://www.amazon.cn/dp/B00116LO0W>.

2. Dr. Kai-Fu Lee, Haitao Fan e Crystal Tai (trads.), *Making a World of Difference*, Amazon Digital Services, 13 abr. 2018.

3. Bronnie Ware, "Top 5 Regrets of the Dying", *Huffington Post*, 21 jan. 2012. Disponível em: <https://www.huffingtonpost.com/bronnie-ware/top-5-regrets-of-the-dyin_b_1220965.html>.

4. Elisabeth Kübler-Ross, *On Death and Dying*. Nova York: Macmillan, 1969. [Ed. bras.: *Sobre a morte e o morrer*. São Paulo: WMF Martins Fontes, 2017.]

5. Massimo Federico et al., "Follicular Lymphoma International Prognostic Index 2: A New Prognostic Index for Follicular Lymphoma Developed by the International Follicular Lymphoma Prognostic Factor Project", *Journal of Clinical Oncology*, v. 27, n. 27, pp. 4555-62, set. 2009.

8. Um projeto para a coexistência humana com a IA

1. Seth Fiegerman, "Google Founders Talk About Ending the 40-Hour Work Week", *Mashable*, 7 jul. 2014. Disponível em: <https://mashable.com/2014/07/07/google-founders-interview-khosla/#tXe9xU.mr5qU>.

2. Steven Greenhouse, "Work-Sharing May Help Companies Avoid Layoffs", *New York Times*, 15 jun. 2009. Disponível em: <http://www.nytimes.com/2009/06/16/business/economy/16workshare.html>.

3. Kathleen Pender, "Oakland Group Plans to Launch Nation's Biggest Basic-Income Research Project", *San Francisco Chronicle*, 21 set. 2017. Disponível em: <https://www.sfchronicle.com/business/networth/article/Oakland-group-plans-to-launch-nation-s-biggest-12219073.php>.

4. The Economic Security Project: <https://economicsecurityproject.org/>.

5. Pender, "Oakland Group".

6. Steve Randy Waldman, "VC for the People", Interfluidity (blog), 16 abr. 2014. Disponível em: <http://www.interfluidity.com/v2/5066.html>.

7. Chris Weller, "Mark Zuckerberg Calls for Exploring Basic Income in Harvard Commencement Speech", *Business Insider*, 25 maio 2017. Disponível em: <http://www.businessinsider.com/mark-zuckerberg-basic-income-harvard-speech-2017-5>.

8. Ben Casselman, "A Peek at Future Jobs Reveals Growing Economic Divides", *New York Times*, 24 out. 2017. Disponível em: <https://www.nytimes.com/2017/10/24/business/economy/future-jobs.html>.

9. U.S. Department of Labor, Bureau of Labor Statistics, Occupational Employment Statistics, "Home Health Aides and Personal Care Aides", <https://www.bls.gov/ooh/healthcare/home-health-aides-and-personal-care-aides.htm>, e "Personal Care Aides", <https://www.bls.gov/oes/current/oes399021.htm>.

10. Larry Fink, "Larry Fink's Annual Letter to CEOs: A Sense of Purpose", BlackRock, 18 jan. 2018. Disponível em: <https://www.blackrock.com/corporate/en-us/investor-relations/larry-fink-ceo-letter>.

9. Nossa história global com a IA

1. Steve Jobs, "2005 Stanford Commencement Address", Universidade Stanford, 7 mar. 2018. Disponível em: <https://www.youtube.com/watch?v=UF8uR6Z6KLc&t=785s>.

2. John R. Allen e Amir Husain, "The Next Space Race Is Artificial Intelligence: And the United States Is Losing", *Foreign Policy*, 3 nov. 2017. Disponível em: <http://foreignpolicy.com/2017/11/03/the-next-space-race-is-artificial-intelligence-and-america-is-losing-to-china/>.

3. Zachary Cohen, "US Risks Losing Artificial Intelligence Arms Race to China and Russia", CNN, 29 nov. 2017. Disponível em: <https://www.cnn.com/2017/11/29/politics/us-military--artificial-intelligence-russia-china/index.html>.

Índice remissivo

este livro, composto na fonte fairfield,
foi impresso em papel polen natural 70g/m² na Leograf.
São Paulo, novembro de 2024.